HOMICIDE BOULEVARD

ROGER BORNICHE

HOMICIDE BOULEVARD

© Presses de la Cité, 1992

PRESSES DE LA CITÉ

Le Code de la propriété intellectuelle n'autorisant, aux termes de l'article L 122-5, (2° et 3° a), d'une part, que les « copies ou reproductions strictement réservées à l'usage privé du copiste et non destinées à une utilisation collective » et, d'autre part, que les analyses et les courtes citations dans un but d'exemple et d'illustration, « toute représentation ou reproduction intégrale ou partielle faite sans le consentement de l'auteur ou de ses ayants droit ou ayants cause est illicite » (art L 122-4)
Cette représentation ou reproduction, par quelque procédé que ce soit, constituerait donc une contrefaçon sanctionnée par les articles L 335-2 et suivants du Code de la propriété intellectuelle

© Presses de la Cité, 1993

ISBN 2-266-07239-0

Il est possible que des personnes actuellement vivantes soient confondues, à tort, avec des personnages de ce roman en raison d'une similitude dans les faits ou les positions qu'elles occupent ou ont occupées. Ces ressemblances sont pure coïncidence et ne sauraient, en aucun cas, engager la responsabilité de l'auteur.

L'histoire de *Homicide Boulevard* est basée sur des faits authentiques qui ont défrayé la chronique il n'y a pas si longtemps.

R. B.

Il est possible que des personnes
actuellement vivantes soient confondues, à tort, avec des personnages de
ce roman en raison d'une similitude
dans les faits ou les positions qu'elles
occupent ou ont occupées. Ces ressemblances sont pure coïncidence et
ne sauraient en aucun cas, engager la
responsabilité de l'auteur.

L'histoire de *Homicide Boulevard*
est basée sur des faits authentiques
qui ont défrayé la chronique il n'y a
pas si longtemps.

R.B.

PROLOGUE

Mars 1991

1

La journée a été chaude, l'air chargé d'électricité.
A l'approche du crépuscule, le ciel s'est mis à char-
rier des nuages couleur d'ardoise. Puis l'orage a
éclaté, violent, brutal, zébrant les Santa Monica
Mountains de zigzags éblouissants. Le tonnerre a
espacé ses coups, mais la pluie continue de cribler
de flèches d'argent une *freeway* soudain vidée de ses
usagers, transforme en cataractes les canyons hérissés de broussailles. Seuls quelques *trucks* aux panneaux publicitaires géants abandonnent encore à
l'asphalte inondé les traînées de leurs feux rouges.

Girophare et veilleuses éteints, une Ford blanche à
capot et coffre noirs de la California Highway Patrol
stationne sur la bretelle de dégagement de Beverly
Glen, à l'embranchement de Mulholland Drive. La
tête appuyée contre la portière, la lippe boudeuse, le
sergent-chef Broziack – un mètre quatre-vingt-sept,
quatre-vingt-dix kilos de muscles – fixe le pare-brise
ruisselant d'eau. Il est d'une humeur de dogue. Tout
à l'heure, alors que son coéquipier, l'agent chauffeur
Pindler, mettait le cap sur Police Station au travers
d'une muraille de brouillasses, la voix de fausset du
commandant Moss a jailli du haut-parleur...

– 7 A 33, Broziack?

Le ton, d'habitude courtois, ne présage rien de bon. Le sergent décroche le micro, presse avec appréhension la touche d'émission.

– Commandant?

– Où en êtes-vous de votre ronde?

– On rentre, commandant. Pindler s'apprête à doubler Kanan Road. Dans moins de dix minutes, on est là. R.A.S.

Tout en écoutant la comptine des essuie-glaces, Aaron Pindler, le plus petit et le plus maigre des chauffeurs de la brigade, acquiesce d'un mouvement de paupières. Jusqu'ici la ronde s'est effectuée sans incident. Un banal constat de carambolage au carrefour de Laurel Canyon dû à la chaussée glissante : dégâts matériels insignifiants et échange de cartes de visite entre automobilistes courtois. Par chance, pas de blessures, donc pas de rapport à rédiger, en triple exemplaire, exempt de ratures, de fautes d'orthographe et d'empreintes graisseuses comme le commandant Moss l'exige depuis qu'il a pris la direction de la Central Police. Une présentation parfaite qui sied à sa méticulosité exemplaire.

– Comment R.A.S.? Et Colson, qu'est-ce que vous en faites, Broziack?

D'un geste machinal, le sergent remonte la visière de cuir de sa casquette sur le front.

– Avec le temps qu'il fait, m'étonnerait que le sac de charbon pointe son blair aujourd'hui, commandant. Il tombe des cordes, vous avez vu?

Un hoquet de stupéfaction précède une réplique où l'agacement domine :

– Je vous ai déjà dit, Broziack, et je vous le répète, que les Noirs ne sont pas des sacs de charbon comme vous avez la fâcheuse habitude de les surnommer.

12

Ce sont des hommes comme les autres, tenez-vous-le pour dit. J'aimerais aussi que vous ne vous moquiez pas de moi. Colson a fait des siennes, une fois de plus, il y a moins d'une heure au carrefour de Beverly Glen. Je m'étonne que vous n'ayez rien vu. Il a flanqué un plein seau de peinture dans la portière du coroner de Sherman Oaks. Le toubib est furieux, vous pouvez me croire. Alors demi-tour et ramenez-moi cet hurluberlu par le collet. Le plus tôt sera le mieux...

Dick Broziack, abasourdi, tente une diversion :

— Vous savez bien qu'on ne peut rien faire contre lui, commandant...

— C'est un ordre, Broziack. Ne discutez pas.

Le sergent, résigné, replace le micro sur son socle et, d'un geste, intime au chauffeur l'ordre de faire demi-tour. Aaron effectue une prudente manœuvre pour aborder à nouveau Kanan Road, une voie que, dans un paysage de fin du monde, surmontent des blocs de lave en curieux équilibre les uns sur les autres et qui, par mauvais temps, ont tendance à dévaler les pentes.

Depuis trois mois qu'il sillonne Mulholland Drive, une route de crête qui unit Malibu à Hollywood en une succession interminable de virages, Aaron Pindler en connaît toutes les chausse-trapes. Il la vénère quand le soleil, dans un ciel sans nuage, illumine Los Angeles ou la vallée, de part et d'autre des versants. Il la redoute lorsque les phares hachent comme aujourd'hui un véritable rideau de pluie et projettent sur la crénelure des roches une fantasmagorie d'ombres et de lumières.

La bifurcation de Las Virgenes dépassée, la respiration sifflante de Broziack l'incite à tourner la tête.

— Pindler ?

– Chef?

– Vous qui avez été baptisé au sécateur, Pindler, est-ce que vous trouvez normal que des sacs de charbon viennent faire la loi chez nous? Les Juifs et les nègres, ça ne fait pas bon ménage, il me semble. Du moins, c'est ce qu'on dit. Je me trompe ou je ne me trompe pas, Pindler?

Le ton est agressif et méprisant. Ne sachant quoi répondre, l'agent adopte un mutisme embarrassé cependant que Broziack fixe sur lui ses yeux de fouine.

– Vous avez déjà bouffé du nègre, vous, Pindler? Parce que moi, Broziack, fils d'émigré polonais et catholique de religion, je vous jure que je ne vais pas tarder à en bouffer, du nègre. Le premier qui se pointe, ça va être sa fête. Colson ou un autre. Vous me suivez, Pindler?

Et comme son propos ne trouve toujours pas d'écho, il conclut, pesant ses mots :

– Si je le trouve, cet enfoiré de nègre à cause de qui je vais rater la retransmission du championnat de boxe à Las Vegas, je vous jure qu'il se souviendra de la décoction que je vais lui filer comme il n'en a jamais reçue de sa putain de vie. Et s'il la ramène, une balle dans le chou, Pindler. Légitime défense. Vous serez là pour témoigner. Est-ce que vous me suivez, au moins?

Aaron, interloqué, se dit que la diatribe de son chef est hors de proportion avec les gesticulations irraisonnées de Colson et qu'il n'y a pas lieu d'interpréter les directives du commandant comme une offense personnelle. C'est vrai que depuis trois ans Colson ne cesse de perturber la tranquillité de Mulholland par un comportement déraisonnable. Mais de là à employer les moyens expéditifs que préconise Broziack sous le coup de la fureur, il y a une marge! Juché à la tombée du jour sur un Caddie dégoulinant de hardes ravaudées, le Noir invective les automobilistes, les bombarde d'injures, d'épluchures de légumes, d'eau savonneuse ou de gestes obscènes. Jamais de peinture, en tout cas. Il aura fallu que cette nuit il dépasse les bornes en aspergeant la Cadillac métallisée argent du médecin légiste, ami personnel du gouverneur, pour que Moss intervienne et que se déclenche la colère de Broziack.

Colson n'est pas un mauvais bougre, au contraire. Mais les remontrances semi-paternelles du *Commissioner* [1] ou les stages répétés à l'infirmerie spéciale de la prison de Folsom n'ont en rien altéré l'humeur belliqueuse du grand Black aux cheveux blancs, trépané de la guerre du Viêt-nam. « Trop fou pour être détenu, pas assez pour être interné », ont diagnostiqué les psychiatres, sans doute impressionnés par le comportement héroïque de leur patient lors de l'offensive meurtrière du Têt. Au péril de sa vie, Colson n'avait-il pas tiré des mains des Viets son capitaine de compagnie, action d'éclat qui lui avait valu une belle décoration, une grave blessure à la tête et une modeste pension d'invalidité? Plusieurs fois coffré, Colson retrouve à chaque fois son piédestal branlant et reprend ses gesticulations que les hommes de la California Highway Patrol, de guerre lasse, n'osent même plus sanctionner.

Surpris par le faisceau des phares, un grand duc aux aigrettes en forme d'oreilles de chat frôle le pare-brise de son vol lourd. Le coup de frein brutal détériore un peu plus l'humeur du chef de patrouille, réfractaire au port de la ceinture de sécurité.

1. Préfet de police.

15

– Vous le faites exprès, Pindler, ou quoi? Vous tenez vraiment à ce qu'on finisse dans le ravin?

– Un hibou, sergent.

– Quoi, un hibou? Vous n'avez jamais vu de hiboux dans les collines, vous? Vous n'allez tout de même pas nous foutre en l'air pour un hibou, j'imagine?

Broziack, dont la coupe de cheveux militaire couronne des oreilles décollées, tasse sa corpulence au creux de la banquette, allonge les jambes, empoigne l'accoudoir. Il se tait. La pluie, dont les rafales redoublent de violence, cingle la carrosserie, crépite sur les vitres, forme des rigoles qui serpentent de chaque côté de la *freeway* et cascadent vers les bas-côtés non stabilisés.

Peu avant Beverly Glen, Broziack sort enfin de sa torpeur.

– Est-ce que vous voyez vraiment clair devant vous, Pindler?

– Difficile, chef. Je ne roule pas vite exprès...

– C'est encore heureux! Parce qu'il faut être vraiment con comme le commandant pour s'imaginer que Colson va faire ses pitreries par un temps pareil. Pas une bagnole depuis qu'on a rebroussé chemin. Est-ce que vous vous rendez compte, Pindler?

– Je me rends compte, chef. Je pense aussi qu'on aurait peut-être intérêt à nous abriter sous les arbres en attendant que la pluie s'arrête...

– Pour nous faire foudroyer! Vous en avez de bonnes, Pindler! Où est-ce que vous avez la tête, en ce moment? Prenez donc la bretelle à droite, ça vaudra mieux pour tout le monde.

Aaron ralentit et engage la Ford sur une rocade au pied d'un imposant bloc de rochers. Une manœuvre, une marche arrière et la lourde voiture souillée de boue s'immobilise au pied d'une arête à feuillets noirs et déchiquetés. Il coupe le contact.

— Maintenant, chef?

— Maintenant, Pindler, on n'a plus qu'à attendre l'apparition hypothétique de ce sac de charbon siphonné!

2

La Cherokee noire, bardée de chromes, se propulse sur Mulholland que les projecteurs anti-brouillard font surgir de l'ombre. Profitant de l'éclaircie, Monster fonce pied au plancher, poussant au-delà des limites un moteur qui laisse échapper des pétarades inquiétantes mêlées d'étincelles. Au-dessus de la capote de moleskine, l'antenne de radio siffle au vent telle une gaule de pêcheur. Au loin, en contrebas de la *freeway* luisante de pluie, les lueurs de Los Angeles-la-tentaculaire tremblotent dans la bruine.

L'aiguille du compteur affiche soixante miles. A cette heure avancée de la nuit, les *traffics cops* [1] ont d'autres missions à accomplir que contrôler des excès de vitesse sur une route déserte, livrée aux coyotes et aux reptiles jusqu'à l'aube. Monster n'avait pas terminé sa montée vers Goldwater que les roues de sa Jeep Cherokee expédiaient un crotale d'une longueur démesurée au paradis des serpents à sonnette.

Le Noir, par réflexe, jette de temps à autre un coup d'œil dans le rétroviseur pour s'assurer qu'il

1. Policiers en voiture-radio.

19

n'est pas suivi. L'enveloppe posée près de lui contient un véritable traité d'armistice entre les Bloods et les Crips, ces bandes noires rivales qui transforment South Central Los Angeles en un champ de bataille permanent. Après des mois d'efforts et de patience, il a enfin réussi à concilier les parties lors de la réunion qui vient de s'achever à Wilson Drive. Mais un acte isolé de vengeance est toujours possible. Trop d'intérêts sont en jeu. Depuis qu'il a quitté la villa du vieux John Smith qu'une balle perdue a rendu aveugle, lors des émeutes des Watts en 1965, il est sur ses gardes.

C'est dans ce quartier noir et miséreux des Watts où chaque immeuble, chaque abri de bus, chaque devanture de magasin, chaque palissade est bariolé de tags multicolores et de hiéroglyphes indéchiffrables aux non-initiés, que Clarke a vu le jour, trente-deux ans plus tôt. Il appartient à cette catégorie de déshérités que la Providence a jetés dès l'enfance dans les trafics dangereux. Aujourd'hui, il est considéré comme un leader qui a réussi, respecté par les uns, jalousé et craint par d'autres. La taille très au-dessus de la moyenne, la carrure herculéenne, le cou large et puissant, enfoncé dans les épaules, des poings de boxeur l'ont fait surnommer « Monster », « le Monstre », dès son plus jeune âge. Le sobriquet lui est resté. Jim « Monster » Clarke est un pacifique, convaincu que la haine des Blancs et les exécutions auxquelles se livrent ses compatriotes noirs sont une entrave au développement légal des libertés qu'ils rêvent d'obtenir.

Il lui a fallu toute son autorité pour que des Bloods et des Crips acceptent de se rencontrer à Wilson Drive. Les représentants des principaux gangs Bloods, vêtus de rouge comme il se doit – casquette de base-ball, veste et jean de couleurs vives, criardes –, étaient arrivés les premiers. Les Crips, tenue bleu et noir, avaient fait irruption quelques minutes plus tard dans la villa, le visage fermé, les nerfs à vif, sur leurs gardes. La réunion avait assez mal débuté. Bloods et Crips, frères ennemis, se mesuraient du regard tandis que le vieux Smith crachait sa haine des Blancs. Frappant du pommeau de sa canne le bord de la table, comme pour donner plus de force à ses paroles, il s'était écrié :

– Malgré l'abolition de l'esclavage, nous, les Noirs, nous sommes depuis trois siècles les parias de la société américaine ! Nos enfants, nos petits-enfants sont rejetés à cause de la couleur de leur peau. Ils le seront toujours. Les Chicanos nous détestent, les Coréens bénéficient des largesses des républicains et nous volent les emplois. Dès qu'ils peuvent nous tomber dessus, les flics nous matraquent.

Le patriarche aux yeux vides et à la chevelure laiteuse avait poursuivi :

– La ségrégation n'a jamais cessé d'exister. Mais vous, Crips et Bloods, vous êtes encore plus racistes que les Blancs ! Vous vous tuez pour la couleur de votre blouson, de votre casquette, pour le plaisir ! Vous ne voyez donc pas que vous faites leur jeu ?

Il avait fallu beaucoup de diplomatie à Monster pour faire accepter l'armistice qu'il proposait. Ses arguments pour mettre fin à une guerre fratricide avaient finalement porté, même si ce n'était que du bout des lèvres que Bloods et Crips avaient consenti à faire taire les armes. Du moins pour un moment.

– Soit, avait résumé Smith. Que les différends pour une fille, un vol de sac à main, une vente de crack ou de dope se règlent comme par le passé à mains nues et non à coups de Mac 11 ou d'AK47. Il

21

faut nous unir pour condamner la suprématie des Blancs. Nous ne devons pas être maintenus dans une position d'infériorité alors que nous excellons dans bien des domaines, et que les Blancs sont contents de nous trouver pour faire triompher les couleurs de l'Amérique dans tous les sports ou pour vendre notre musique au monde entier! Gare au retour de flamme s'ils continuent à nous traiter comme des bêtes!

Dans la voiture de police, le calme trompeur est en fait chargé d'électricité.

– Agent Pindler, murmure Broziack en se tortillant sur son siège, voilà une demi-heure que nous sommes comme des cons à guigner la route que j'en ai mal aux yeux alors que ce Bamboula de malheur n'a pas une seule fois montré son pif. Qu'en déduisez-vous?

– Moi? Rien, chef!

– Comment rien, Pindler? Vous débloquez ou quoi? On va tout bonnement lever la séance. Rentrer à l'état-major. Sans nous presser parce que ça glisse et sans affoler les hiboux qui vous foutent la trouille. C'est compris, ça, Pindler?

L'agent pointe le menton vers la radio de bord.

– Oui, chef. Mais il faudrait peut-être qu'on en demande au commandant l'autorisation. Lui dire aussi que Colson est invisible. On ne l'a pas tenu au courant et ça va l'énerver si on ne lui donne pas signe de vie.

Broziack le fusille du regard avant de répliquer, hautain :

– Agent Pindler, j'ai dix-huit ans d'ancienneté et je sais ce que j'ai à faire. Ce n'est pas un bleu-bite comme vous qui allez me donner des instructions. Moss aura compris que si je ne l'appelle pas c'est que je n'ai rien à lui dire. Regardez-moi plutôt l'allure de cette bagnole qui rapplique... Un dingue, probablement. Depuis le temps qu'on n'en a pas vu!

Des faisceaux surgis du tournant illuminent la *freeway*, devançant l'apparition d'une Jeep, haute sur roues, en pleine chevauchée fantastique. Les feux rouges s'évanouissent aussitôt, plongeant dans les fougères environnantes comme l'œil d'un bathyscaphe dans les fonds sous-marins.

La voix de Broziack, un instant interloqué, résonne dans l'habitacle :

— Vous avez vu, Pindler?

A la dérobée, Aaron observe le visage courroucé du sergent.

— J'ai vu, chef. Seulement une Jeep ça tient vachement la route...

Broziack fait à nouveau gémir les ressorts de son siège.

— Je ne vous demande pas si ça tient la route, Pindler, seulement si vous avez constaté comment ce type se moque de la limitation de vitesse. Vous ne croyez pas qu'il mérite une belle suspension de permis, ce salopard? Vous avez pris son numéro, je suppose?

— Je n'ai pas eu le temps, chef. Je peux essayer de le rattraper...

Les yeux de Broziack s'écarquillent, révèlent l'ahurissement le plus total.

— Le rattraper? Pourquoi pas entamer un rodéo avec lui, pendant que vous y êtes! Ma parole, vous déconnez à pleins tubes, mon pauvre ami! Vous allez au contraire me ramener tout doucettement au service tandis que je balance un appel aux patrouilles du coin pour qu'elles interceptent ce danger public. Moteur! Et tâchez de faire gaffe aux grands ducs si vous voulez mon avis!

L'ironie du ton laisse insensible l'agent Pindler. Il ajuste sa ceinture de sécurité, actionne le démarreur, allume les phares. Il engage la Ford sur Mulholland alors que la pluie recommence à tomber dru.

3

Jack Wallace avance d'un pas allègre sur Sunset Boulevard. Il a quitté l'autobus à Bronson Avenue et pris la direction de Van Ness Street. Ses épaules se dandinent au rythme de ses pas. Il serre sous le bras une caméra-vidéo que son épouse lui a offerte la veille pour son anniversaire et dont il a encapuchonné l'objectif. Il dépasse le Metropolitan Hotel, s'arrête au feu rouge à proximité de la Hollywood Freeway. Son regard inspecte les immeubles de l'autre côté du boulevard. Un sourire de satisfaction : Jack Wallace a découvert ce qu'il cherchait. Il emprunte le passage clouté dès que la signalisation a viré au vert, s'arrête une seconde devant l'antenne pyramidale métallique en forme de tour Eiffel, dont les croisillons supportent les lettres majuscules K.T.L.A., la station de télévision de Los Angeles.

Comme un chien appâté, Jack Wallace passe la langue sur ses lèvres, respire profondément et contourne un long mur de briques pour s'immobiliser devant une barrière mobile que protège un employé du service de sécurité. L'index à la visière de sa casquette de base-ball, il annonce tout de go :

— Je voudrais voir un journaliste, si c'est pas trop

vous demander. Celui que vous voudrez, mais il m'en faut un, et vite...

La véhémence du ton surprend le surveillant dont l'œil se fait sévère :

— Les bureaux n'ouvrent qu'à 9 heures, mon gars. Qu'est-ce que vous lui voulez, au journaliste?

Wallace hésite, puis d'une voix basse, sépulcrale :

— Je peux pas vous le dire mais ça peut pas attendre. Ça va faire du bruit, croyez-moi!

— Dans ce cas... concède le vigile, intrigué. Deux secondes, je vais voir si quelqu'un peut vous recevoir.

Il consulte la pendule murale du poste de garde, décroche le téléphone, tente plusieurs essais. Wallace ressasse son laïus comme il n'a cessé de le répéter durant tout le trajet de l'autobus qui l'a conduit sur Sunset. « Vers minuit, un hélico n'en finissait pas de tourner au-dessus de la maison. J'ai ouvert la fenêtre. L'hélico braquait son projecteur sur des flics qui matraquaient un type tombé à terre à côté de sa voiture, une Jeep Cherokee. J'ai attrapé la caméra et j'ai filmé. Si ça vous intéresse, je vous laisse la bande pour cinq cents dollars. Sinon, je vais ailleurs. Ils ont traîné le type par les pieds, les mains menottées derrière le dos pour l'embarquer dans une des bagnoles du L.A.P.D. [1] Il y en avait plein, des voitures de flics. »

Cinq cents dollars, c'est le prix que Wallace s'était fixé en échange de la cassette. Il avait d'abord pensé l'offrir mais s'était ravisé au cours de la nuit. Cinq cents dollars lui permettraient d'acheter une table de montage. Il en avait vu pour moins de quatre cent vingt dollars chez Adray's, sur Wilshire. Une autre, plus perfectionnée, chez Samy's Camera. Un film

1. Los Angeles Police Department.

sans coupe est souvent lassant pour le spectateur. Il s'en était une fois de plus rendu compte à la projection en super 8 du baptême de son dernier-né. La vidéo, rien de tel. Sa femme l'a compris puisqu'elle a marqué leurs dix ans de mariage par ce somptueux cadeau.

Soudain, Wallace est pris de panique. Il a filmé la scène, bien sûr, mais il n'a pas pensé à la visionner. Comment savoir si la prise de vue a été correcte ou si, au cours du rembobinage, les images n'ont pas été effacées? Du coup, il se souvient avoir un peu mélangé les boutons, faute de pratique. Il essaie de chasser son angoisse, espérant que le gardien ne trouve personne de disponible pour le moment. Ainsi, il aura le temps de reprendre ses esprits, de passer la bande sur son téléviseur avant de proposer son film, s'il est réussi...

Le garde a reposé le téléphone. Il revient vers Wallace en affichant un sourire entendu:

— Vous avez du pot, le chef des informations va vous recevoir. J'espère que vous ne m'avez pas raconté de conneries, mon vieux!

sans coupe est souvent lassant pour le spectateur. Il s'en était une fois de plus rendu compte à la projection en super 8 du baptême de son dernier-né. La vidéo, rien de tel. Sa femme l'a compris puisqu'elle a marqué leurs dix ans de mariage par ce somptueux cadeau.

Soudain, Wallace est pris de panique. Il a filmé la scène, bien sûr, mais il n'a pas pensé à la visionner. Comment savoir si la prise de vue a été correcte ou si, au cours du rembobinage, les images n'ont pas été effacées? Du coup, il se souvient avoir un peu mélangé les boutons, faute de pratique. Il essaie de chasser son angoisse, espérant que le gardien ne trouve personne de disponible pour le moment. Ainsi, il aura le temps de reprendre ses esprits, de passer la bande sur son téléviseur avant de proposer son film, s'il est réussi...

Le garde a reposé le téléphone. Il revient vers Wallace en affichant un sourire entendu:

— Vous avez du pot, le chef des informations va vous recevoir. J'espère que vous ne m'avez pas raconté de conneries, mon vieux!

PREMIÈRE PARTIE

1

29 avril 1992.

Toutes les constellations de l'univers se sont donné rendez-vous au-dessus de ma tête, alors qu'un tapis de fluorescences multicolores s'étale sous les ailes du jet qui a décollé de Mac Carren Airport. C'est un spectacle grandiose, féerique, dont Las Vegas me gratifie. Le nez soudé au hublot, je contemple la débauche de lumières du Strip où les hôtels, les boîtes de nuit, les music-halls, les bars et les casinos rivalisent d'extravagance et de pièges à passions. Le clown démesuré du Circus-Circus, la poussière étoilée du Stardust, la forêt de flamants roses du Flamingo concurrencent la cascade de pépites d'or du Golden Nugget alors qu'à l'entrée de la ville, le pouce gigantesque et mécanique d'un cow-boy désigne aux gogos le chemin de l'arnaque.

Le papillotage des couleurs est maintenant derrière moi. Quelques nuages défilent sur lesquels la lune dessine des dômes et des cratères que mon imagination transforme en mystérieuses allégories. Une purée de pois, couleur moutarde, recouvre Death Valley, la vallée de la Mort, chaos de rochers et de dunes de sable, enfer des pionniers qui s'y hasardèrent au temps de la ruée vers l'or.

Trois jours plus tôt, à Los Angeles, le grand et blond Baker à qui j'avais rendu visite dans son agence de détectives sur Wilshire, à courte distance du building du F.B.I., son ancien service, m'avait annoncé tout de go, fixant sur moi son œil lavande :

– Puisque votre femme est en France encore pour quelque temps, qu'est-ce que vous diriez d'une virée à Vegas, *Rodger*? Un client m'offre un week-end avec le collaborateur de mon choix. Si cela vous amuse...

La proposition était alléchante. La solitude me pesait, et l'idée de revoir les lieux où, des années plus tôt, j'avais court-circuité Zampa, le porte-flingue de la Mafia, m'attirait tout autant [1]. J'avais accepté.

Du vendredi soir au lundi matin, la folie s'empare de la cité du jeu. Aussi Baker avait-il décidé de différer notre départ et de ne réintégrer Los Angeles que le mercredi soir. Deux journées d'escapade étaient suffisantes. En fait, nous n'avions pratiquement pas quitté le Ceasar's Palace où d'impressionnantes copies des statues de Michel-Ange, l'immense chandelier du Casino-Forum aux mille six cents lampes et cent mille cristaux importés d'Allemagne, le bar flottant Cleopatra's, réplique d'un ancien bateau égyptien, la profusion de marbre et de fontaines, les suites au lit circulaire sous le plafond-miroir témoignent d'un goût américain pour le moins discutable. Seule, la galerie-restaurant Palace Court, où des œuvres de peintres en renom sont exposées, avait trouvé grâce à mes yeux. Baker, lui, appréciait plutôt le massage du cou et des épaules que des vierges

---

1. Voir *Le Ricain*, éd. Grasset.

– d'après le prospectus – effectuent sur le client avant chaque dîner au Bacchanal.

En bon touriste parachuté au paradis du jeu, j'avais bien entendu tenté ma chance aux machines à sous qui peuplent l'établissement jusque dans les toilettes. Elle n'était pas au rendez-vous. Les croqueuses de pièces du Flamingo et du Circus-Circus où les acrobates évoluent au-dessus des crânes des flambeurs n'avaient guère été plus généreuses. Comme je suis, au fond de moi, peu attiré par les loteries, j'avais sagement mis fin au gaspillage. Baker avait eu plus de chance au black-jack, et avait presque triplé sa mise.

– Dans dix minutes on se pose, dit-il, allongé dans son fauteuil, les mains sous la nuque, les avant-bras écartés. Vegas-L.A., c'est vraiment un saut de puce.

Son propos semble avoir été entendu, puisque l'ordre d'attacher les ceintures clignote sur les voyants tandis que la voix de l'hôtesse distille les recommandations d'usage. La voie lactée, qui, entre San Bernardino et le Pacifique, tresse à l'infini un tapis de lumières vacillantes, ne devrait pas tarder à apparaître.

L'appareil décrit une courbe comme pour m'offrir l'atterrissage par la baie de Santa Monica. La lune tourne, disparaît du hublot. En bas, l'obscurité totale. Le rugissement des réacteurs décroît, le Boeing descend en vol plané, dans le sifflement de l'air sur les ailes. Les réapparitions de la lune qui semble entamer une ronde autour de nous me paraissent pourtant anormales. Les pistes de l'aéroport seraient-elles à ce point encombrées?

Je n'y comprends plus rien. Ce que je découvre, d'en haut, à travers la déchirure d'un épais nuage, ce ne sont pas les feux du *great* Los Angeles mais les flammes dansantes d'un immense incendie qui crache vers le ciel des volutes de fumée noire. Le nuage se referme avant qu'une nouvelle et plus longue éclaircie ne révèle, à perte de vue, des pans d'obscurité que trouent d'autres brasiers.

Je n'ai pas le temps de me demander si je ne suis pas le jouet d'une hallucination. Des exclamations de stupeur s'élèvent dans la cabine lorsque des étincelles fusent en gerbes sous nos yeux, s'éparpillent et retombent en pluie comme des étoiles de feu d'artifice. D'épais nuages de fumée tourbillonnent, s'amoncellent, voilent une grande partie du centre-ville.

La voix professionnellement calme du commandant de bord émerge des haut-parleurs de travées :

– Mesdames, messieurs, une minute d'attention, s'il vous plaît. Il est possible que nous ne puissions pas nous poser à LAX[1] où des émeutes ont éclaté. Des hélicoptères rendent l'approche difficile. Nous tenterons Long Beach ou Ventura Airport selon les instructions de la tour. Veuillez regagner vos places, s'il vous plaît.

– Manquait plus que ça, grogne Baker en resserrant sa ceinture. Quand je pense, *Rodger*, qu'on aurait pu rester une journée de plus à Vegas !

Nous tournoyons pendant une bonne trentaine de minutes avant de nous glisser finalement entre les balises de la piste de LAX. Le hall 3 est en effervescence. En raison des embouteillages monstres des rues de Los Angeles, des gens ont raté leur départ. Ils vont et viennent, hébétés, dans un brouhaha d'exclamations. Une odeur âcre de fumée stagne sous les hauts plafonds de béton.

1. Abréviation de l'aéroport de Los Angeles.

Nous piquons droit sur le parking de la T.W.A. où Baker a garé sa Porsche, deux jours plus tôt.

– On a intérêt à éviter La Cienega, dit-il en acquittant le prix du péage. Ça a l'air de chauffer dans ce coin-là!

– C'est le cas de le dire!

Il longe l'aérogare, la dépasse, poursuit la *freeway* jusqu'à l'extrême limite des installations, là où les panneaux suspendus indiquent Return, Airport, Sepulveda et Century Boulevard.

Nous empruntons Century, puis Richard vire à gauche sur la San Diego Freeway particulièrement surchargée. La radio distille des informations que hachent la pétarade des rotors des hélicoptères, les ululements des sirènes de pompiers et le crépitement du feu. Alors que des halos d'incendie rougeoient au-dessus de South Central, des reporters se succèdent pour rendre compte d'une situation qui s'aggrave de minute en minute et dont ils attribuent la paternité à la relaxe de quatre policiers blancs par le tribunal de Simi Valley.

– C'était à prévoir, lâche Baker, changeant brusquement de file à la bifurcation de la Santa Monica Freeway. Matraquer un Noir comme ils l'ont fait et s'en sortir presque avec les félicitations du jury, il n'y a qu'ici qu'on voit ça. Vous avez suivi le procès?

Au début, comme toute l'Amérique. Par la suite, j'avais autre chose à faire que de rester planté devant un écran de télévision pendant les trois mois qu'avaient duré les débats. La chaîne qui avait l'exclusivité de la retransmission se complaisait dans le rabâchage des faits survenus un an auparavant et la rediffusion permanente, au ralenti, du bastonnage d'un Noir allongé à plat ventre sur le sol. Chacune de ses tentatives pour se redresser engendrait coups de matraque et coups de pied. Le film d'amateur en noir et blanc durait quatre-vingt-une secondes.

– Ce que j'en ai vu m'a suffi, dis-je. Un certain Monster a été assaisonné par des hommes du L.A.P.D. Si les flics agissaient comme ça en France...

Un appel de phares pour doubler une Cadillac-wagon moyenâgeuse et Richard acquiesce vigoureusement.

– Est-ce qu'en France on verrait une cour d'appel déplacer un procès hors de la ville où les faits se sont produits, sous prétexte que la sérénité des débats serait troublée? Non, n'est-ce pas?

Je m'abstiens de répondre. J'ai en mémoire un souvenir qui n'honore pas les hommes de robe. A Orléans, une épouse jalouse avait trucidé son député-maire de mari, homme politique ami du pouvoir. La préméditation était établie. Or, le ministre en place avait fait déplacer le procès à Reims pour une soi-disant bonne administration de la justice. Il avait surtout ordonné, par le truchement du procureur géné-ral, que le président et l'avocat général de la cour d'assises de la Seine se substituent aux magistrats rémois. Malgré ses aveux, malgré l'enquête policière rapide et l'instruction sans contestation possible, la meurtrière avait été acquittée. Les jurés avaient tout bonnement répondu « non » à la question de savoir si elle avait tué son époux!

– Savez-vous, *Rodger*, poursuit Baker, que deux mille personnes convoquées pour sélectionner le jury ont dû répondre à cent vingt questions du genre « Avez-vous peur de la police? » ou encore « Quel feuilleton télévisé regardez-vous le plus? ». Que douze jurés, six hommes et six femmes dont un Asia-tique et un Hispanique, ont finalement été retenus après ce galop d'essai? Qu'il n'y a pas un seul

Noir parmi eux, et qu'on a choisi Simi Valley, une cité résidentielle où sont domiciliés de nombreux policiers, dont l'un des matraqueurs, pour instruire le procès ? On aurait voulu accumuler les gaffes dans une ville où le maire, noir, démocrate et ancien policier de surcroît, et le *Commissioner* blanc et républicain ne peuvent pas se sentir, qu'on n'aurait pas fait mieux. Le résultat, le voilà !

Pendant que Richard affiche son pessimisme, je me dis que chaque pays a la police qu'il mérite. La nôtre, celle à laquelle j'ai appartenu pendant près de quinze ans, a quand même du bon, malgré les griefs dont on l'accable. Ici, à Los Angeles, modèle de gigantisme, de difformité et d'incohérence, la police est sans garde-fou. Son chef, haut fonctionnaire de qualité, ses huit mille quatre cents collaborateurs n'ont de comptes à rendre à personne. Après Detroit, la ville détient le record annuel pour les indemnités versées aux victimes de brutalités policières ! Quelle n'avait pas été ma surprise de découvrir dans la revue *Americana* lors d'une consultation d'archives à la Library de Downtown, une liste de passe-temps interdits par la réglementation il n'y a pas si longtemps encore : tirer les lapins d'un autobus en marche, donner du tabac à priser à un enfant de moins de seize ans, vendre des serpents dans la rue, et j'en passe !

A leur décharge, les services de police, dont la devise est « Protéger et Servir », ont à faire face à une criminalité qui en quelques années a augmenté à Los Angeles deux fois plus que partout ailleurs aux États-Unis. Leurs effectifs sont faibles par rapport à quatre-vingt mille Crips et Bloods, puissamment armés, qui vivent de la drogue, du vol et du meurtre.

Nous atteignons Sunset Boulevard au moment où

le maire décrète sur les ondes l'état d'urgence et annonce qu'il sollicite du gouverneur de Californie l'envoi de la garde nationale pour verrouiller les secteurs en proie à la violence. Baker, excédé, éteint la radio.

– Ça n'a pas l'air de s'arranger, conclut-il, stoppant la Porsche devant mon domicile. Je vous appelle demain. Quand je vous disais qu'on aurait mieux fait de rester deux jours de plus au Ceasar's Palace!

Il disparaît dans le vrombissement de son bolide.

– On n'en serait pas là, Edward, si vos hommes avaient eu la présence d'esprit d'intercepter ce Monster sur Mulholland!

La voix du *Commissioner* assène la phrase sur le ton habituel du grand patron qui préside la conférence extraordinaire au quartier général de la police, à Downtown. Le regard filtre sous les paupières courbes, légèrement plissées, examine les cinq directeurs des divisions Homicide, Incendie, Armement, Documentation et Circulation, qui forment l'état-major de la police de Los Angeles, se pose sur le commandant Moss dont la stature haute et un peu voûtée, la chevelure poivre et sel dégringolant sur le col de la veste, les lunettes fines cerclées de métal et le nœud papillon de guingois évoquent plus le professeur ou le poète que le responsable d'un département de circulation.

C'est un célibataire endurci, Moss, dont la stupéfiante mémoire lui permettrait de réciter, ligne par ligne, le contenu des rapports que lui adressent journellement ses officiers. Il peut indiquer, sans la moindre erreur, leurs positions respectives, de jour comme de nuit, en quelque point que ce soit des secteurs qu'il leur attribue lors des réunions hebdomadaires. De l'Académie de police, où il prodiguait des cours de perfectionnement aux candidats-détectives, à son affectation à la direction de la Highway, il s'est fixé pour mission de défendre l'ordre américain.

— L'an passé, rétorque-t-il avec une autorité tranquille, je vous ai indiqué par rapport 2027, paragraphe 5, alinéa 2, les raisons qui ont empêché le sergent Broziack d'intervenir. Sa position dans un chemin peu accessible ne lui permettait pas de se dégager rapidement et de rattraper Jim Clarke, dit Monster, qui roulait à vitesse excessive. Il a donc signalé l'infraction aux patrouilles croisant dans le secteur, témoignant ainsi d'un bel esprit d'initiative.

— Oui, oui, grommelle le *Commissioner*. N'empêche que Monster a été sérieusement malmené...

— Par vos hommes, sauf votre respect, pas par ceux de la Highway Patrol. Je regrette l'incident autant que vous, mais si Monster n'avait pas refusé d'obtempérer aux sommations réglementaires, s'il n'avait pas tenté de frapper les officiers du L.A.P.D., les événements n'auraient sans doute pas pris pareille tournure.

Louis B. Clyde, chef de la division Armement, laisse échapper un gloussement ironique :

— Il fallait que ça tombe sur lui, en plus! Jim « Monster » Clarke, un ancien O.G. [1], connu et respecté de toute la communauté noire de Los Angeles, et qui militait contre la violence des gangs. On aurait voulu provoquer une guerre civile qu'on n'aurait pas fait mieux. C'est à n'y rien comprendre.

1. O.G. : *Original Gangster*. Nom donné aux chefs de bandes Crips ou Bloods.

Moss agite la tête à plusieurs reprises.

— Ce que je n'arrive pas à comprendre, moi, c'est la présence à cette heure tardive d'un cameraman parvenant à filmer la scène en pleine obscurité...

Le *Commissioner* le considère avec sympathie.

— Moi non plus, Edward, mais les faits sont là, hélas, et il nous faut parer au plus pressé. D'ores et déjà vous allez seconder notre ami Fred Bullock à la tête de la division Homicide. Momentanément, bien sûr, tant que dureront les événements. De combien d'hommes disposez-vous ?

— Quarante, qui attendent vos instructions dans les fourgons grillagés au carrefour Sunset-La Brea. Le sergent Broziack est parmi eux. Il rêve d'en découdre...

— Il va être satisfait car la situation se dégrade. Des feux éclatent à chaque coin de rue, des transformateurs explosent et les pompiers sont débordés. Voilà où nous en sommes. On vient de me signaler le premier mort de la soirée, un certain Watson, le pillage de plusieurs armureries et un lynchage, filmé en direct par la télévision, qui a laissé un conducteur de camion grièvement atteint sur la chaussée. Je ne vois pas comment je vais pouvoir contenir les débordements. Certains émeutiers possèdent des téléviseurs de poignet et peuvent suivre en direct les reportages des hélicoptères. Cela leur permet d'être partout où nous ne sommes pas. Je crains le pire, messieurs, je crains le pire...

2

Pierre Julien de Larzac a le sourire. Ses trois boutiques de mode n'ont jamais connu pareille affluence. En particulier celle de Rodeo Drive, fleuron de la société *De Larzac Magic Style* que supervise avec beaucoup d'entregent Simon Krametz, le fils de son ami Samuel mort en déportation.

Dans son bureau capitonné de Pico Boulevard, face à ses livres comptables officiels et occultes, Pierre Julien se sent en sécurité. Il possède à la Bank of America quelque cinq millions de dollars, à peu près l'équivalent à l'Union des banques suisses de Vaduz, une villa hollywoodienne dans les collines de Bel Air avec vue sur le Pacifique et les îles Santa Catalina, un voilier de dix mètres ancré à Marina del Rey, et une Rolls gris métallisé que conduit un chauffeur-garde du corps entièrement dévoué. Et puis il y a Ingrid, Ingrid Palding, sa compagne, une ravissante Suédoise, ex-mannequin d'un couturier en renom.

A soixante-deux ans, Pierre Julien de Larzac est l'un de ces personnages que l'on qualifie de figure très parisienne dans le milieu couture de Beverly Hills. En fait, il est né Pierre Julien, tout simplement, dans un modeste village de l'Aveyron que ceinturent les pentes du Larzac, domaine du vent et de la pierraille. Monté à Paris pour y apprendre le métier de tailleur, il a fait son apprentissage chez Samuel Krametz, dans un atelier de la rue d'Aboukir où les ouvriers tiraient l'aiguille, assis par terre. Quelques stages peu lucratifs dans des officines de quartier des Champs-Élysées où il s'acharnait à retoucher des vêtements de confection le confortèrent dans son idée qu'on ne fait pas fortune au service des autres mais en créant sa propre affaire. Il avait alors décidé de s'expatrier, de tenter sa chance aux États-Unis, servi par la connaissance de la langue anglaise, attiré dès son jeune âge par Hollywood, la capitale des stars, donc de la richesse.

D'un coefficient intellectuel nettement au-dessus de la moyenne, Pierre Julien doit à son père, robuste paysan du Rouergue, sa ténacité au travail et son sens de l'économie ; à sa mère, émigrée irlandaise, un port aristocratique et une silhouette élancée, couronnée d'une chevelure blond roux, aux ondulations artistement entretenues. Il s'est installé dans une modeste boutique de Downtown, proche du Civic Center, où sa débrouillardise a fait le reste. Il fournissait à des ouvriers philippins travaillant en chambre du tissu acheté à bas prix, concevait les patrons qu'il copiait sur l'actualité parisienne, exposait des modèles pimpants dans sa vitrine qu'il avait lui-même décorée de façon engageante. L'enseigne faisant la clientèle, il s'était rebaptisé d'un nom fleurant bon la vieille France : « Pierre Julien de Larzac », accolant à son véritable patronyme le nom de sa région d'origine.

Très vite, les ventes dépassent les espérances de Pierre Julien. Une gestion rigoureuse, le réinvestissement des bénéfices dans la location de boutiques dans des quartiers plus huppés que ceux de Downtown lui assurent des rentrées de plus en plus importantes. La marque *De Larzac* est lancée, se transforme en *De Larzac Magic Style* à l'arrivée du fils de son ami dans la société.

Malgré de bonnes études commerciales, Simon Krametz végétait en France. Particulièrement introduit dans le milieu juif de La Brea, il négocie pour un prix intéressant l'acquisition d'un bâtiment désaffecté sur Pico Boulevard et en assure la transformation. Le rez-de-chaussée est affecté au stockage et à la manutention de la marchandise, le premier étage aménagé en bureau de direction, de personnel et de comptabilité. Pour le récompenser, Pierre Julien lui confie la gestion de la boutique de Beverly Hills en même temps qu'il l'intéresse aux bénéfices. Puis, en souvenir de l'affection et de l'aide que lui a apportées son père Samuel avant sa déportation, il en fait un associé minoritaire.

Simon est un collaborateur si dévoué qu'un soir d'euphorie, Pierre Julien lui confie, sur un ton autoritaire et tendre à la fois :

— Ingrid et moi n'avons pas d'héritier. Mes parents sont morts et ma belle-mère a largement de quoi vivre dans sa propriété de Göteborg. Les nippes ne l'intéressent pas et elle n'a pas l'intention de venir s'installer dans une Californie qu'elle déteste. En raison des liens qui nous unissent, j'ai donc pensé à sauvegarder tes intérêts si par hasard il arrivait un pépin à Ingrid et à moi... Ne dis pas non. Nous sommes tous mortels et on ne sait pas de quoi demain sera fait. Comme nous avons l'intention de voyager beaucoup, j'ai contracté une assurance sur la vie dont tu bénéficieras au cas où nous disparaîtrions tous les deux. La police est dans mon coffre, mon avocat en a la combinaison. Il détient par ailleurs un testament que j'ai rédigé en ta faveur si je venais à partir le premier. Évidemment, l'assurance sur la vie ne jouerait pas, sauf décès d'Ingrid à son tour, mais, en revanche, tu hériterais en totalité de la société sous deux réserves : un, que tu gardes le nom de *De Larzac Magic Style* que j'ai créé et lancé ; deux, que tu assures à Ingrid une vie convenable dans la proportion d'un tiers sur les bénéfices.

Simon Krametz, ému, l'avait chaudement remercié. L'amitié que lui témoignait son protecteur l'avait piqué tel un aiguillon. Il consacra à son travail les heures de liberté que le célibat lui imposait. Les lumières de son bureau de Pico, contigu à celui de Pierre Julien, restaient souvent allumées une grande partie de la nuit, et rares étaient les week-ends où les agents de Patrol Security ne le trouvaient pas devant son ordinateur ou sa machine à calculer.

Mais si Pierre Julien en impose par ses manières, Simon Krametz, lui, n'attire pas la sympathie des employés de la société. Court sur pattes, la calvitie prononcée et des yeux de batracien toujours en mouvement, il est devenu la bête noire des vendeuses de Rodeo Drive, qui lui reprochent un autoritarisme arrogant, déplaisant, souvent vulgaire. Le chauffeur-gorille de Pierre Julien éprouve à son endroit une aversion naturelle née d'une attitude qu'il avait captée dans le rétroviseur de la Rolls. Sur la banquette arrière Pierre Julien et Simon Krametz se tenaient par la main ! Ils discutaient chiffres, soulignaient l'importance de bien gérer la double comptabilité pour le cas où un contrôle serait effectué par les services fiscaux de l'État. Dans la prunelle de Krametz, le chauffeur avait cru déceler un curieux mélange de veulerie et d'avidité. Il s'était dit que M. de Larzac avait tort de se laisser prendre aux flagorneries de Simon, cet efféminé, trop au courant des dissimulations de l'entreprise : « Ce n'est pas en déclarant l'intégralité des recettes à l'*Internal Revenue Service* que tu pourras alimenter ton compte numéroté de Vaduz, avait proféré Krametz à voix basse. Tous les fripiers font du sans-facture. Le tout est de savoir maquiller le stock. »

Le chauffeur avait de bons yeux, d'excellentes oreilles. Qu'est-ce qu'un homme comme Larzac pouvait bien trouver à ce Simon Krametz ?

Au volant de sa Bentley métallisée or, Krametz fonce sur Wilshire Boulevard, le trajet le plus rapide entre Rodeo Drive et Longwood Street, de l'autre côté de La Brea. Il se faufile entre les embouteillages, sans se soucier du concert de klaxons indignés que déclenchent ses changements de file.

Avec ses palaces, ses boutiques de luxe et ses buildings géants plus somptueux les uns que les autres, le boulevard est le théâtre d'une perpétuelle animation. Seule oasis de calme, le verdoyant Hanckok Park, où s'élève le musée des Beaux-Arts, riche de Rembrandt, Van Gogh, Degas, Cézanne et autres Modigliani, Matisse et Pissarro.

Simon, le visage tourmenté, coupe La Brea, emprunte Highland sur la droite, freine brutalement devant son immeuble. La hâte de retrouver Burt, son amant, lui donne des ailes. Burt Field, une belle brute blonde aux muscles ornés de tatouages, le domine par le sexe, mais respecte le contrat.

Pour Pierre Julien, Simon Krametz vit en célibataire dans son modeste pied-à-terre de Longwood, proche du siège de la société. En fait, Simon abrite ses amours dans une villa de Pacific Palisades, enfouie dans les palmiers et les bougainvillées. La générosité affectueuse de Pierre Julien lui a permis d'abord de rétribuer grassement les faveurs de Burt, ensuite de former un couple de gays, comme il en pullule sur la côte Ouest en général, et à West-Hollywood en particulier. Burt Field avait tout de suite compris le parti qu'il pouvait tirer de la situation. Sa paresse, l'oisiveté l'avaient entraîné jusqu'alors à commettre des larcins qui lui avaient fait connaître le centre de détention juvénile de Kilpatrick et la prison de Folsom. Son père, garçon de bureau, sa mère, femme de ménage d'Hermosa Beach, avaient tout tenté pour le remettre dans le droit chemin. Mais Burt plaît aux hommes et aime l'argent. Simon Krametz était pour lui le pigeon rêvé. Le riche misogyne allait savoir ce qu'allait lui coûter sa tumultueuse passion.

Tout à l'heure, alors que Simon se préparait à comptabiliser une partie des recettes de la journée, Hortense Simonneau, la longue et sèche secrétaire du magasin de Beverly Hills, avait fait irruption dans son bureau, l'air agité, le parapheur à la main :

– Le courrier, monsieur. Quatorze lettres et huit chèques à signer. Je crains que nous n'ayons plus grand monde, cet après-midi : une cliente vient de m'avertir que des Noirs mettent le feu à la ville du côté de La Brea.

Les mouvements de foule rappellent à Simon de sinistres souvenirs. Tant d'images de mort passent devant ses yeux... Il reste figé devant l'écran de l'ordinateur, avant de balbutier :

– Qu'est-ce que vous me racontez là, mademoiselle?

46

– Elle m'a dit que les policiers du procès viennent d'être acquittés. Alors, les Blacks ont décidé de tout casser. Elle habite Pico et se demande si elle va pouvoir rentrer chez elle ou si elle va aller coucher chez sa fille à Santa Monica.

Simon Krametz n'écoutait plus. Vite, il avait pris l'initiative qui convenait : téléphoner à Pierre Julien pour le mettre au courant de la situation, fermer le magasin et foncer à Longwood récupérer Burt avec lequel il devait assister à une rétrospective de vieux films hollywoodiens au théâtre Bing. Plus question de cinéma, la nouvelle de l'émeute bousculait le programme. Il fallait gagner d'urgence la villa de Pacific Palisades, havre à l'abri de tout danger, et attendre la fin des événements. Peut-être, si le secteur était calme, passer sur Pico avant de quitter L.A. pour voir si rien ne bougeait à l'entrepôt *De Larzac Magic Style*.

Dans le hall de l'immeuble, Simon s'énerve. Il a beau titiller le bouton d'appel de l'ascenseur, le clignotant rouge le nargue. Un imbécile aura encore bloqué la cabine à l'étage, pour sortir ses valises ou un congélateur hors d'usage. A bout de patience, il frappe la porte d'un violent coup de poing, puis, maugréant, s'engouffre dans l'escalier de service. Hors d'haleine et ruisselant de sueur, il atteint enfin le cinquième étage au moment où la cabine de l'ascenseur glisse devant ses yeux. Simon jure à nouveau, se précipite vers la porte de l'appartement 52, fouille nerveusement la poche droite de sa veste, puis la gauche. Il doit se rendre à l'évidence : dans sa précipitation, il a oublié ses clés au bureau! Et, contrairement à l'habitude, le double n'est pas à sa place, dissimulé derrière le compteur électrique du couloir.

Son index appuie frénétiquement sur la sonnette, tandis qu'il crie, la bouche collée au panneau :

– C'est moi, Burt. Ouvre!

Pas d'autre réponse que la sonnerie qui n'en finit pas de retentir dans le vide.

Simon, déconcerté, se force à se calmer, à réfléchir. Les aiguilles de sa montre indiquent 18 h 45. Ils avaient rendez-vous à 20 heures. Normal que Burt ne soit pas rentré. Il devait passer son après-midi à rechercher le dernier multiplicateur de focale, avant de se livrer à sa séance de musculation quotidienne.

– Burt! appelle Simon une nouvelle fois, sans conviction.

La passion de Burt, c'est l'image. Et le muscle. Simon imagine son amant en train de fureter entre les rayons de Samy's Camera, sur La Brea. Ou de déployer ses muscles à l'Aerobic Club de Santa Monica où les tatouages se dessinent plus nettement et les corps huileux resplendissent.

Un bruit de pas dans l'appartement limitrophe attire l'attention de Krametz. Un œil se colle au viseur du judas tandis que retentit la voix rauque de sa voisine, une rousse de choc plus que quadragénaire qui ne manque jamais une occasion de lancer à Burt des œillades énamourées.

– Je peux pas vous ouvrir, j'étais sous la douche. Faut pas faire un tel raffut sur le palier, mon bon monsieur. J'ai même pas eu le temps de m'essuyer... Il est pas là, votre ami, si vous voulez savoir. Il est sorti mais il ne doit pas être bien loin, sa moto est en bas.

– Il ne vous a pas dit où il allait?

– Non.

– Merci, soupire Simon à contrecœur en appelant l'ascenseur.

– Il y a quelque chose à lui dire si je le vois?

– Pas la peine. Je vais faire un tour et je reviens.

L'insolente insouciance de Burt indispose souvent Simon qui ne peut s'empêcher de penser que son compagnon aurait pu au moins être là au lieu de traîner on ne sait où. Il traverse le hall, réfléchit quelques secondes : puisque Burt est en vadrouille, il va faire un saut à l'entrepôt. Il rejoindra ensuite Pacific Palisades.

Sur Longwood, Simon Krametz retrouve la Bentley, démarre brusquement. Direction Pico Boulevard.

Un mètre quatre-vingt-dix, des biceps d'haltérophile saillant sous la vareuse noire, le sergent Dave Wesson du Los Angeles Police Department ne transige jamais sur le règlement. Ce sens de la rigueur et de la discipline est une marque de famille. Son grand-père était officier de marine, son père, garde fédéral. Lui-même, avant d'entrer dans la police, avait été vigile dans un cabaret de strip-tease de Hollywood Boulevard, exerçant consciencieusement sa fonction de videur avec une force et une maestria dont plus d'un provocateur avait pu apprécier l'efficacité.

Le sergent Wesson est, sans aucun doute, le plus impressionnant des flics plantés à l'angle de Longwood et de Pico. Le casque sur la tête, la matraque à la main, il interdit toute circulation en direction de La Brea où des chevaux de frise se mettent en place tandis que dans le lointain retentissent les sirènes de pompiers et les ululements des voitures de police.

La Bentley freine pile devant le barrage. Simon Krametz klaxonne, mais l'impassibilité du flic le force à quitter sa voiture pour aller solliciter le passage. Mal lui en prend. D'autres véhicules s'agglutinent derrière le sien. Comble d'infortune, un barrage-arrière de soutien, à l'intersection de San Vicente, coupe désormais toute manœuvre de repli.

Simon, à force de gestes et de cris, s'évertue à parlementer.

— Pas la peine de discuter, on ne passe pas! déclare, catégorique, le géant Wesson, son regard autoritaire toisant le minuscule Krametz. N'insistez pas, ou je vous coffre.

— Me coffrer, monsieur l'officier? Me coffrer, moi qui travaille? C'est insensé de vouloir empêcher un industriel de se rendre à ses bureaux!

— Insensé ou pas, c'est comme ça!

— Eh bien, moi, je vous dis que je vais passer.

Son exaspération rend Krametz aveugle. Il ne redoute même pas le mur d'uniformes qui se dresse devant lui. Simon le timoré se sent dans la peau de David affrontant Goliath.

— Et moi, je vous répète qu'on ne passe pas, gronde Wesson. Ni vous ni personne. La consigne, c'est la consigne.

— Et elle va durer longtemps, cette connerie?

— Aussi longtemps que vous ne pourrez pas circuler. Fallait pas venir vous encastrer dans ce guêpier!

Le visage de Simon Krametz vire au vert.

— Pour la dernière fois, je vous signale que mes bureaux sont à deux pas, sur Pico. Si vous continuez, j'irai me plaindre au *Commissioner* et vous entendrez parler de moi, c'est moi qui vous le dis! On ne vous a pas collé un casque et une matraque pour interdire aux honnêtes gens d'aller voir si leur personnel est en danger, avec ce qui se déroule actuellement!

Le sergent Wesson, imperturbable, tourne la tête, ce qui a pour conséquence de décupler la colère de Krametz. Il se redresse de toute sa petite taille.

– Vous savez ce que vous êtes, vous, les flics? hurle-t-il. Des bons à rien, des abrutis! Les émeutiers mettent le feu à nos biens, et tout ce que vous savez faire, c'est de bloquer les rues où il ne se produit rien! Je m'en souviendrai! Je vais téléphoner à mon avocat pas plus tard que...

La phrase se perd dans le cri d'effroi qu'il pousse lorsqu'il est soudain retourné, menotté, soulevé de terre par deux mastodontes tandis que ses courtes jambes battent l'air. Il se retrouve au volant de la Bentley, médusé, paralysé.

– Quand votre crise sera finie, on vous libérera, dit calmement le sergent Wesson. Et estimez-vous heureux. On a déjà assez à faire avec les Blacks, s'il faut encore que les Blancs viennent nous emmerder!

A l'abri de la porte blindée de son bureau, Pierre Julien fait ses comptes. Les événements qui se déroulent dans South Central le laissent indifférent. Il en a eu confirmation par un coup de fil d'Ingrid qu'il devait rejoindre pour un dîner en tête à tête chez Maurice, le restaurant en vogue de La Cienega.

– Tu m'as envoyé le chauffeur, mais je ne vais pas pouvoir sortir, *darling*. Des émeutes ont éclaté à South Central. La télévision montre des Noirs qui mettent le feu aux boutiques et aux stations d'essence.

– Je sais, Simon m'a prévenu. Il a fermé Rodeo et m'a dit qu'il rentrait chez lui, à Longwood. Trouillard comme il est, je suis sûr qu'il a exagéré... Ils ne vont pas venir sur Pico, tout de même!

– Pour le moment, non. Mais ils ont dévalisé des armureries et j'aimerais que tu reviennes vite. Le maire va décréter le couvre-feu. J'annule Maurice, il n'y aurait personne... Je dis au chauffeur d'aller te chercher.

Pierre Julien hausse les épaules. Ce n'est pas la première fois que des émeutes se produisent à South Central, le quartier de la drogue. L'an passé, les guerres entre gangs pour la défense de leurs territoires avaient fait près de cent cinq morts dont le plus âgé avait vingt-quatre ans et le plus jeune à peine onze. Chaque nuit, des bandes, armées de pistolets-mitrailleurs Uzi ou de Kalachnikov, sillonnent Florence Avenue, Imperial Highway ou Normandie Street et pratiquent le *drive-by*, le mitraillage d'une maison occupée par une équipe rivale. La voiture, naturellement volée, roule tous feux éteints pendant que les armes automatiques crachent leurs décharges mortelles. Un massacre gratuit, qui vaut à ses auteurs, de jeunes *tinys* âgés de dix ans, parfois moins, la possibilité de devenir « J Dog » ou « Li'l Monster », bref, de se faire une place dans le gang et de recevoir un secteur pour vendre du crack, de la coke ou des cigarettes trempées de P.C.P. liquide, un hallucinogène surpuissant, qui déclenche chez le fumeur une folie meurtrière dès l'inhalation.

— Notre avion pour Genève est à 8 heures demain matin, poursuit Pierre Julien. Je n'aurai pas le temps de repasser au bureau. Je fais quelques pointages et je rentre. Simon viendra me chercher puisqu'il habite à deux pas. A tout à l'heure.

Le Français se replonge dans ses comptes. L'échine pliée, le sourcil froncé, il marque, additionne, soustrait ou multiplie avec la virtuosité d'un as du calcul mental. L'ordinateur dernier cri posé à l'angle de son bureau affiche un écran vide de données. Pierre ne l'utilise pas. L'informatique, il n'en a rien à faire! Pas comme Simon qui, lui, joue des touches de son *computer* comme un virtuose sur le clavier de son piano de concert.

Pierre Julien, le crayon noir à mine effilée à la main, pointe, repointe et constate que les ventes de la boutique de Beverly Center, au sixième étage du building de La Cienega, ont un peu chuté alors que celles de Beverly Hills ont, au contraire, sérieusement progressé. Santa Monica reste stationnaire en raison des soldes consentis avant la grande fureur printanière. Conclusion : il peut distraire du coffre une somme de vingt mille dollars qui ira grossir son compte helvétique. La douane américaine ne s'intéresse pas aux espèces que l'on exporte en franchissant le portique de sécurité. Les Suisses, eux, sont trop contents de recueillir dans leurs banques les devises que leur confient des spéculateurs avisés.

Pierre Julien de Larzac quitte son fauteuil à dossier rembourré, contourne le bureau, vient se poster devant une gravure encadrée représentant l'abbaye bénédictine de son village, une réussite de l'art roman. Il la contemple quelques secondes, puis décroche le cadre. Le mufle noir du coffre apparaît. Il sort de sa poche une clé à cannelures, l'introduit dans l'orifice central de la serrure, fait jouer l'un après l'autre les quatre chiffres de la combinaison : 1950, l'année de naissance d'Ingrid, de vingt ans sa cadette. La porte d'acier bâille, dévoilant des piles de billets verts, soigneusement étiquetés. Il s'apprête à saisir une liasse lorsqu'un bruit insolite stoppe son geste. Il tend l'oreille, intrigué. Sur Pico, des gens se mettent soudain à courir dans tous les sens, dans un vacarme assourdissant où des détonations semblent se mêler à une cacophonie de klaxons.

Pierre Julien ne craint rien. Le système de protection du local est parfait : caméra-vidéo, clôture métallique reliée au central de surveillance de Patrol Security, serrures et barreaux, tout un attirail suffisamment efficace pour résister à une intrusion. Néanmoins, il referme le coffre, remet le cadre en place, vient se coller à la baie vitrée qui surplombe Pico. La stupeur fige ses traits. De l'autre côté du boulevard, des silhouettes s'agitent sous les lampadaires, le visage masqué par un foulard rouge. Des Bloods ! Un groupe de jeunes tente d'arracher la grille du magasin de spiritueux à l'angle de La Brea. Une sirène de pompiers hurle au loin. Par-dessus les toits, le ciel se teinte de reflets rougeâtres. Ingrid avait raison, l'émeute de South Central gagne du terrain et aucune voiture de police n'est en vue sur Pico.

Le déchaînement de la violence a eu raison du rideau à croisillons de la boutique. Le pillage commence. Abasourdi, le Français assiste au matraquage du commerçant coréen qui a tenté de faire face aux voleurs. Il est jeté à terre, frappé, piétiné cependant qu'un géant barbu, en survêtement noir, la tête ceinte d'un foulard rouge noué à la pirate, lance une bouteille d'essence enflammée derrière le comptoir. L'éclair qui illumine la rue comme un flash de photographe précède une explosion sourde. Le feu se lance à l'assaut des étagères noyées par l'alcool que déversent les bouteilles brisées, gagne la devanture, lèche un poteau téléphonique qui se transforme en épouvantail de flammèches. Mise en scène grandiose ! Pierre Julien suit la coulée de feu qui se propage au transformateur voisin. Un craquement sinistre, une gerbe d'étincelles, et le quartier est plongé dans la nuit.

Sur Pico, le ballet des voitures s'intensifie, à la

lueur de brasiers que les manifestants allument sur leur passage. Pierre Julien se précipite vers son bureau, s'empare du pistolet qu'il cache dans le second tiroir, ôte le cran d'arrêt. Jamais il ne s'est servi d'une arme, mais sentir la crosse dans sa main le rassure. D'autant que retentissent maintenant des coups répétés à l'entrée principale de l'entrepôt. Des coups violents qui pulvérisent les vitres supérieures, ébranlent la charpente métallique. La horde des émeutiers noirs va-t-elle réussir à fracturer les grilles, comme elle l'a fait sur le trottoir d'en face, pour piller sa réserve? Il sent un bloc de glace peser sur son estomac, sa gorge se dessécher. Il réalise tout d'un coup que le stock, gonflé par Simon, pourrait se volatiliser en fumée et que des semaines et des semaines de fabrication ne seraient pas couvertes par les assurances pointilleuses quant à la comptabilité officielle. Tout cela, à cause de voyous qui n'ont que le crime dans le sang!

Un bruit de ferraille assourdissant fait sursauter Pierre Julien. La grille, prétendue inviolable par l'installateur, a cédé! Heureusement, en cas de panne de courant, la caméra-vidéo fonctionne sur batterie. Pierre Julien fait basculer la poignée de la porte, se glisse dans le couloir du premier étage. Du palier, il aperçoit des ombres qui déambulent le long des travées de stockage dans le faisceau de lampes électriques, dévalisant ses rayons. Il s'appuie sur la rambarde, se penche, le Remington en main. La scène qui se déroule sous ses yeux le fait bondir. Un groupe d'émeutiers, ivres de leur impunité d'une nuit, est en train de dévaster son magasin. La vue des robes de prix qui s'amassent sur le sol – le joyau de sa dernière collection – le met hors de lui. Pierre Julien n'a jamais tué, mais la rage le submerge. Il revient à son bureau, se précipite sur le téléphone.

Rodeo ne répond plus. Contrairement à son habitude, le Français ouvre le minibar, avale coup sur coup deux verres d'une bouteille de whisky qu'il réservait aux clients de marque. Le tumulte de l'émeute n'est plus qu'un bourdonnement dans ses oreilles. Il lui faut agir mais il tremble, il a peur. Si seulement Simon était là! D'une main hésitante il compose le numéro du domicile de Krametz, n'obtient que le répondeur.

– J'ai besoin de toi, Simon, supplie-t-il. Les Blacks sont en train de tout piller!

Un changement de rythme, des bruits de pas précipités lui font soudain comprendre que des événements extérieurs incitent les vandales à déguerpir. Une odeur d'essence le prend à la gorge. Auraient-ils décidé de mettre le feu à l'entrepôt comme ils l'ont fait à la boutique coréenne avant de détaler? C'en est trop. En quelques secondes, son univers feutré, digne, harmonieux, sombrerait dans le chaos. Il reprend son arme, descend l'escalier, prêt à ouvrir le feu.

Sans se soucier de la présence de deux adolescents masqués, figés devant la porte d'entrée, il fonce, le pistolet menaçant. Si seulement il pouvait agripper un de ces voyous pour le remettre aux forces de police ou aux pompiers dont les sirènes se rapprochent! Un tiroir vidé de son contenu le fait trébucher. Un coup de feu claque. Puis un second. Une balle siffle à son oreille.

3

5 mai 1992.

Une chevelure d'un roux flamboyant, coupée à la
brosse, des lunettes d'écaille enserrant des verres
épais comme un cul de bouteille, un nez turgescent
qui tombe bas entre des joues couperosées et effleure
une lèvre ornée d'une moustache en guidon de bicyclette, tel est le géant Steven Hyde, du cabinet
d'expertises internationales Smith's and Parson's. La
tape sur l'épaule qu'il me décoche en cadeau de
bienvenue me fait vaciller et j'échappe à la seconde
en me réfugiant dans le fauteuil qu'il me désigne,
placé en contrebas d'un bureau en acajou, d'ambi-
tion napoléonienne.

La pièce dans laquelle l'appariteur à la casquette
chamarrée de dorures m'a introduit tient plus de la
pinacothèque que d'un centre d'évaluation de
sinistres pour le compte de compagnies d'assurances. Reflétant la sérénité d'une société prospère,
les murs tendus de soie grège sont constellés d'un
échantillonnage de tableaux, d'estampes, d'esquisses
charbonnées, de gravures à plusieurs teintes du
XVIIIᵉ siècle. Au centre, face à l'imposant bureau qui
écrase l'angle de la non moins imposante baie vitrée

avec, en toile de fond, les cinquante-cinq étages de la Security Pacific Bank, un lourd cadre de palissandre emprisonne le portrait sépia du fondateur de l'officine, réputée pour ses évaluations de dommages nés d'incendies, d'accidents ou de risques divers.

— *All right*, dit Steven Hyde, attirant à lui de sa main tachetée de son une bouteille de Chivas largement entamée. Whisky?

— Jamais le matin. Merci.

Son sourire en forme de grimace accompagne le geste rituel propre aux amoureux de la bouteille. Je le regarde déboucher le flacon, le renifler, remplir à demi le verre à fond plat, replacer avec un soin religieux le bouchon sur le goulot.

— Pas possible! dit-il. Il n'y a pourtant rien de meilleur qu'un bon whisky pour la circulation!

Pour les artères, peut-être. Pas pour le teint, si j'en juge la face congestionnée de mon démolisseur de clavicule. Il lève le verre à la hauteur du nez, admire quelques instants le chatoiement du liquide dans les rayons du soleil, puis fait un cul sec suivi d'un claquement de langue satisfait. Il repose le verre, reste bien cinq secondes comme en suspens, humant et savourant le parfum de sa drogue matinale, arbore enfin un visage épanoui. Il est 10 heures, et le cérémonial me sidère.

Le cuir du fauteuil crisse sous mes fesses tandis que Steven Hyde se décide à monter au créneau :

— Notre délégation de Suisse nous a faxé votre nom et je vous remercie d'être venu aussi vite. Vous faisiez des enquêtes pour la Winterthur, la Bâloise et la Zurich il n'y a pas si longtemps, m'a-t-on dit. Celle que je vous propose va donc certainement vous intéresser...

J'ouvre tout grand mes oreilles. Pendant douze

ans, j'avais été un flic à part entière à la direction de la police judiciaire de la Sûreté nationale. Pour stopper dans leur élan des truands chevronnés que je rapportais, épinglés comme de gros papillons, à mes patrons [1], j'avais négligé ma vie privée, oublié les jours de repos, sacrifié les congés annuels. Les promotions successives de mes chefs, les décorations que le ministre leur décernait à chacune de mes prises me laissaient la bouche amère. Jusqu'au jour où, écœuré par l'arrivisme de ces lèche-bottes qui se gardaient de prendre part aux arrestations avant qu'elles ne fussent opérées mais qui savaient ensuite parader devant les photographes de presse, j'avais sollicité ma mise en disponibilité. Au vu de mes états de service, l'administration m'avait délivré l'autorisation d'exercer la profession d'agent privé de recherches. Détective, en quelque sorte. Elle m'avait même accordé la possibilité de réintégrer la Sûreté si mes nouvelles activités se révélaient peu rentables.

Je n'eus pas besoin de reprendre mes fonctions officielles : d'importantes compagnies d'assurances victimes d'escroqueries me confièrent très vite des dossiers litigieux. Je nageais, à grandes brasses, dans la fourberie. Formidable étude de la comédie humaine. Là, c'étaient des médecins qui se mutilaient volontairement un doigt pour percevoir une substantielle indemnité ; ici, des notaires, lancés dans la promotion immobilière, tentaient de faire supporter aux compagnies les pertes qu'ils subissaient de la part d'agents véreux ; là encore, des industriels, que les difficultés nées d'une mauvaise gestion acculaient au désastre, incendiaient leur entreprise pour se renflouer. Le comportement de ces aigrefins en col

1. Voir *Borniche Story 1, Gendarmes et Voleurs, Borniche Story 2, Les Prédateurs*, Presses de la Cité.

blanc me répugnait. J'en arrivais à regretter l'attitude moins visqueuse de mes truands d'autrefois. Que la belle saison se prolonge alors que les vêtements d'hiver engorgeaient les réserves, que la vague de froid s'éternise retardant la vente de robes printanières, et les déclarations pour vols ou incendies accidentels déferlaient comme des vagues de mazout sur la plage des sociétés d'assurances. Bien sûr, des inspecteurs spécialisés rivalisaient d'ardeur pour établir l'imposture mais quand elle dépassait leur compétence, et surtout leur routine, l'assureur n'avait plus qu'à ouvrir, à contrecœur, le tiroir-caisse. Sans être dupe, il lui fallait régler le montant des indemnités réclamées à moins qu'un cabinet d'expertises réussisse, ce qui était rare, à définir la part d'exagération dans le montant des factures présentées. Mais que faire, faute de preuves, sinon payer ?

– Je faisais en effet des enquêtes, dis-je en me calant du mieux possible contre le dossier du siège. Mon fils Christian a repris mon cabinet. C'est sans doute à lui qu'ont pensé vos correspondants...

Le visage du mastodonte prend un air offusqué.

– Pas du tout. Le directeur de la Winterthur a bien précisé votre prénom en même temps que votre adresse à Los Angeles.

Il toussote, ce qui a pour effet de transformer la boursouflure de ses joues en ballon de rugby, poursuit comme pour saborder une réticence éventuelle :

– Les frais et vos honoraires seraient à ma charge, bien entendu... Enfin, à la charge de la compagnie apéritrice qui couvre quatorze pour cent du risque.

Ainsi va le monde de l'assurance. Des sociétés qui se superposent les unes aux autres règlent des sommes considérables avec le minimum de débours pour chacune d'entre elles. Qu'un avion de ligne s'écrase, entraînant la mort de centaines de passagers, qu'un tanker chargé de pétrole à ras bord coule avec son précieux chargement et le préjudice global, s'il apparaît énorme pour les non-initiés, est d'une importance minime pour chaque société, eu égard aux primes encaissées.

Steven Hyde lisse de son index à l'ongle ras sa moustache poil de carotte avant d'enchaîner :

– Vous étiez à Los Angeles ces derniers jours, quand il y a eu les événements?

Pour ça, oui! Je les ai même vécus. De loin, d'abord, avec Richard Baker, *supervisor retired* – retraité, en français – du Federal Bureau Investigations de Washington, à notre retour de Las Vegas. De près le lendemain matin, lorsque j'avais eu la sottise de vouloir récupérer l'appareil photographique que j'avais confié, quelques semaines plus tôt, pour réparation à un magasin de La Brea. Oui, de très près même. Une balade qui m'a laissé une drôle d'impression.

Je n'ai jamais connu la peur en face d'un adversaire à découvert. J'ai côtoyé le danger trop souvent pour ne pas être caparaçonné contre les coups durs. J'avoue pourtant que je n'en menais pas large lorsque, sans que j'aie pu déceler leur présence, avaient surgi sur une partie du Beverly Boulevard des groupes armés de couteaux, de battes de base-ball et même d'automatiques. Sous mes yeux, des Noirs masqués de foulards rouges avaient ouvert le feu sur des Coréens qui défendaient leurs boutiques à coups de fusil à pompe ou de pistolet. Une atmosphère de guerre civile... Les salves crépitaient, les balles sifflaient autour de la benne vide-ordures abandonnée derrière laquelle je m'étais réfugié. Une fumée couleur moutarde stagnait sur La Brea, les gaz lacrymogènes transformaient mes yeux en fontaines. A l'angle de Melrose, un automobiliste arraché de son siège gisait inanimé sur le sol. Le torse moulé dans un tee-shirt rouge frappé d'un X majestueux, l'emblème du leader noir Malcolm X, trois Noirs s'amusaient à répandre sur le malheureux un jerrican d'essence. L'arrivée intempestive d'un détachement de police l'a sauvé de l'immolation par le feu. J'étais horrifié. Mais recroquevillé sans arme sous mon châssis d'acier, qu'aurais-je pu tenter pour empêcher le supplice?

Le cauchemar s'était éloigné. J'avais quitté ma cache et m'étais approché de l'inconnu. De son front tuméfié coulait une rigole de sang. Un sergent du L.A.P.D. l'aida à se relever, le projeta sans ménagement dans sa voiture dont le moteur tournait toujours, et lui hurla de dégager.

Puis il m'aperçut.

– Qu'est-ce que vous foutez ici? cria-t-il, le visage rouge et luisant. Vous voulez qu'il vous arrive la même chose? *Move out*!

L'écusson cousu sur la poche de sa vareuse révélait le nom de Dick Broziack, que le procès de Simi Valley avait rendu célèbre. Ce Broziack qui avait signalé l'excès de vitesse du Noir Monster Clarke. Dont l'initiative pourtant légale avait conduit les hommes du L.A.P.D. à intervenir dans ces tragiques conditions que l'on sait.

Je m'étais éloigné, mais une curiosité légitime me poussait à mesurer l'étendue des dégâts sur l'avenue que les assaillants avaient abandonnée, laissant derrière eux un spectacle d'enfer : sept morts au croisement de la 3e Rue, des blessés vagissant sur le trottoir, des magasins dévastés, des toitures éventrées, des grilles arrachées, des devantures calcinées. Un quartier en flammes où subsistaient encore quelques îlots intacts. Des cendres qui voletaient, des propriétaires ulcérés ou effondrés qui tentaient de retrouver quelque objet de valeur dans les ruines fumantes.

Écœuré, je m'étais propulsé jusqu'au magasin Samy's Camera, un bâtiment où chaque travée, chaque comptoir dégoulinait d'appareils photographiques et d'accessoires récents, d'importation japonaise. Las ! Ce qui avait été le rendez-vous des professionnels de la pellicule n'était plus qu'un amas de décombres. Des carcasses de téléobjectifs de valeur, des boîtiers déformés par les flammes, des montagnes d'albums que le feu et les lances des pompiers avaient transformés en schiste noir et feuilleté jonchaient le sol entre des murs nus et noirs qui dressaient vers le ciel leurs ferrailles tordues. Les Blacks étaient passés, une horde d'agitateurs avides de faire connaître leurs exploits à leur communauté comme à leurs rivaux.

Lorsque j'avais décidé de m'y installer, Los Angeles, pour moi, c'étaient les orangers, les palmiers, les villas avec jets d'eau et piscine, les gens décontractés se laissant vivre dans la douceur du climat californien. C'était Hollywood et les stars de cinéma qui immortalisaient leurs mains et leurs pieds dans le ciment du Mann's Chinese Theater. Les premières semaines, je m'étais promené la bouche ouverte tellement j'étais ahuri. J'avais vite déchanté. Tout était aux antipodes de ce que j'avais imaginé. La ville avait pu être agréable au temps des pionniers du septième art mais les studios de cinéma avaient depuis longtemps fait place aux pelleteuses des démolisseurs. L'avenue des Stars n'est plus qu'une voie triomphale de béton bordée de buildings. La criminalité s'est installée dans les quartiers de South Central, bastion miséreux de la communauté afro-américaine, où les gangs sortis de terre comme des champignons, nombreux et sanguinaires, ne vivent que de trafic et de meurtre. Puissamment armés, ils comptent de trois cents à mille membres chacun, selon les estimations policières. Chaque jour, les chaînes de télévision semblent se complaire dans la diffusion des actes de violence de la nuit, dressant le bilan des tueries, cependant que des sociologues, le visage grave et le ton professoral, expliquent que le dénuement, le manque d'éducation et de travail, la ségrégation et la drogue sont les principales causes d'une situation qui ne fera qu'empirer si le gouvernement ne prend pas les mesures qui s'imposent.

— Je me trouvais sur La Brea lorsque les Blacks se sont colletés avec les Coréens et les flics, dis-je, revenant au luxueux bureau de mon hôte. Ça allait plutôt mal. Beaucoup de dégâts. A propos, j'ignorais que les policiers marquaient le passage de leur compagnie en cours de conflit. Des murs ou des vitrines portaient le chiffre 187 ou l'inscription L.A.P.D. 187.

Derrière les verres épais, le regard de Steven Hyde se fait ironique :

— On ne peut pas comprendre quand on n'est pas d'ici, mon cher. 187 est le numéro du code pénal qui correspond aux homicides. Dans l'esprit des émeutiers, L.A.P.D. 187 signifie que les Noirs doivent tuer les hommes du Los Angeles Police Department. Rien d'autre. Réjouissant, n'est-ce pas ?

Charmant pays, en effet, où la télévision ouvre ses portes aux meneurs. Ce matin encore, un escogriffe noir se pavanait devant les caméras au journal de

8 heures. Un Crip, sans doute, puisqu'il portait les couleurs du gang, bleu et noir. Mais, se gobergeait-il, le foulard rouge des Bloods qu'il arborait également symbolisait désormais l'alliance entre les deux bandes rivales. « Nous sommes sept fois plus nombreux que les *cops* », pérorait-il sans complexe. « La loi, c'est nous qui la faisons. S'ils viennent s'attaquer à la communauté noire, ils vont tomber dans des embuscades qui leur feront du mal. » Il avait terminé son *speech* en affichant devant l'objectif le signe cabalistique de sa bande : pouce et index unis, formant un O, les autres doigts allongés sauf l'auriculaire replié sur lui-même...

— *Well*, glousse Steven Hyde, tirant du tiroir de son bureau une chemise cartonnée de couleur beige sur le recto de laquelle je décèle au passage des annotations en caractères gras.

Il l'ouvre en imprimant à son fauteuil un mouvement de bascule sur ses pieds arrière, tourne quelques feuillets, relève la tête, enchaîne :

— Voici pourquoi nous aimerions votre collaboration, cher ami. Un de vos compatriotes, M. de Larzac, a créé ici un commerce de mode qui, au fil des années, a pris une importance considérable. Il a assuré tous risques non seulement le siège social de sa société sur Pico, ses magasins de Beverly Hills et Santa Monica, mais aussi sa propriété de Bel Air. Quand je dis tous risques, j'entends perte totale des murs avec reconstruction valeur à neuf, perte totale des stocks et du matériel et perte des espèces entreposées dans les caisses. Tout cela en cas d'incendie, bien sûr, mais aussi en cas d'inondation, de vol, de destruction par tremblement de terre et émeute. De plus... (il accentue son balancement en tournant la page) il a contracté une police sur la vie pour une somme qui dépasse l'entendement mais qui est en rapport avec sa situation de fortune. Vous me suivez?

Je suis. Et je me dis que Pierre Julien de Larzac a bien eu de la chance ou de hautes capacités pour réussir dans une spécialité où la concurrence est vive. Beaucoup d'Italiens, en effet, beaucoup de Juifs marocains, beaucoup de Libanais avides de conquérir un marché qui devait leur ouvrir les portes de la richesse n'ont pu que se rabattre, faute d'idées ou de goût, dans la vente du prêt-à-porter de bas étage. Il y a souvent loin du rêve à la réalité. Je me dis aussi que le montant des primes encaissées devait être particulièrement excessif quand on connaît l'exagération des tarifs pratiqués aux États-Unis tant dans le domaine de l'assurance médicale que dans celui de l'automobile ou de l'assurance habitation. Le summum quand il s'agit de garantie de locaux commerciaux.

Le mouvement oscillatoire du fauteuil qui commençait à m'agacer ralentit, puis s'arrête. Steven Hyde se lève, dépose la chemise cartonnée sur le sous-main, contourne le bureau et vient s'asseoir à califourchon sur le bras du siège qui jouxte le mien. J'appréhende l'accident... Il secoue la tête à plusieurs reprises avant d'articuler d'un ton grave :

– Lors de l'incendie de son entrepôt par les émeutiers, notre assuré a trouvé la mort. Nous n'avons pas le résultat de l'autopsie en raison des cinquante-huit décès par balle qui ont ensanglanté la ville. Et je ne compte pas ceux qui vont y laisser la peau parmi les deux mille quatre cents blessés par arme à feu qui monopolisent actuellement médecins et hôpitaux. La police a procédé à douze mille arrestations, nous ne sommes donc pas près d'obtenir les rapports concernant la destruction de l'entreprise *De Larzac Magic*

Style. Les assureurs ont pensé à vous pour tenter d'y voir clair avant de régler les indemnités prévues à la veuve ou aux ayants droit sur des contrats établis en Suisse. Si vous acceptez de prendre l'affaire en main, je tiens les doubles à votre disposition.

Je renforce ma garde. L'œil fixé sur Steven, j'interroge afin de lever le mystère :

— Pourquoi moi alors qu'il y a pléthore de détectives américains, mieux placés auprès des services de police?

Il balaie l'argument de sa main de cogneur.

— M. de Larzac était français. Son associé, Simon Krametz, est français. Trois de ses vendeuses de Rodeo Drive et deux de Santa Monica sont françaises. Les capitaux souscrits sont à verser à une banque de Genève. Vous serez donc plus à même de...

Il s'interrompt, fixe sur moi ses hublots, hésite à poursuivre.

— A même de quoi? demandé-je.

Il se décide :

— Nous autres experts d'assureurs, comme les policiers, sommes des gens méfiants de nature. Nous avons été tant de fois dupés! Je me dois de présenter à mes clients un dossier clair, aussi bien sur les circonstances de la mort, l'importance des dégâts que sur l'évaluation au centime près des stocks. Vous converserez avec vos compatriotes beaucoup mieux qu'un Américain dont la psychologie et la façon de se renseigner sont différentes. Un déplacement à Genève ou en Suède seront peut-être nécessaires.

— Je vois, dis-je, affectant un air supérieurement intéressé. En somme, vous avez des soupçons sur l'origine de l'incendie, la mort de l'assuré, l'importance du stock et des biens garantis. Vous préférez,

67

dans ces conditions, faire procéder à des investigations complètes avant de passer à la caisse. Vous rendez-vous compte du travail que cela représente?

Il a un rapide haussement d'épaules.

— Je vous rassure tout de suite quant à vos honoraires...

— Je n'en doute pas. Mais vous demandez beaucoup tout de même... Est-ce qu'une provision de cinq mille dollars vous convient? Pour les premiers frais, naturellement...

J'attendais une grimace. C'est au contraire un sourire de satisfaction qui soulève la moustache de Steven Hyde.

Je me mets à regretter ma proposition trop vite annoncée.

J'aurais dû demander le double.

4

Beverly Hills prend son bain de soleil quotidien.
Sunset Boulevard s'est délesté de ses embouteillages
matinaux et les minibus des « Movie Houses » ne
charrient pas encore vers les villas des stars leur cargaison de mordus du téléobjectif.

Au nord-ouest, à trois miles, face au campus uni-
versitaire d'U.C.L.A, les demeures luxueuses du
quartier Bel Air se nichent dans les méandres capri-
cieux des voies privées, truffées de culs-de-sac où les
non-initiés s'engluent à tous coups. Un siècle plus tôt,
les collines étaient réputées inhabitables. Les terrains
boisés, domaine des coyotes, des lions de montagne,
des crotales et des oiseaux de toutes les espèces et de
toutes les couleurs, s'accrochaient aux canyons des
Santa Monica Mountains dont Mulholland est le bel-
védère. Les temps ont changé. Les *caterpillars* sont
passés par là et la zone est devenue ultra-
résidentielle, d'un prix au *square-feet* qui atteint des
sommets jamais égalés.

J'engage ma BMW sur Bellagio Road, entre deux
piliers de fer forgé. La grille s'est rouillée en position
ouverte, et le pavillon de garde semble vide. Les services de voirie américains ont un curieux sens de la

nomenclature des rues. Bellagio s'arrête brusquement à l'embranchement de Chanon Road sans qu'il soit possible de discerner sa continuité et je ne sais s'il me faut tourner à droite ou à gauche. Pas un indigène pour me renseigner à part un Mexicain édenté en combinaison kaki, juché sur une tondeuse motorisée, qui me dévisage placidement dans la pétarade de son engin.

Je me fie à mon intuition et je vire à gauche. Huit cents mètres de pelouses empanachées de fleurs et je retrouve Bellagio Road qui serpente cette fois jusqu'à Linda Flora. Je n'ai plus qu'à me laisser guider par les numéros peints sur la bordure du trottoir.

L'architecte qui a construit la villa de Pierre Julien de Larzac a frappé fort. La façade blanche, la terrasse aux dalles de porphyre coiffée d'un vélum géant aux rayures or et rouge, évoquent les demeures de rêve des étoiles du cinéma : des pelouses de gazon débordantes d'azalées descendent en pente douce vers le bleu d'une piscine émergeant du rouge des flamboyants. Je ne me lasse pas de cette symphonie de couleurs. Au loin, au-delà des vallonnements tachetés du gris d'innombrables toitures disséminées dans la verdure, Los Angeles s'étale depuis les tours géantes de Century City jusqu'à l'immensité du Pacifique scintillant de lumières.

Le silence pèse sur la villa qui devait sans doute être la maison du bonheur. Je me sens mal à l'aise en escaladant les marches de pierre pourpre, un mètre derrière le gorille mal embouché qui a palpé mes poches sitôt franchie la grille de clôture. J'en suis à me demander ce que je suis venu faire dans un dossier qui n'intéresse au fond que la police et les assurances. Je m'en veux même presque d'avoir sollicité une entrevue qui ne peut qu'aviver la douleur de la veuve. Lorsque j'étais flic, force était de passer outre ces considérations. Je devais agir vite, afin de prendre de vitesse le ou les criminels. Dans le cas présent, alors que la mort du commerçant résulte manifestement du pillage et des émeutes, et n'a donc aucun rapport avec un meurtre passionnel ou d'intérêt personnel, avais-je vraiment besoin de venir tracasser sa femme sans doute toujours sous le coup de l'émotion?

Trop tard. La porte du hall s'ouvre. La maîtresse des lieux s'avance vers moi.

Ingrid Julien de Larzac est l'une des plus belles créatures qu'il m'ait été donné de rencontrer depuis longtemps. Ses hanches se balancent avec souplesse, sans un soupçon de vulgarité. Elle glisse sur le dallage de marbre comme une apparition sortie d'un rêve érotique raffiné. La sensualité de sa démarche fait naître en moi un désir que beaucoup d'hommes partageraient. Sous la frange de cheveux blonds, les sourcils, savamment soulignés, abritent d'étranges yeux aux reflets turquoise. La robe légère et courte décalque un corps parfait. Des bas très fins, couleur chair, soulignent le galbe de jambes interminables. Un sourire triste erre sur les lèvres qu'aucun tube de rouge n'a effleurées. Sa main me désigne un canapé Louis XVI en bois doré tandis que Madame s'installe sur le bord d'une méridienne en acajou à palmettes sculptées.

– Prenez place, dit-elle. M. Hyde m'a annoncé que vous veniez pour la succession. C'est cela?

– Pour la succession, non, mais pour l'assurance, dis-je après un court moment d'hésitation. La succession est du domaine de votre avocat. Un testament a certainement été rédigé...

Elle confirme d'un battement de cils.

– Oui. Mᵉ Billings m'a téléphoné dès qu'il a su l'affreuse nouvelle. Je le vois demain. Mais pour vous, que puis-je faire?

J'enregistre le nom de Billings. Ça peut toujours servir. Steven Hyde n'en a pas parlé lors de notre entretien de la veille et je n'ai pas trouvé trace de lui dans les photocopies du dossier que j'ai emportées. Un dossier succinct, qui ne comporte que deux feuillets : la police d'assurance du local de Pico Boulevard et un avenant de contrat-vie garantissant à un bénéficiaire du nom de Simon Krametz une somme de trois millions de francs suisses en cas de mort de M. Julien et de Mme Palding.

– Pardonnez-moi de remuer des moments douloureux, dis-je après avoir observé la jeune femme pendant quelques instants, étonné par son impassibilité. J'aimerais savoir comment s'est passée cette soirée du 29 avril. Pourquoi votre mari se trouvait-il encore à son bureau alors que les émeutiers ravageaient le quartier?

Elle contemple les ongles de sa main droite, puis me regarde dans les yeux.

– J'avais retenu pour dîner au Café Maurice, sur La Cienega. Pierre devait m'y retrouver. Quelques vérifications comptables de dernière minute l'avaient retenu à Pico, car nous devions prendre l'avion le lendemain pour Genève. Il m'avait envoyé son chauffeur...

– Donc, il devait vous rejoindre au restaurant? En taxi, je suppose... Vu les événements, il aurait eu du mal à en trouver un!

Elle secoue la tête de droite à gauche.

– La question ne s'est pas posée. J'avais vu ce qui se passait à la télévision et je lui avais demandé de rentrer puisque le couvre-feu était décrété. Je voulais lui renvoyer Ralph...

– Ralph ?

– Le chauffeur qui vous a ouvert la grille. Mais Pierre m'a répondu que Simon Krametz, son associé, le déposerait. Comme Simon me l'a dit par la suite, il en a malheureusement été empêché par les barrages de police. Quand il est arrivé à l'entrepôt, il était trop tard. L'immeuble finissait de flamber et les pompiers noyaient les décombres. Ils ont retrouvé le corps de mon mari sous une dalle de béton, devant le bureau de la manutention. Il n'était pas carbonisé. Il portait par contre une blessure à la tête, provenant d'une arme à feu. C'est ce que m'ont indiqué les policiers qui ont visionné la bande-vidéo retrouvée dans la boîte coupe-feu sur les indications de Simon Krametz.

– Si je puis me permettre, dis-je, l'assassin est donc identifié ?

Elle s'absorbe un moment dans ses réflexions, les mains posées sur ses genoux haut croisés avant de répondre :

– Oui et non. D'après la police, on voit les Noirs envahir le local et se diriger vers la réserve principale. Deux d'entre eux pointent des armes dans la direction de l'escalier, donc de mon mari. Leur visage est, paraît-il, très reconnaissable. Mais comme un fait exprès, la bande s'arrête juste à ce moment-là. On ne sait donc pas lequel des deux jeunes aurait tiré... oui, ce sont des jeunes que la police recherche.

– Des Crips ou des Bloods ?

– Je ne sais pas. Krametz pourrait peut-être vous en dire plus. Il est tous les jours au magasin de Rodeo Drive. La mort de mon mari l'a traumatisé à un tel point que le Dr Levine du Sinaï Center Hospital lui a conseillé quelques jours de repos.

Les femmes venues du froid, aussi belles soient-elles, seraient-elles plus insensibles que nous autres, Latins? Ou auraient-elles davantage à cœur de dissimuler leur chagrin? Je crois déceler dans les explications de la jeune femme un ton de froideur qui me les rend suspectes et qui me la rend antipathique. Je m'égare, sans doute, mais je pose quand même une des questions qui depuis mon arrivée me brûlent les lèvres.

— J'ai constaté dans la police d'assurance vie qu'en cas de décès des consorts Julien et Palding, le bénéficiaire serait justement ce Simon Krametz. Pour une forte somme, encore. Cela signifie quoi?

Elle redresse le buste, comme piquée par un aiguillon.

— Pardon?

— D'après le contrat dûment signé, en cas de mort de Pierre Julien et d'Ingrid Palding, Simon Krametz percevrait une somme de trois millions de francs suisses... C'est clair mais ce n'est heureusement pas le cas. Palding est votre nom de jeune fille, je présume?

— Oui. Nous n'étions pas mariés, Pierre et moi, bien que tout le monde m'appelle madame Julien de Larzac.

Un pli se creuse entre les sourcils de la belle Suédoise qui se mord la lèvre inférieure.

— Il avait fait cela? finit-elle par dire avec un hochement de tête continu. Je l'ignorais. Qu'est-ce que cela va donner?

— Rien, puisque les conditions du contrat ne sont pas remplies. Mais, entre nous, vous avez intérêt à ne pas vous faire écraser.

La révélation de la somme attribuée à Krametz semble l'avoir douchée. Elle me dévisage longuement, intensément:

– Si je me faisais écraser, comme vous dites, à quoi bon ces histoires d'assurances?... Pierre avait beaucoup d'affection pour Simon et il aura voulu garantir son avenir sans m'en parler, dit-elle enfin. C'est vrai que Krametz lui a rendu beaucoup de services. Il connaît comme personne le monde de la confection. Et puis, quelle importance, entre nous, si nous étions morts tous les deux dans un accident de voiture ou d'avion... Je parlerai quand même de ça demain à mon avocat. C'est tout ce que vous avez à me demander?

Le ton est devenu distant. Elle joue les désintéressées mais le cœur n'y est pas. Elle se lève. L'entrevue est terminée. C'est le moment de planter la dernière banderille.

– Une question, encore. D'après M. Hyde, vous bénéficiez, vous aussi, d'un autre contrat qui va vous faire encaisser, toujours en Suisse, cinq millions de francs. Donc de quoi vous garantir une existence dorée pendant des années... Vous vous entendiez bien avec Pierre Julien, malgré la différence d'âge? Vous ne l'avez jamais trompé?

Ingrid se cabre, darde sur moi ses yeux turquoise brillants d'indignation.

– Comment osez-vous? souffle-t-elle en se levant brusquement.

– Pardonnez-moi, dis-je. C'est le policier que j'étais qui parle... S'il n'est pas accidentel, un meurtre a toujours pour mobile la passion ou l'intérêt. Il est dommage que la bande-vidéo se soit arrêtée tout d'un coup, au moment fatidique. Oui, vraiment dommage! Et curieux. Mais puisque la police a identifié les deux jeunes Blacks, mon hypothèse n'a pas de sens. Pardonnez-moi. Mes hommages, madame.

5

On a construit sur Wilshire, à l'angle de Veteran Avenue, un gratte-ciel antisismique tout de miroirs et de métal. On l'a appelé Oppenheimer Building, en souvenir, sans doute, de Robert Julius, le directeur du centre de recherche de Los Alamos où avait été conçue la première bombe nucléaire. C'est une superposition de bureaux face aux onze étages du Federal Building hérissé d'antennes de transmission, majestueusement planté de l'autre côté de Veteran, au centre d'un parking au moins aussi vaste que la place de la Concorde.

Au vingt-quatrième étage de l'Oppenheimer, univers de silence au-dessus du grondement permanent des voitures, Richard Baker a ses bureaux. La porte de palissandre, blindée à l'intérieur, comporte une triple serrure. Sous l'œilleton de visée qui pointe son verre grossissant sur le visiteur, la plaque de laiton indique :

RICHARD BAKER
F.B.I. RETIRED
PRIVATE INVESTIGATOR

Une hôtesse eurasienne, aux yeux verts et aux cheveux noirs longs et lisses comme le couvercle d'un Steinway de concert, pianote sur les touches d'un standard téléphonique moucheté de voyants lumineux cependant qu'un vieil homme, la chemise chiffonnée sous des bretelles bicolores, trie de ses mains tremblotantes des papiers destinés à l'incinération.

Le sérieux et la compétence qui sont l'apanage des anciens Fédés ont fait la réputation de l'agence Baker. Le masque de bouledogue aux cheveux ras et au nez écrasé de John Edgar Hoover, le fondateur du Federal Bureau Investigations, trône d'ailleurs en bonne place au-dessus du canapé de cuir, parmi les photos-souvenirs qui retracent les exploits du maître des lieux.

Entre Baker et moi existe une obscure complicité résultant de notre attachement à la recherche de la vérité, de notre passion commune pour la chasse aux *outlaws* dangereux. Je le revois, débarquant à Orly dans son léger costume de lin bleu ciel à fines rayures blanches, le cheveu blond et court, la mâchoire masticatrice. Interpol nous avait annoncé sa venue qui devait mettre fin à la carrière d'un mafioso en renom en transit à Paris. Changeant constamment d'identité et d'États, le gangster narguait les polices de New York, Chicago et Miami qui avaient des comptes à lui demander. Le franchissement d'une frontière d'un État dans un autre à bord d'une voiture volée étant un délit fédéral, le F.B.I. s'était chargé du dossier. J'avais été désigné pour accueillir et assister son *special agent* dans ses pérégrinations parisiennes. En me glissant dans le flot des passagers qui stagnaient dans le couloir de l'immigration, je m'étais vite rendu compte à quel point l'allure, la démarche, la décontraction des flics d'outre-Atlantique étaient différentes des nôtres. Superbement détendu malgré un voyage fatigant, Baker, rasé de frais, portait une chemise rose, ouverte, qui laissait apparaître un gros médaillon accroché à une chaînette en or. Moi, la mine renfrognée du flic français en corvée extraordinaire, je transpirais misérablement, cravaté et boudiné à souhait dans mon costume foncé ainsi que l'exigeait mon rétrograde de commissaire qui avait autrefois débuté dans les brigades du Tigre! Pour lui, le complet sombre était un uniforme sacré. Ne manquaient à la panoplie que le chapeau melon, les moustaches en croc et les godillots cloutés.

Les années avaient passé. Richard et moi nous étions parfois retrouvés en concurrence ou en association sur des enquêtes officielles, puis privées après que nos administrations respectives nous eurent rayés des cadres. La sympathie née de nos premières rencontres s'était muée en une solide amitié.

Richard vide sa tasse, éteint la machine à *espressos* dont le voyant rouge clignotait, sort de sa poche une tablette de chewing-gum.

— Désolé, *Rodger*, mais je dois regagner Washington aujourd'hui même, dit-il après que je lui eus exposé le but de ma visite. J'aurais aimé vous accompagner au poste de Wilshire Division. Votre affaire Larzac doit dépendre de leur secteur, à moins que, vu le nombre des accrochages pendant les émeutes, l'affaire ait été traitée par un autre service du L.A.P.D. Il faudrait interroger le secrétariat du *Commissioner* pour taper au bon endroit. Nous autres, les Fédés, n'entretenons pas tellement de relations amicales avec les Municipaux. Trop de prévarications dans leurs rangs...

Il décortique la tablette avec un art consommé, fait une boulette du papier aluminium qu'il projette sans rater dans la corbeille, de l'autre côté de son bureau, se met à mâchouiller sa pâte dentifrice.

— Cela dit, enchaîne-t-il, le front soucieux comme s'il regrettait de ne pouvoir me rendre service, je me demande à quoi peuvent vous servir le rapport d'autopsie ou le visionnage de la vidéo du magasin. Le type est mort, sa boutique n'existe plus, ses meurtriers sont arrêtés, que vous faut-il de plus? Elle est jolie, au moins, sa veuve?

— Très belle. Mais froide. En tout cas, c'est mon impression. Et pas aimable. Surtout lorsque je lui ai demandé si elle avait jamais trompé son mari. Ce n'était sans doute pas le moment de poser cette question, mais que ce soit maintenant ou dans six mois, il fallait la poser. Ce ne serait pas la première fois qu'un amant possessif ou une femme infidèle profite de circonstances extérieures pour liquider un mari.

— *Of course, Rodger!* Surtout quand il y a une assurance vie à la clé! Vous vous rappelez l'affaire d'Avignon? Le type qui avait su profiter de l'orage pour flanquer sa jeune femme dans le Rhône[1]?

— Il s'appelait Clark, dis-je. Comme le Noir qui a été tabassé, ce qui nous vaut les incendies de ces derniers jours.

Baker cesse soudain de faire glisser son amalgame caoutchouteux d'une joue à l'autre. Il me dévisage quelques secondes avant de s'exclamer :

— O.K. La voilà, la solution, *Rodger*. Vous avez mis le doigt dessus.

1. *La Filière*, éd. Presses de la Cité.

Il contourne le bureau, se laisse glisser dans son fauteuil :

– J'appelle tout de suite Moss...

– Moss ?

– C'est le *deputy-chief* de la California Patrol, le commandant si vous préférez. Je l'ai connu à l'Académie de police de L.A. où nous donnions des cours tous les deux. Un type sympa et serviable qui a été affecté à la Circulation pour mettre de l'ordre dans un service qui en avait bien besoin. Un intime du *Commissioner*. Il va vous les ouvrir, lui, les portes du L.A.P.D. Vous voyez que vous avez bien fait de venir me voir.

Ingrid Palding, moulée dans un tailleur haute couture de lin noir, écrase l'accélérateur de son coupé Ferrari dès qu'elle a franchi le portail arrière de sa propriété. Conduisant d'une main selon sa dangereuse habitude et sans souci de la limitation de vitesse, elle délaisse Bellagio et fonce sur la 405 Sud en direction de la Santa Monica Freeway East qu'elle abandonne à l'impressionnant échangeur à quatre niveaux de la Harbor. Toutes les trois secondes, ses verres fumés se lèvent vers le rétroviseur.

Les pneus crissent contre le trottoir du Civic Center. Ingrid claque la portière, glisse deux *quarters* dans la fente du parcmètre, s'engouffre dans l'ascenseur de la Triforium Tower. Elle longe d'un pas rapide l'alignement de portes de l'interminable couloir du quatorzième étage, pousse celle du cabinet Smith's and Parson's, traverse d'autorité le hall sous les yeux de l'hôtesse ahurie. Quand elle surgit, le visage fermé, dans le bureau de Steven Hyde, la bouteille de Chivas, largement entamée, vient de reprendre place derrière une pile de dossiers.

– Qu'est-ce que c'est que cette histoire? s'insurge Ingrid, dressée devant le bureau de l'expert. Quel est cet individu que vous avez envoyé chez moi? Il m'a posé des questions d'une insolence!

Surpris par l'arrivée intempestive de la concubine de charme, Steven Hyde s'empresse d'endosser la veste qui pendait au dossier d'une chaise.

– Je ne vous attendais pas, madame Palding. Prenez place...

Ingrid, les lunettes à la main, feint de ne pas entendre.

– De quelle histoire parlez-vous? reprend-il. Il n'y a aucune histoire...

– Aucune histoire? Aucune histoire alors que sous prétexte de renseignements concernant la succession, vous m'adressez une espèce d'inspecteur qui me demande si j'ai trompé mon malheureux Pierre et qui m'assomme à coups de phrases pleines de sous-entendus?

Hyde tire d'un dossier plusieurs feuillets qu'il pose sur le sous-main.

– Il n'a pas pu vous parler de succession, madame. D'assurance, sans doute. Si moi je vous ai parlé de succession, c'est que je me suis mal exprimé. Excusez-moi. L'inspecteur avait en main les photocopies des polices d'assurances. Il a dû vous les montrer, non?

Sa moustache désigne les feuillets auxquels Ingrid Palding ne prête aucune attention. Elle va et vient dans la pièce, faisant tournoyer par la branche ses lunettes de soleil.

– Vous n'êtes pas capable de me demander vous-même les renseignements dont vous auriez besoin, monsieur Hyde? Et qu'est-ce que c'est que ce contrat dont Krametz serait le bénéficiaire?

L'expert, l'air navré, désigne une nouvelle fois les feuillets étalés :

— Le contrat est tout à fait régulier. Votre visiteur a dû vous le dire aussi. C'est le siège qui l'a mandaté comme c'est le cas lorsqu'une mort paraît suspecte...

Ingrid cesse de s'agiter. Elle se fige devant le bureau.

— Suspecte? En quoi? Des émeutiers noirs mettent la ville à feu et à sang. Au passage, ils abattent mon mari, et vous trouvez cela suspect, monsieur Hyde?

— Pas moi, madame, le siège! « Suspect » n'a d'ailleurs pas la signification que vous lui prêtez. Dans notre profession, il est d'usage de désigner ainsi tout décès dont les causes ne sont pas entièrement éclaircies. Dans le cas présent, la compagnie ignore les circonstances de la mort de Pierre Julien. Elle demande donc des explications qu'elle se doit de répercuter sur d'autres compagnies, associées dans le règlement du sinistre. Il arrive que des gens se suicident pour que des parents ou des proches puissent percevoir les garanties souscrites. C'est même assez fréquent.

Les deux mains posées sur le bord du bureau, Ingrid se penche, outrée, vers Steven Hyde dont les lourdes paupières se relèvent. Pas commode, la pseudo-veuve!

— Parce que vous pensez que Pierre aurait pu se suicider? persifle-t-elle. De mieux en mieux! La police arrête les meurtriers, sans rien me cacher du drame, mais vous...

— Meurtriers supposés, madame, supposés seulement. C'est pourquoi le rapport d'autopsie est indispensable pour clôturer le dossier. Le siège doit aussi savoir si les affaires de M. de Larzac étaient saines, si aucune hypothèque ne grève ses biens. Des questions qui vous paraissent peut-être déplacées mais qui sont dans la logique des choses. Vous devez le comprendre.

Steven Hyde se sent soudain pris d'une frénésie de whisky mais résiste à la tentation. Malgré lui, son regard plonge dans le décolleté qui révèle des seins libres de toute entrave. Il enchaîne, avalant sa salive :

– Je pensais que vous étiez au courant pour M. Krametz. M. de Larzac a contracté deux assurances sur la vie le même jour : une dont vous êtes seule bénéficiaire, et une seconde garantissant son associé pour le cas où vous viendriez à disparaître, M. de Larzac et vous. Il désirait exprimer sa reconnaissance à un homme qui a beaucoup fait pour le développement de *De Larzac Magic Style*. Nous sommes là pour entériner les volontés de nos clients, chère madame, non pour les discuter. Quoi qu'il en soit, le contrat ne sera suivi d'aucun effet tant que vous serez vivante...

Ingrid Palding se redresse. Elle a perdu son agressivité et considère l'expert d'un œil inquiet.

– L'inspecteur m'a dit la même chose. Il a même ajouté que j'avais intérêt à ne pas me faire écraser. Je lui ai répondu que si j'étais morte, je ne vois pas ce que j'en aurais à faire de tout ça. N'empêche que sa phrase idiote m'a tourmentée au point que j'ai fait attention à ne pas être suivie tout le long de la *freeway* !

Steven Hyde, cherchant sa réponse, prend le parti de sourire avec indulgence.

– N'exagérons rien. Mais un contrat est un contrat. S'il vous arrivait quelque chose, il est évident que M. Krametz en bénéficierait. On ne peut annuler des dispositions prises par le donateur. A moins que M. Krametz vous signe une déclaration notariée de renonciation, ce qui m'étonnerait. En quels termes êtes-vous avec lui ?

Ingrid pousse un soupir résigné.

— Ni bien ni mal. Pierre lui était très attaché, en souvenir sans doute de son père qui lui avait appris à tirer l'aiguille et qui est mort dans un camp nazi. Il s'était gardé de me parler de ce contrat, pensant peut-être que je m'y opposerais. Krametz non plus n'en a jamais parlé. Mais puisque vous dites qu'il est caduc...

— Au risque de me répéter, oui, madame. Tant que vous êtes en vie. Une clause garantit le versement de la somme souscrite en cas de double disparition sans précision de date. Une lacune car il aurait fallu ajouter « simultanée », mais M. de Larzac l'a peut-être voulu ainsi... Autre chose, qui va s'occuper de la reconstruction de l'entrepôt, une fois l'indemnité versée? Et qui va gérer l'affaire? Vous ou M. Krametz? Et dans quelles conditions? Vous avez intérêt à consulter votre avocat, si je puis vous donner ce conseil...

Ingrid Palding, pensive, ne répond pas. Mille pensées l'obsèdent.

— Je devais le voir aujourd'hui mais il a reporté le rendez-vous à mardi prochain. C'est lui qui a le testament de Pierre.

— Alors, conclut Hyde, la main déjà tendue vers le flacon de whisky, voyez-le rapidement. Un testament peut parfois révéler des surprises.

6

Les plantons rectifient la position lorsque la Matador portant fanion de la California Highway Patrol s'immobilise dans le chuintement de ses huit cylindres devant l'entrée du Police Headquarters, le siège de la direction du Los Angeles Police Department. Le *patrolman* en tenue d'apparât, chemise claire et gants blancs, jaillit de l'imposante voiture, se précipite pour ouvrir la portière droite. Sanglé dans son uniforme de *deputy-chief* aux épaulettes ornées de deux étoiles d'or, Edward Moss met pied à terre. Il adresse un signe amical aux factionnaires avant de pénétrer dans le bâtiment qui couvre, à lui seul, la superficie de deux blocs d'immeubles. Je le suis.

Le chef de poste se raidit à son tour derrière la table de commandement. Ses subordonnés l'imitent, déférents, presque craintifs. C'est que le commandant Moss est un familier du *Police Commissioner*, élu en principe pour quatre années mais dont le mandat se renouvelle périodiquement en raison de l'efficacité de ses hommes face à l'inquiétante recrudescence de la criminalité. Quatre jours avant le verdict de Simi Valley, le grand patron du L.A.P.D. avait demandé au maire de la ville une rallonge budgétaire de un million de dollars destinée à payer les heures supplémentaires de ses troupes. Les leaders blacks avaient réagi, le vieux Smith en particulier.

– Tu sais pour quoi c'est faire, Monster? avait hurlé dans son téléphone l'ermite aveugle de Wilson Drive à Jim Clarke qui attendait, confiant, le versement de substantielles indemnités à l'issue de son procès. Pour nous matraquer de plus belle comme ils t'ont matraqué, toi qui jouais les conciliateurs! Rappelle-toi ce que je t'avais dit. Nous sommes des parias et il ne faut pas que la lutte s'arrête. Crips et Bloods, même combat, tu entends, Monster! Même combat! L.A.P.D. 187! Malcolm X avait raison.

Pas plus que moi, Edward Moss ne prête attention aux effluves de Crésyl, de cuir et d'essence qui nous accompagnent jusqu'à la cage de l'escalier principal. La police, c'est une odeur à laquelle nous sommes habitués. Tandis que la cabine de l'ascenseur nous entraîne vers les étages supérieurs, mon œil s'attarde sur la haute silhouette légèrement voûtée. Lorsque, une heure plus tôt, je suis arrivé à son quartier général de Bristol Parkway où Moss m'avait donné rendez-vous, je pensais trouver un costaud au faciès de joueur de base-ball. Et j'ai découvert le sosie du professeur Piccard, le physicien qui, dans ma jeunesse, avait bravé le premier la stratosphère en ballon, dépassant l'altitude de seize mille mètres. Même calvitie frontale largement prononcée, même ébouriffure de cheveux grisaillés sur les tempes, mêmes lunettes rondes cerclées de métal, même moustache sous le nez aquilin.

En quelques enjambées, je rejoins mon mentor dans le couloir du troisième étage dont les fenêtres grillagées donnent sur une cour intérieure où rugissent des moteurs de voitures sur le point de partir en patrouille.

– Vous m'attendez deux minutes, me dit Moss, tout en tapotant sur l'épaule du gardien qui rêvassait sur son tabouret, devant une porte capitonnée. Je m'assure que le *Commissioner* a donné suite à ma demande et je reviens.

Sans prêter attention au claquement de talons de l'agent intimidé, dont la vareuse s'enrichit de ficelles décoratives, il entre d'autorité dans le secrétariat du *Commissioner*, en ressort presque aussitôt en compagnie d'une *policewoman* en tailleur bleu marine et à la chevelure rousse qu'un catogan transforme en queue de cheval. Sur le col de sa veste, deux chevrons, la pointe en haut, signalent le grade de la jeune femme.

– Les dossiers sont à votre disposition, dit Moss avec une affabilité rare dans la police. Le caporal Lerman va vous piloter jusqu'à Arson Detail, la section d'enquêtes des incendies criminels, et vous y laissera. Seul, vous ne trouveriez pas. La division Homicide est tout à côté. Vous rentrerez par vos propres moyens ou je vous envoie un chauffeur?

Le caporal Lerman m'abandonne entre les pattes d'un basset à face de lune, dans l'enceinte de consultation des dossiers. Une salle de concert où les musiciens joueraient de l'ordinateur, pièce immense dont le haut plafond renvoie sur les rangées de tables et de chaises, placées les unes derrière les autres, la lumière crue de ses néons. Le scintillement des écrans confie aux policiers-techniciens qui les scrutent des données qui instruisent mais ne résoudront rien tant que le commerce et la détention des armes ne seront pas sévèrement réglementés. Mission impossible. Les Angelinos qui ont gardé l'esprit pionnier se considèrent comme les survivants de la grande aventure. Du temps de la ruée vers l'or, les rescapés qui franchirent la barrière des Rocheuses firent souvent parler la poudre. Leurs descendants prônent l'action directe, cultivent la violence. Les lobbies qui se sont créés dans cet esprit exercent une influence fort gênante pour le gouvernement fédéral. N'importe qui peut acquérir l'arme de son choix.

Dans l'indifférence de ses collègues en blouse blanche, rivés à leur clavier, le bonhomme court sur pattes m'entraîne à l'autre bout d'une travée où un monitor à magnétoscope incorporé sert à visionner les bandes-vidéo. Deux cassettes m'attendent sur le pupitre supportant l'appareil. Sur l'une d'elles est mentionné au crayon gras blanc : *Recording fire-Pico 4957-03.29.92-Outside-Washington F.S.* L'autre comporte des indications identiques avec, cependant, une annotation : *Private-Inside-Dupli.* Je n'ai pas grand mal à déceler la signification de ces abréviations : enregistrement extérieur du feu au 4957 de Pico Boulevard, le 29 mars 1992, par la Fire Station, la station de pompiers de Washington Boulevard et enregistrement intérieur par vidéo privée dont l'original a été reproduit.

L'archiviste commente sans tarder :

– La bande privée originale est entre les mains de la division Homicide, dit-il. La chaleur l'avait quelque peu altérée malgré le blindage antifeu de la boîte de protection. Nous avons préféré faire une copie pour la visionner autant de fois que nous le désirons. On commence par la première, celle de la brigade du feu ?

Je prends place sur la chaise à dossier métallique, face à l'écran que zèbrent des raies horizontales noires et blanches dès que l'homme à la blouse introduit la cassette entre les mâchoires du magnéto. Quelques dizaines de secondes d'attente et les premières images apparaissent sur un fond sonore de crépitements de feu, d'interjections, d'appels, d'ordres et de contrordres, de cris, de jurons, de craquements. Un tohu-bohu de bruits qu'amplifie le haut-parleur. Les prises de vues se succèdent. Instables, elles tiennent plus du *steeple-chase* que du documentaire. Elles dépeignent cependant l'intensité du feu qui a trouvé dans les tissus entreposés un combustible de choix. Au milieu des tourbillons de fumée noirs et denses, les flammes rampent, lèchent des pans de murs qui s'écroulent, émergent du toit qu'elles ont éventré, disparaissent pour réapparaître plus vives et cracher vers le ciel noir des débris incandescents. Leurs lueurs sautillantes se reflètent sur le cuivre des casques, teintent de rouge les façades des magasins environnants que les lances protègent, à grands renforts de jet.

L'effet est saisissant, mais le défilement des images ne m'apporte pas grand-chose. Ce n'est qu'une suite de plans discontinus qui démontrent l'importance de l'incendie né avant l'arrivée des équipes de secours mais ne me fournissent aucun élément susceptible d'être exploité. Le projectionniste s'en était rendu compte avant moi puisqu'il accélère le déroulement de la première partie de la bande. La seconde partie, après le blanc d'où se détache l'inscription « *After* », devient plus intéressante. L'incendie éteint, la caméra explore l'intérieur de l'entrepôt où les porte-cintres calcinés tendent leurs bras tordus vers les cloisons éventrées, où les monceaux de gravats encore fumants transforment en champ de décombres ce qui, quelques heures plus tôt, était l'orgueilleuse entreprise *De Larzac Magic Style*.

Un plan fixe apparaît maintenant. Le cameraman a fait preuve d'initiative en braquant son objectif sur la partie gauche de l'édifice que les flammes ont partiellement épargnée. Près de la porte du local de la manutention à demi brûlée, à proximité de l'escalier dont quelques marches supérieures plantées dans le mur ont résisté à l'incendie, les pompiers soulèvent une plaque de béton sous laquelle deux jambes dépassent. Ils y parviennent sans difficulté : un côté de la dalle, maintenue dans une position oblique par un morceau de rampe lors de sa chute, offre une bonne prise. Le zoom découvre le visage ensanglanté de l'industriel allongé sur le dos au bas des marches, les bras en croix. « *Dead* », affirme un des pompiers après avoir tâté le pouls. Son doigt désigne le filet de sang qui s'est échappé du front, laissant un sillon sombre sur la joue droite, la flaque noire sous la tête tournée vers le bureau.

— Blessure mortelle, vous allez voir comment, dit l'archiviste. Les Blacks ne se doutaient pas qu'ils seraient filmés en vedettes. Regardez les autres prises de vues.

Il change de cassette, se prépare à remettre en marche le magnétoscope, commente :

— L'entrepôt possédait une vidéo électronique au champ de vision intérieur de cent soixante degrés, donc suffisant pour en couvrir les cinq sixièmes. Montée sur axe rotatif avec un horaire programmé de 19 heures à 8 heures du matin, heures de fermeture et d'ouverture du magasin et déclenchement automatique les samedis, dimanches et jours fériés. De plus, Patrol Security, qui l'avait installée sur les instructions de l'associé de la victime, assurait, par rondes, la tranquillité des lieux dont chaque issue était dotée d'une pastille de protection alertant la centrale de surveillance en cas d'effraction. Impossible, par conséquent, de pénétrer dans l'entrepôt sans être filmé.

– On ne pouvait en aucun cas échapper à la caméra? En coupant le courant, par exemple?

– Une batterie de piles rechargeables se substituait au secteur en cas de panne. Les infrarouges déclenchaient le mécanisme dès que vous secouiez ou franchissiez la porte. Seul moyen de l'arrêter, stopper l'alimentation en arrachant les fils. Encore fallait-il connaître son emplacement, difficile d'accès, dans le local jouxtant les toilettes du personnel, constamment fermé à clé. Et une telle manœuvre aurait immédiatement alerté la centrale qui, par radio, aurait averti ses hommes de patrouille. On y va?

– On y va.

Une image stable envahit l'écran cependant que le haut-parleur diffuse des bruits sourds entrecoupés de cris lointains. Puis des claquements secs, semblables à des détonations, des ronronnements de moteurs, des exclamations confuses qui se rapprochent, des rires hystériques. L'objectif retransmet, en point fixe, et noir et blanc, des lieux déserts, moins sombres au centre que sur les côtés. Le comptoir du fond d'allée, les travées qui desservent les réserves demeurent, eux, dans la grisaille.

D'autres coups, plus violents, plus rapprochés cette fois, suivis d'un tintamarre de ferraille et de vitres brisées s'échappent maintenant du monitor alors que la caméra annonce un lent mouvement de balayage du local.

– Ils forcent la grille donc ça se met en route, souffle le petit homme, impressionné comme moi par la technicité. Vous allez les voir bondir dans le magasin.

Une violente poussée a fait céder la porte. Je contemple l'intrusion des émeutiers comme si j'assistais à la projection d'un film de fiction. Ils sont une dizaine, au moins, arme et barre de fer à la main à foncer dans l'allée centrale et à s'éparpiller dans les réserves, guidés par les faisceaux de lampes électriques. La caméra enregistre leurs allées et venues, les robes qu'ils entassent dans le hall, la fouille des tiroirs, la mise à sac des vestiaires. Tous sont jeunes, douze à vingt ans, tous noirs. En jeans, tee-shirts ou survêtements colorés, le foulard rouge ou bleu dissimulant le bas du visage. Des femmes surgissent à leur tour pour profiter du pillage. L'une d'elles, certaine de son impunité, se paie le luxe d'enfiler sur elle trois robes à fleurs qui tombent sur les chevilles, mais qu'importe! Elle se précipite vers la sortie, une boule de vêtements sous le bras. Le défilement s'arrête.

– Regardez bien maintenant, dit l'archiviste. Je passe au coup par coup, image par image.

La diffusion reprend, saccadée cette fois. Une main armée d'un pistolet de fort calibre se glisse sur le côté gauche de l'écran. Puis un bras, l'épaule, le corps d'un jeune Noir s'installent par secousses successives devant mes yeux. Un autre Noir suit, armé lui aussi d'un pistolet imposant. Le ralenti m'offre un spectacle qui tient de la fantasmagorie. Les adolescents, ivres de puissance et parfaitement inconscients, offrent à la caméra, de plein fouet, leurs visages découverts quand ils se retournent pour inviter un camarade à les rejoindre. L'un d'eux porte un tee-shirt noir sur lequel les lettres blanches « *Denver Lane Bloods* » se détachent. L'autre a le front ceint d'un bandeau noir qui retient une chevelure aux longues et interminables tresses fleuries de perles bleues, à la mode rasta. Leurs mouvements se décomposent au rythme du ralenti. Tous deux ont le même réflexe lorsque des pieds nus, puis des jambes de pantalon clair se détachent de la pénombre de l'escalier. Leurs armes se pointent dans la direction de la silhouette qui continue à descendre les marches avec précaution. La rotation de la caméra, de la gauche vers la droite, occulte la fin de la descente, mais l'objectif capte maintenant la réaction des Bloods que l'apparition a surpris. Leurs fronts se sont plissés, les regards où se lit l'étonnement ne quittent pas l'escalier vers lequel les armes sont toujours tendues. C'est alors le drame. Un coup de feu éclate, puis un second, alors que la caméra dans son mouvement tournant ne saisit que la fuite des jeunes Noirs vers la porte. Quand elle revient vers l'escalier, les images deviennent floues, puis disparaissent pour faire place à des zébrures noires et blanches.

La caméra a brusquement cessé d'enregistrer.

perles bleues, à la mode rasta. Leurs mouvements se décomposent au rythme du ralenti. Tous deux ont le même réflexe lorsque des pieds nus, puis des jambes de pantalon clair se détachent de la pénombre de l'escalier. Leurs armes se pointent dans la direction de la silhouette qui continue à descendre les marches avec précaution. La rotation de la caméra, de la gauche vers la droite, occulte la fin de la descente, mais l'objectif capte maintenant la réaction des Bloods que l'apparition a surpris. Leurs fronts se sont plissés, les regards où se lit l'étonnement ne quittent pas l'escalier vers lequel les armes sont toujours tendues. C'est alors le drame. Un coup de feu éclate, puis un second, alors que la caméra dans son mouvement tournant ne saisit que la fuite des jeunes Noirs vers la porte. Quand elle revient vers l'escalier, les images deviennent floues, puis disparaissent pour faire place à des zébrures noires et blanches.

La caméra a brusquement cessé d'enregistrer.

7

Burt Field s'étire dans un rocking-chair, au bord de la piscine. Il contemple avec satisfaction ses muscles tatoués, impressionnants même au repos. Il a beau se sentir à peu près invulnérable, il aime bien l'abri du jardin, fouillis de plantes et de fleurs, de la petite villa de Pacific Palisades.

Simon, vêtu de lin blanc, entrouvre la porte de la maison aux volets clos, écrasée de soleil. Burt feint de ne pas le voir, se lève, déploie son corps, effectue dans la piscine un plongeon impeccable, ressort presque aussitôt. Simon Krametz contemple avec orgueil ce corps que le scintillement des gouttes d'eau rend plus désirable encore. Il s'avance, s'accroche aux épaules de Burt, se hausse pour poser un baiser sur ses lèvres.

Burt le repousse sans violence.

— Tu devrais piquer une tête, toi aussi, dit-il. Tu es brûlant. Remarque, l'eau n'est pas froide non plus!

— J'aimerais bien me tremper avec toi, Burt, mais il faut maintenant que j'y aille.

— Tu en as pour longtemps?

— Une heure... Peut-être deux. Va savoir, avec les flics!

Burt écarte la main de Simon, encore posée sur son bras, fait un pas vers la maison.

– J'enfile un pantalon et une chemise. Je t'accompagne. Avec le bordel qu'il y a encore partout...

– Pas la peine, Burt...

– Je vais avec toi, je te dis.

En quelques foulées, Burt a gagné la villa, d'où il émerge en pantalon et veste de jean.

– O.K., dit-il. Bouge-toi, je suis prêt.

Simon sait que Burt a toujours le dernier mot. Il évite son regard dur pour énoncer, d'une voix mal assurée :

– Enfin, Burt, réfléchis... Après les flics, je dois passer au magasin, pour voir si c'est à peu près en ordre. Il vaut mieux qu'on ne nous voie pas ensemble.

– Tiens donc! Ce n'est pourtant plus à cause de Larzac, maintenant! Pourquoi ce besoin de toujours me cacher? Je m'emmerde, ici, si tu veux savoir! J'ai besoin de voir du monde, et j'ai besoin qu'on me voie!

– Pourquoi? Tu as *besoin* d'un public?

– Pourquoi pas? Je ne suis pas un truand en cavale, et ce n'est pas parce que les négros font les cons que je dois rester à la niche, non?

– Tes tatouages...

– Quoi, mes tatouages? Ils sont sous ma veste, mes tatouages. Ils ne te feront pas honte. Et je vais conduire la Bentley. J'en ai marre de me rouiller! Tu viendras me reprendre au club de musculation quand tu en auras fini avec tes salades. Qu'est-ce qu'ils te veulent encore, les flics?

– C'est à cause de la vidéo. Je leur ai expliqué qu'une poutre a pu arracher un fil en tombant, les flammes provoquer un court-circuit, mais ils veulent la faire voir à un spécialiste...

— Les flics l'ont convoquée aussi, la grande salope?

Déjà assis au volant, Burt regarde Krametz avec ironie.

— Ne parle pas comme ça d'Ingrid de Larzac, Burt!

— De Larzac mon cul, oui! Ton Pierre, il s'appelait autant Larzac que moi. Là où il est, c'est pas sa fausse particule qui empêchera les vers de le becqueter!

Le « tout à côté » du commandant Moss, qui sépare la Section d'enquête des incendies criminels de la division Homicide, est, en fait, un long parcours du combattant. Ici, les bureaux ont des superficies d'amphithéâtre. J'ai beau arpenter un labyrinthe de couloirs, de coudes imprévus, d'escaliers et de paliers à pente réservés aux handicapés, je n'en vois pas le bout. Je vais, je viens, je tourne, je repars jusqu'au moment où un appariteur sorti de je ne sais où daigne me renseigner.

— Gauche, gauche et encore à gauche. Vous ne pouvez pas trouver. La porte des Homicides, elle a été condamnée il y aura huit jours demain. Faut faire le tour par le B parallèle au A, de l'autre côté du bâtiment. Pas compliqué : gauche, gauche et encore à gauche. Vu?

Vu, oui... enfin, presque! Je l'avais pourtant longé deux fois le couloir B, sans dénicher la division. En tout cas, merci commandant Moss.

Autre surprise lorsque je pousse la porte : à la bouille joviale du petit homme de la section Incendie succèdent le visage bistre et le corps pulpeux mais élancé d'une jeune femme qui m'attendait depuis un bon quart d'heure. La profession de mannequin lui conviendrait mieux que celle de sergent-détective chargée de la pénétration des bas-fonds de South Central Los Angeles. De longs cheveux noirs encadrent des traits où la finesse et la douceur gardent le charme de l'adolescence. Les yeux havane pétillent d'intelligence. Si son physique reflète ses qualités de flic, Leslie Brown, c'est ainsi qu'elle se présente, doit réussir tout ce qu'elle entreprend!

— Le cabinet du *Commissioner* m'a annoncé votre venue, dit-elle, me gratifiant d'un sourire qui éclaire sa peau brune. Ainsi, vous enquêtez pour les assurances?

Elle m'entraîne vers une table d'angle, sous une carte du *great* Los Angeles piquée de minuscules drapeaux qui délimitent la zone dangereuse entre Santa Monica Boulevard, San Diego Freeway, La Brea Avenue et Long Beach Freeway. En haut et à droite, une inscription en lettres capitales : L.A. CRIPS AND BLOODS GANGS. Je m'empresse de rectifier :

— Assurances, oui et non. C'est un cabinet d'expertises qui m'envoie, mais c'est la même chose. Excusez mon retard, je me suis un peu perdu.

Mon sourire ne peut rivaliser avec le sien...

J'ai une passion pour la beauté des femmes, promesse de bonheur. Et lorsque cette grâce extérieure émane d'une consœur qui ne craint pas de mettre chaque jour sa vie en danger, alors, là! Quand j'étais flic, l'administration se méfiant des mœurs de ses esclaves s'attachait à ne recruter que des eunuques-femelles qu'elle destinait aux travaux de dactylographie. Les temps ont changé. Aujourd'hui, nombre de femmes flics surpassent leurs collègues mâles. Ils ont cessé de s'étonner de leur subtilité dans les enquêtes difficiles.

Je prends soin d'ajouter, pour installer une éventuelle collaboration :

– Je suis ancien policier. Inspecteur principal à la direction des affaires criminelles.

C'est vrai mais équivoque. Les hiérarchies policières diffèrent d'un pays à l'autre. Aux États-Unis, le grade d'inspecteur correspond à celui du commissaire divisionnaire, alors qu'en France il se situe au bas de l'échelle administrative. Le principalat U.S. m'octroierait donc le galon et l'aigle d'argent supplémentaires de sous-directeur. Ce qui pose ! Pendant que j'y suis, j'ajoute :

– J'ai pas mal travaillé avec le *supervisor* Baker du F.B.I. à Washington. L'ami du *deputy-chief* Edward Moss.

La superbe Leslie fait glisser une chaise près de la sienne, derrière le bureau, m'invite à prendre place. Le parfum épicé qui sature sa robe flotte dans la pièce. Sa jambe frôle la mienne. J'ai du mal à me concentrer sur l'écran de l'ordinateur qui se pare des zébrures habituelles. Je vais encore avoir droit à la démonstration de l'incendie de Pico Boulevard ! Non, c'est une carte en couleurs du *great* Los Angeles qui s'affiche, identique à celle accrochée au mur dont le centre grossit au point de devenir un écheveau de voies autour d'un cercle hachuré. Arrêt sur image.

– Vous voyez là, la situation des Watts Towers, m'indique ma trop désirable professeur de géographie, le nez pointé sur l'appareil.

J'apprends que huit tours – rien à voir avec les gratte-ciel de la ville – ont été construites dans un jardin par un émigré italien qui a consacré trente-

101

trois ans de sa vie à l'explosion de son génie. Il a noyé des câbles d'acier dans du ciment qu'il a incrusté de morceaux de verre, de vaisselle cassée et de rebuts hétéroclites récupérés dans les décharges publiques. Intéressant. Aux États-Unis, il ne faut s'étonner de rien.

Au plan des lieux se substituent maintenant les fameuses colonnes tarabiscotées de verre et de brisures de porcelaine. Chef-d'œuvre du mauvait goût que la ville – à la mort de l'artiste méconnu – a classé monument historique! Nouvel arrêt sur image.

– C'est dans ce quartier misérable que sont nées les émeutes de 1965, précise Leslie Brown.

Sa voix se brise. Elle reprend :

– J'avais deux ans. Des malheureux qui ne réclamaient qu'un peu plus de compréhension et de justice en ont été les victimes. Deux ans plus tard, à Detroit, quarante-trois personnes sont mortes pour les mêmes raisons. Quarante-six en 1968, après l'assassinat de Martin Luther King. Et cinquante-huit lors des dernières émeutes...

Je la fixe. J'hésite. Puis :

– Vous êtes noire, vous aussi... Et vous faites partie d'une police que les Noirs conspuent, qu'ils menacent de mort...

Elle se lève, repousse sa chaise, s'appuie des deux mains sur la table. Ses grands yeux soudain tristes me mettent mal à l'aise.

– Il y a Noir et Noir. Ceux qui, comme mes parents, sont de braves gens, travailleurs, honnêtes, dévoués à la cause américaine qui souffrent de n'être ni compris ni assimilés. Et il y a les autres. Des jeunes qui refusent de vivre au bas de l'échelle économique et veulent tout, tout de suite. Ils volent, trafiquent, tuent. Et se tuent même entre eux. Je suis entrée dans la police pour tenter de raisonner ces marginaux qui haïssent le Blanc parce qu'ils croient que le Blanc hait la couleur de leur peau ! Je suis née à Compton, en plein ghetto, au cœur d'un problème que je connais bien. J'ai fait mes études à Inglewood High School et je suis devenue assistante au Probation Department d'Imperial Highway, un service de liberté surveillée. Je me sentais proche de tous ces jeunes déboussolés. Je les comprenais, je m'efforçais de les aider, et figurez-vous qu'on m'a comprise. Le chef du L.A.P.D. m'a convoquée, non pour m'affecter dans un service actif, mais pour faire de la prévention, plus prometteuse à mes yeux que la répression. J'ai hérité du grade de sergent...

Elle s'interrompt, se rassoit, se mord les lèvres, me regarde bien en face, s'efforce de sourire :

– Mais vous n'êtes pas là pour subir mes états d'âme... Reprenons. Tout à l'heure vous regardiez l'inscription CRIPS AND BLOODS sur la carte murale. Ce sont les appellations de gangs de jeunes désœuvrés qui se sont formés dans South Central. Ils n'avaient qu'une chose en tête : casser la gueule aux voisins. Ils se sont identifiés à leur rue, à leur quartier, à leur cité. On ne choisit pas de devenir Crip ou Blood. On rejoint la bande du quartier, voilà tout. La plupart d'entre elles portent le nom de leur rue, comme les Eight-Tray Gangsters, des Crips de la 83e Rue, ou les Six-Dence Brim Bloods de la 62e Rue, ou les Piru Bloods de Piru Street... Pour être admis dans une bande, auprès des « grands » de dix-huit ans, des enfants de douze ou treize ans en sont venus à descendre des jeunes Noirs ou Hispaniques d'une bande rivale, juste pour se faire une réputation...

– Pourquoi Crips et Bloods?

– Il faut donc que je sois votre institutrice, monsieur le Français ? Je vais essayer de résumer : L'erreur de transcription du mot « *cripple* » sur un rapport est à l'origine de l'appellation. Une vieille femme avait donné à la police le signalement de son agresseur qui boitait. « Il était estropié », répétait-elle, *cripple*. L'agent avait noté *crip*. Le nom est resté. Par opposition à la couleur bleue que les Crips avaient adoptée, leurs adversaires choisirent le rouge. Rouge sang. *Blood*. L'un des jeunes que nous avons arrêtés est un Denver Lane Blood. L'autre est un Crip, à en juger par les couleurs qu'il arbore. Nous les avons présentés au juge pour enfants du Juvenile Hall qui, malgré leurs dénégations, les a expédiés au camp Kilpatrick, dans les collines de Malibu. Ils reconnaissent avoir pénétré au *De Larzac Magic Style*. Seulement voilà : ils prétendent, contre toute évidence, n'avoir pas tiré sur la victime. Pourtant la vidéo les désigne formellement.

Elle aurait pu commencer par là, miss Brown ! La psychologie, c'est passionnant, mais ce qui m'intéresse, moi, c'est de savoir qui a tué Larzac.

— J'ai vu la vidéo, dis-je. Le visage des deux voyous est, certes, pris plein champ, on voit distinctement leurs bras armés dans la direction de la victime, on entend un coup de feu, puis un second, mais on ne sait vraiment pas qui a tiré... La caméra effectuait sa rotation à ce moment-là.

— Je sais. Moi aussi j'ai passé et repassé la bande. Les deux jeunes ne sont pas d'accord. L'un et l'autre s'accusent mutuellement d'avoir tiré. Donc l'un et l'autre se prétendent innocents et affirment avoir jeté leurs armes en se sauvant, ils ne se rappellent plus où !

— Et que dit le rapport d'autopsie ?

— Le coroner ne l'a pas encore remis au juge. Il y a

104

eu tellement de victimes, ce soir-là, qu'il faut patienter encore une dizaine de jours au moins. Pour vous, les compagnies, ça ne change rien si le mort était assuré.

— Vous savez, miss Brown, les assurances, ce n'est pas si simple que vous croyez. Si nous en discutions, tout à l'heure, devant une bonne table, au Moustache Café par exemple? A mon tour d'être votre instituteur, mademoiselle le détective.

8

Nous avons quitté la Ventura Freeway 101, peu après Agura Hills, laissé sur la droite le ranch Grauss et ses haras. La Ford gravit les lacets de Kanan Road qui serpente au flanc de collines couvertes de broussailles calcinées.

— C'est là que tout a commencé, dit Leslie Brown, désignant du menton le croisement Mulholland-Kanan.

Elle a troqué sa robe moulante du dîner au Moustache Café contre l'uniforme austère de sergent, accroché le calot galonné au canon du *shotgun*, calibre 12, planté verticalement entre nous. Les rayons du soleil teintent de reflets bleus la longue chevelure noire.

— Commencé quoi ?

J'admire une fois de plus la pureté du profil. Et la façon de piloter, souple et rapide.

— L'affaire qui nous conduit au camp, voyons ! L'an dernier, des hommes de la California Patrol sillonnent Mulholland. Ils doivent ramener au commandant Moss un vieux fou qui passe ses nuits à haranguer les automobilistes et à bombarder les voitures de projectiles divers. Un autre fou, du volant celui-là, surnommé Monster, nargue le sergent Broziack sur le point de rejoindre Station Police. Broziack, un irascible, signale aux voitures de patrouille la vitesse excessive de la Cherokee. Plutôt que d'obtempérer aux sommations, Monster engage une course-poursuite avec les collègues du L.A.P.D. lancés à ses trousses, sirènes hurlantes. Un hélico le prend dans son projecteur. Il se rebiffe lorsqu'il est rattrapé, distribue tant de coups de poing et de coups de tête que les officiers en sont réduits à jouer de la matraque. Un témoin qui a filmé la scène vend son enregistrement à une chaîne de télévision. Vous connaissez la suite. Il faut dire que les collègues n'y sont pas allés de main morte!

Ça, oui! Comme tout le monde, de mon fauteuil, j'ai assisté à la diffusion du passage à tabac du Black. Ça n'en finissait pas! La honte m'oppressait. Il faut être maître de soi pour faire le métier de flic.

La Ford avale la rampe qui se fait rude au travers de versants pelés, hérissés de roches. La demi-obscurité d'un tunnel nous enveloppe, miss Brown et moi, avant que nous retrouvions une lumière aveuglante que nul arbre ne vient filtrer. Le soleil frappe. La réverbération brûle les yeux. Les roues soulèvent une fine poussière qui saupoudre de blanc le capot noir. Surgissent enfin d'un virage des bâtiments en forme d'haciendas, havres de vie dans le paysage lunaire que nous venons de violer, où les faucons tournoient avant de s'évanouir comme des flèches dans le bleu du ciel.

Bien que les numéros 427 et 433 d'Encynal Canyon évoquent un proche voisinage, les camps de liberté pour jeunes délinquants Kilpatrick et Miller sont éloignés l'un de l'autre. Miller est un centre ouvert aux mineurs qui en sont à leur première condamnation. Pas de hauts murs, pas de clôtures, pas de cellules de punition. En revanche, un grillage d'acier, un personnel plus nombreux et plus répressif assurent la sécurité de Kilpatrick où les dortoirs sont verrouillés chaque nuit et où vingt-cinq cachots sont prêts à accueillir les fortes têtes, rebelles à la discipline.

Vus de l'extérieur, les camps ressemblent plus à de paisibles exploitations rurales qu'à des *detention homes* dépendant du juge des enfants. Les toits de tuiles en terre cuite, les terrains de sport, les massifs de bougainvillées qui enjolivent l'entrée jettent des notes de couleur sur une terre brûlée jusqu'aux entrailles. Franchies les portes d'accès, le spectacle est aussi différent que l'envers du décor. Tous les pensionnaires ont le crâne rasé. Tous portent le tee-shirt blanc sur le large pantalon bleu. Tous, la récréation terminée, déambulent en silence sur une seule file vers les dortoirs où les lits sont alignés. Les photos de parents ou d'amis sont interdites de séjour sur le casier métallique servant de table de nuit. Les jeunes prisonniers doivent garder les mains enfoncées dans les poches arrière du pantalon; impossible, ainsi, d'échanger les signes de reconnaissance de leurs bandes, langage de sourd-muet avant-coureur de tueries futures.

A l'entrée de Kilpatrick, la barrière à claire-voie est baissée. Leslie Brown cale le pare-chocs de la voiture devant le cercle rouge barré en son milieu de lettres blanches « *DO NOT ENTER* ». Nous attendons. Avec nonchalance, le factionnaire se soulève de sa chaise, quitte la guérite. La présence, dans cette contrée de fin du monde, d'êtres civilisés, notamment de la femme-flic-star Brown, devrait le réjouir. Eh bien, non! La bouche pincée, il examine le permis que lui tend le sergent, hoche la tête d'un air entendu, regagne avec autant d'indolence son abri à lucarne.

— Encore un qui n'aime ni les femmes ni les Noirs, soupire Leslie.

La herse se lève. L'allée macadamisée nous guide jusqu'au parking *visitors* où la Ford se glisse entre une camionnette chargée de pupitres et un fourgon démodé. Le logo de Juvenile Hall est peint sous les fenêtres grillagées.

Le couloir que nous empruntons à présent conduit à une vaste pièce dont la baie vitrée ouvre sur des allées qui desservent les terrains de sport, pour le moment déserts. La porte directoriale s'ouvre. Un homme en manches de chemise, le col ouvert, s'encadre dans l'embrasure.

— Heureux de vous recevoir, dit-il, souriant. Entrez.

Edmund Atterson, épaules larges, torse puissant, bras musclés, apparaît comme un sportif d'une quarantaine d'années, jovial, décontracté, visage rose et cheveux blonds coupés court, façon G.I. C'est lui qui est responsable du camp Kilpatrick. La poigne est vigoureuse, le sourire franc.

— M. Borniche est un ancien policier français qui enquête pour les assurances, explique Leslie Brown. Une relation du *deputy-chief* Moss.

Le nom du commandant produit toujours son effet. Nous prenons place sur les chaises devant la table présidentielle tandis qu'Edmund Atterson bourre de tabac blond une pipe qu'il a choisie, parmi six ou sept autres, sur un support tournant.

— Si la fumée vous dérange, vous me dites, déclare-t-il, relâchant la pression de son pouce sur le fourreau.

110

Pas question de contrarier son plaisir. Leslie l'a compris. Moi aussi. Elle lève une main rassurante :

— Pas du tout. Ainsi que je vous l'ai expliqué au téléphone, l'incertitude plane quant à la culpabilité d'un des Bloods que les collègues de Culver City ont appréhendés. La bande-son de la vidéo de l'entreprise a enregistré deux coups de feu. La bande-image qui a permis de les identifier montre deux armes, dirigées vers la victime, mais qui sont malheureusement sorties du champ lorsque les coups de feu sont partis. Impossible, dans ces conditions, de savoir lequel des deux a tiré. Chacun accuse son complice d'en être l'auteur.

Le directeur allume le tabac avec un briquet à flamme horizontale, admire les volutes bleues de son poison favori avant de détacher le tuyau de ses lèvres.

— Je les ai placés dans des dortoirs différents, et j'ai collé un mouchard dans leurs pattes pour tenter d'y voir clair, dit-il. Malheureusement, je n'ai pas eu grand résultat. Ces petites frappes promettent! L'un deux est un Blood de Denver Lane, l'autre un Grape Street Crip. Jamais je n'aurais cru voir un Blood et un Crip faire quelque chose ensemble, même un meurtre... Enfin! Je les ai prévenus quand ils ont débarqué ici qu'ils n'auraient pas de visites les samedis, dimanches et jours fériés s'ils ne respectaient pas le règlement. Pas de libération tant que le maximum de points de discipline fixés par le juge n'est pas atteint. Une bagarre, un devoir bâclé, des injures envers le personnel et ce sont des points qui s'envolent. Une tentative d'évasion, vingt jours de mitard...

Le directeur rappelle à l'ordre un filet de tabac mal consumé qui s'échappait du culot de la pipe, me dévisage :

– Vous étiez donc dans la police à Paris? Quelle belle ville! J'y suis resté un mois avec ma femme. Le dollar était à dix francs à ce moment-là. On logeait au Prince de Galles et on pouvait se payer le Fouquet's. Maintenant, ce ne serait plus possible...

Edmund Atterson ouvre le sous-main de cuir que frôlait son coude droit, en extrait un feuillet au moment où des exclamations retentissent à l'extérieur. Des détenus en récréation filent vers les terrains de jeux. Tous Noirs ou Latinos. Dans le regard de Leslie Brown, je saisis le désappointement et de nouveau la tristesse : tout à l'heure, alors que nous longions Universal Studios où ont été tournés *Back Street*, *Les Dents de la mer* et autres *American Graffiti*, elle m'avait fait part de son désarroi.

– Il n'y a pas d'argent à Watts, donc pas de terrains de sport. Aucune possibilité pour un gamin de se défouler, de libérer ses tendances agressives. Un seul exutoire : la bande, qui lui fournit les armes dont il raffole, qui le protège, et satisfait ainsi ses besoins émotionnels. Issu d'un milieu lui-même violent, illettré, il n'a qu'une idée, s'affirmer. Quand le O.G., l'*original gangster*, son aîné, âgé de seize à dix-huit ans, lui dit de voler, il vole. Quand il lui ordonne de casser du Crip ou du Blood, il tue. Le gosse de dix ans devient le *tiny gangster*. Il coiffe à l'envers, comme les grands, la casquette de base-ball au logo de sa rue ou de son quartier, fume les « pipes » qui lui donnent le courage ou l'inconscience de participer à un *drive-by* et de lâcher, suprême jouissance, une rafale d'Uzi 360... L'avenir, pour lui, c'est le Central Juvenile Hall, la California Youth Authority ou la mort. Les moins perdus vont à Miller, les entêtés à Kilpatrick, les irréductibles au camp Gonzales à Calabasas, quand ils ne sont pas expédiés à la prison de Soledad, dans la Salinas, ou au pénitencier de San Quentin. Aucun remords lorsqu'ils sont interpellés. Au contraire, c'est bon pour leur réputation... Le désir de paraître aux yeux du gang fortifie le silence ou le mensonge.

— Pourquoi ces deux voyous s'accusent-ils mutuellement d'avoir tiré sur Larzac?

— Les collègues de Culver City ont vite compris. N'oubliez pas qu'ils ne sont pas de la même bande. Ce soir-là, ils s'étaient unis pour casser du flic et du Coréen. Le coup fait, chacun a repris son identité. Au camp, nous les interrogerons séparément. Nous verrons ce qu'ils raconteront et nous confronterons les auditions. Je commencerai par Baby Dog, le Blood, un peu plus retors, il me semble. Vous, vous occuperez du Crip G. Vamp. O.K.?

La main d'Edmund Atterson dissipe la nappe de fumée qui planait au-dessus du feuillet.

— J'ai noté quelques indications que la « mouche » m'a communiquées en échange d'une remise de peine de trois jours de mitard pour geste obscène à l'égard d'un surveillant, dit-il. Je vous les livre telles quelles : « Eileen, 12 ans, violée par cinq Grape Street Crip — parking Western — Nuit 30 avril. »

Il relève la tête, s'offre deux nouvelles bouffées avant de préciser :

— Eileen, c'est Eileen Kody, la sœur de Marc, celui qu'on appelle Baby Dog, le dur du dortoir 3. D'après mon informateur, il fera tout pour mouiller G. Vamp et sa bande. C'est pourquoi...

Il marque un temps d'arrêt, fait décrire à sa pipe un large cercle, guettant à l'évidence notre réaction. Leslie l'encourage d'un sourire.

— C'est pourquoi je me suis demandé si Baby Dog n'accuserait pas G. Vamp pour se venger du viol de

113

sa sœur. D'après ce qui m'a été rapporté, sitôt libéré, il essaiera de liquider les Crips dont il connaît les noms. L'un d'entre eux, Wimpy, n'est autre que le grand frère de G. Vamp.

L'hypothèse est loin d'être absurde. Le meurtre a eu lieu le 29 avril, le viol le lendemain, l'arrestation des deux jeunes plusieurs jours après. Que Baby Dog veuille se venger, cela est plausible. Mais G. Vamp, de son côté, accuse Baby Dog tout en plaidant non coupable. Peut-être craint-il d'être jugé pour meurtre alors que, jusqu'alors, il n'est détenu que pour violation de la propriété privée?

Le surveillant de service, une sorte de lutteur de foire arborant le tee-shirt clair aux armes du camp, me conduit au bureau que le directeur m'a attribué. Une pièce minuscule, ni parloir ni isoloir, meublée d'une table-gigogne, d'une chaise et d'un tabouret-porte-réveille-matin. Au-dessus d'un lit-cage, le portrait du président Bush. Au plafond, une lampe grillagée. La fenêtre sans crémone, voilée d'une moustiquaire aux mailles serrées, donne sur un des terrains de basket. A la porte de bois massif est suspendue une matraque à poignée de cuir.

– C'est là que je couche, dit le gorille, étalant trois incisives d'acier dans un sourire qui se veut complice. Dans la journée, c'est mon poste de surveillance. Avec ces oiseaux-là, faut toujours être sur le qui-vive. Je vais vous le chercher, votre zèbre.

Trois minutes plus tard, il est de retour, flanqué d'un grand adolescent mince, nez camus, bouche sensuelle à lèvres lippues. Le jeune Noir esquisse un mouvement de recul dès qu'il me voit.

– Salut, dis-je d'un ton que je veux amical tandis que le cerbère boucle la porte derrière lui. Entre. On n'en a pas pour longtemps.

C'est une formule que j'ai gardée de l'administration. Quand j'invitais un suspect à me suivre, il n'y en avait jamais pour très longtemps. En fait, cela se traduisait souvent par des heures d'interrogatoire auxquelles venaient s'ajouter des mois d'instruction et des années de taule.

Les mâchoires contractées, les mains pendantes, dans une attitude de méfiance et de défi, G. Vamp se fige devant moi. La fiche dactyloscopique que Leslie m'avait confidentiellement montrée révélait son âge : quinze ans. Il en paraît au moins dix-huit. La notice annexée à la fiche l'informait des droits constitutionnels des mineurs face à toute intervention policière : consultation d'un avocat, de son père ou de sa mère, d'un adulte approprié, à moins qu'il n'en décide autrement. La réponse m'avait édifié : « Mon père, je l'ai pas connu, ma mère, elle picole, et mon frère, il a assez d'emmerdes comme ça, foutez-lui la paix. » En marge, une annotation du rédacteur : « Sujet débile, vantard, entêté. A ne pas interroger de front. »

Du doigt, je lui désigne le tabouret.

— Mets le réveil sur le lit et assieds-toi. Fais surtout gaffe de ne pas le flanquer par terre, le surveillant râlerait.

Il s'exécute sans empressement, pose ses mains aux ongles ras sur les genoux, bien à plat. Les épaules rentrées, il attend l'estocade.

— Tu ne m'as pas l'air bavard, dis-je pour amorcer une conversation qui s'annonce difficile. J'aimerais pourtant savoir pourquoi on t'appelle G. Vamp. Ton nom, c'est Billing, Douglas Billing. Ça veut dire quoi, G. Vamp ?

Mon ignorance, mon accent l'intriguent. L'œil perd de son acuité. Si la manœuvre de diversion que

115

je tente réussit, je l'aurai détourné, du moins pour le moment, de sa position défensive. Je poursuis :

— Ça t'amuse peut-être que je te demande ça mais nous, en France, on n'a pas de surnoms comme à Los Angeles. Depuis que j'ai débarqué, je n'entends parler que des Inglewood Crips par-ci, Karson Pirus par-là, ou encore Rollin' Sixties, East Coast Crips, Ujima Bloods...

S'il desserre les dents, c'est gagné. J'en ai connu des truands au cours de ma vie de flic qui s'enfermaient dans un mutisme opiniâtre lors de nos premiers tête-à-tête. Je devais m'armer de patience. Il est vrai que nous avions le temps pour nous, la loi ne nous donnant pas, comme aujourd'hui, le délai restreint de vingt-quatre heures pour amener à composition des malfaiteurs chevronnés, résolus à tenir le choc. Quitte à se contredire et à s'enferrer dans leurs mensonges, ils finissaient souvent par parler. Le besoin de boire, tant les gorges se dessèchent lors des interrogatoires sans même ouvrir la bouche, de déguster la cigarette attendue, la présence-surprise d'un être cher parvenaient à les dérider. Le mouvement ascensionnel de la glotte, significatif de l'agitation intérieure, me prévenait de l'opportunité du moment. Quand les langues se déliaient, je n'avais plus qu'à profiter de l'occasion. Et, faussement amical, faussement compréhensif, à enregistrer les explications fantaisistes ou les aveux. La police est une belle école d'hypocrisie.

G. Vamp reste impassible. Il darde sur moi un regard haineux, avant de baisser les yeux puis de fixer ses pieds. Je me rends compte que cet adolescent ne se laissera pas manœuvrer comme un truand adulte. N'ayant rien, il doit se dire qu'il n'a rien à perdre. Son inconscience le protège.

Pas vraiment, puisque au bout de quelques minutes d'un interminable silence, le petit dur hargneux et borné se décide à faire semblant de réfléchir, puis à ouvrir la bouche :

– Vous débarquez de où, que vous dites ?

– De France.

Il s'octroie une nouvelle pause. Ma patience sera inépuisable. J'attends. J'observe son visage, qui reflète l'ignorance la plus totale. Le pitoyable vide éducatif qui engendre la misère et le crime.

– C'est loin ? demande-t-il enfin.

– Plus de douze heures d'avion !

Ça ne l'impressionne pas. Seul l'intéresse le rôle que je suis venu jouer dans ce camp :

– Vous n'êtes pas un Fed, alors ?

Je sens que j'ai intérêt à continuer de jouer les naïfs.

– Un Fed, qu'est-ce que c'est ça ?

– Un mec du F.B.I., tiens ! Un Fédé qui s'occupe de la came...

Il a prononcé, craché plutôt, ces mots avec mépris. Comme tous les dealers qui vivent de la drogue, il les descendrait volontiers en rafale, les hommes de la Drug Enforcment. Il sait que ce trafic vaut beaucoup plus d'années de prison qu'un vol de voiture ou un cambriolage.

Je secoue la tête, le rassure d'un rapide sourire.

– Je ne m'occupe pas de came, moi. Je travaille pour les compagnies d'assurance. Un job pas facile. Mes patrons veulent savoir si ceux qui ont mis le feu aux magasins pendant les émeutes ont de quoi rembourser les dégâts. Un point c'est tout. Tu n'as toujours pas dit ce que ça voulait dire, G. Vamp.

Le beau sujet pour briller ! Donner un cours à un inconnu venu d'on ne sait où, ignorant des mœurs du ghetto! Il fonce dessus, comme un jeune chien sur une balle.

– Quand j'étais môme, j'étais Billing. Doug Billing. Vers les neuf ans, je sais plus trop, les copains ont commencé à m'appeler Gear. Vous savez ce que c'est, *gear* ?

J'affiche une moue d'ignorance d'autant plus naturelle que, de fait, je ne sais pas.

– C'est un équipement, du matériel, des fringues ou des outils. Je mettais dans une planque tout ce que je pouvais faucher, les postes de radio que je piquais dans les bagnoles. Je m'équipais, quoi, avant de les revendre. De Gear, je suis devenu G., c'était plus facile à prononcer. J'ai grandi ce qui fait qu'à douze ans, j'étais comme maintenant. J'ai commencé à chasser les filles. Vu que j'étais beau gosse que les copains disaient, ils m'ont appelé Vamp. Ils pouvaient pas m'appeler play-boy, c'était déjà pris par les Play-Boys Crips. C'est pas plus compliqué que ça. A Watts, tant qu'on n'a pas de surnom, on n'est pas un homme. Chez les Crips comme chez ces connards de Bloods.

Je recommence à tricher :

– Qu'est-ce que c'est donc les Crips et les Bloods ?

Un ricanement récompense ma fausse ignorance :

– Ce serait trop compliqué à expliquer. Les Bloods, c'est des crabes, des enfoirés, ça fait du bien de leur tirer dedans.

– Tu as déjà tiré, toi ?

La main droite quitte son genou pour un geste évasif très théâtral.

– Ça...

– Je te demande ça parce qu'à moi, ça me ferait vachement plaisir de flinguer un gars que j'aime pas. Chez nous, ce n'est pas possible.

118

Ses yeux s'arrondissent.

– Oh?

– Pas possible, je te dis. En France, les armes, c'est interdit. On n'a pas le droit d'en avoir. Sans cela, c'est deux ans de taule...

La figure s'allonge d'étonnement. La violence est évidemment le corollaire de sa débilité.

– Comment vous faites, alors?

– On agit autrement... le couteau à cran d'arrêt... Des fois, le lacet pour étrangler par-derrière. Ça dépend comment ça se présente. C'est moins pratique que le flingue, c'est sûr... Mais comme on ne trouve pas de flingues...

Il passe la langue sur ses lèvres, me contemple toujours stupéfait :

– Ça alors! Nous, on en a comme on veut, à South Gate... Pour trente dollars... Si vous voulez, je peux vous dire où... Des neufs et des vieux, des fois, qu'ont déjà envoyé la sauce... Faut pas se faire prendre avec, c'est tout... Et les 187, ça vous intéresse?

– Qu'est-ce que c'est que ça, encore?

– C'est les *black and white*, les policiers en tenue. Ceux-là, c'est à flinguer, comme les Bloods. Faire ce qu'ils ont fait à Monster! Vous avez vu la télé?

– Non, mais j'en ai entendu parler. Des *cops* m'ont même dit que c'était dégueulasse de taper comme ça sur un Noir. Ils ont été acquittés, il paraît?

G. Vamp approuve d'un vigoureux coup de poing droit dans la paume de la main gauche.

– Exact. C'est pour ça qu'il y a eu les émeutes. Et c'est pas fini. Si des copains sont pas relâchés, on remet ça... Alors c'est très loin, la France?

– Très loin, oui.

Il s'absorbe quelques secondes dans des pensées singulièrement limitées, puis :

119

– Je demandais ça pour savoir si la télé nous a montrés quand on brûlait les magasins. On est tous partis au signal. On savait que si les *cops* s'en sortaient, on réagirait, les Crips comme les Bloods. On avait conclu un pacte...

Ça y est, je la tiens, l'occasion de revenir à l'incendie du *De Larzac Magic Style*.

– Tu disais que les Bloods étaient des crabes et des enfoirés...

Il mord ses deux pouces, avec fureur.

– Ouais, mais ce soir-là, ils étaient noirs! Comme nous! Moi, j'étais avec un Blood. Tu te rends compte, mec? Je savais pas qu'il y avait une caméra...

– Parce que la télé était là?

Il fait un effort manifeste pour ne pas me traiter d'imbécile.

– Pas la télé, la vidéo du magasin! Avec cette ordure de Baby Dog on s'était pointésvu qu'il y avait pas mal à gratter en vêtements de toutes sortes. On étaient pas les premiers, ça grouillait de partout là-dedans quand on a débarqué. Un type a descendu l'escalier un flingue à la main. On a cru que c'était un *cop*, et on l'a braqué. On a même tiré en l'air pour lui faire peur. Les *cops* de Culver City nous ont accusés d'avoir descendu le mec.

– Comment ça?

– La vidéo nous avait pris en film. Mais on y est pour rien. D'ailleurs on s'est sauvés aussitôt. J'ai balancé mon Beretta et Baby Dog a dû faire pareil avec son flingue. Je ne l'ai revu que dans le fourgon qui nous amenait ici.

– La police affirme que c'est vous qui avez tiré. Tu accuses Baby Dog et lui t'accuse, faudrait savoir.

G. Vamp se lève brusquement, les traits crispés.

– Je l'accuse parce qu'il m'a accusé, la salope. Il

se venge que sa frangine ait été culbutée par mon frère et ses copains. Comme si j'y étais pour quelque chose dans la baise! Mon frère, c'est mon frère, et moi, c'est moi. Sa frangine, elle arrêtait pas de se faire tringler sous la voûte de la San Diego, à Imperial. Alors, trois ou cinq mecs de plus, qu'est-ce que ça peut faire? Elle a douze balais et elle en paraît vingt, cette pute! Des conneries, tout ça. Il m'accuse, le Blood, alors moi, je l'accuse aussi! Il y a pas de raison! Celui qui rigole pas, c'est le juge. Il peut pas condamner les deux, vu qu'il y a qu'un coupable. Le Baby Dog, ce soir-là, il avait un Smith et Wesson à balles creuses. Ça fait du grabuge, des têtes creuses, je sais pas si vous vous rendez compte. Ça vous fait sauter un cigare en moins de deux! Ils n'ont qu'à voir l'autopsie si le mec il avait toute sa tête!... Donc ça peut pas être Dog!

— S'il a fichu l'arme en l'air, ça me paraît difficile de prouver quoi que ce soit...

— Ben moi c'est pareil! Si j'avais été moins con, je l'aurais gardée. Faudra bien qu'il me relâche, le juge. Je sais pas qui a tiré mais c'est pas nous. Il y avait tellement de monde là-dedans, des femmes, des gosses, qui entassaient tout ce qu'ils pouvaient ramasser. Les *cops* n'ont pas voulu nous passer la bande. On en a vu qu'une partie, juste quand on a le flingue en main. Ils l'ont stoppée avant qu'on l'ingurgite en entier. Ils disent que ça suffit pour nous envoyer à San Quentin.

Il se laisse choir sur le tabouret et conclut, maintenant déprimé, vidé :

— Vous les assurances, vous vous en foutez, c'est le blé qui vous intéresse. Où voulez-vous qu'on le prenne le blé pour rembourser? Ils avaient qu'à pas acquitter les *cops*, voilà tout.

Les propos à la fois naïfs et inconscients de Billing me troublent. Je l'ai observé, épié, pénétré, avec l'expérience que j'ai acquise au cours des années de pratique policière. Je rapproche ses dires des paroles du directeur Atterson : « Je me suis demandé si Baby Dog n'accuserait pas G. Vamp pour se venger du viol de sa sœur. » Il me tarde maintenant de connaître les impressions de Leslie!

9

24 mai 1992.

Ingrid Palding se dégage lentement du drap de satin qui parcourt sa peau comme une caresse. Elle savoure encore quelques minutes la moiteur du lit avant de se lever pour aller tirer les doubles-rideaux, et retrouver le panorama familier de la baie de Santa Monica étalée à l'infini. L'eau, d'un vert intense, est semée de voiles qui portent le rêve du grand large. Au-dessus de Lax Airport, les Jumbos en cours d'atterrissage font la ronde. Et Bel Air lui offre le spectacle de ses propriétés ruisselantes de fleurs.

La jeune femme s'étire voluptueusement, puis gagne de sa démarche onduleuse la salle de bains de marbre rose, fait glisser à ses pieds le déshabillé de soie avant de descendre les deux marches de la baignoire-piscine encastrée dans le sol. Elle ouvre le robinet d'eau froide. De la douchette dorée à l'or fin jaillit un jet qu'elle dirige sur son visage, heureuse d'avoir le souffle coupé, sur ses seins qui durcissent, sur son ventre qui se hérisse sous la morsure. Elle prolonge quelques instants son plaisir avant de s'envelopper de la serviette-éponge aux initiales I.P., se frictionne à l'eau de Cologne, brosse ses longs cheveux qu'elle lie en queue de cheval.

Devant la glace qui lui renvoie l'image du corps parfait qui a chaviré tant d'hommes, elle extrait de la penderie un jean et une chemise de toile bleue dont elle noue les pans au-dessus de la taille, dévoilant une large frange de peau bronzée. Elle adore cette tenue passe-partout qui lui rappelle tant de souvenirs. Son arrivée à Los Angeles notamment, quelque quinze années plus tôt. Elle n'était pas fière, à cette époque-là. Une petite valise à la main, avec pour tout viatique un billet de cent dollars, elle avait affronté, anxieuse, le regard inquisiteur du policier de l'Immigration.

– Un séjour de combien ? avait-il demandé, avant de composter le passeport suédois.

– Deux mois, deux mois et demi.

Elle mentait, sachant pertinemment que les visas de tourisme ne devaient pas excéder plus de temps jours et qu'il lui faudrait beaucoup plus de temps pour découvrir le chemin de la fortune et de la gloire. Combien de fois le film de cette arrivée aux États-Unis n'a-t-il pas défilé dans sa mémoire !

Le *yellow cab* dans lequel elle s'engouffre à l'aéroport la dépose à l'angle de Hollywood Boulevard et de La Brea. Elle a donné cette adresse au chauffeur parce que, pour elle, Hollywood représente la réussite. C'est à Hollywood que les stars abandonnent au ciment les empreintes de leurs pas ou de leurs mains. C'est à Hollywood que les plaques de bronze scellées dans le trottoir rappellent aux passants les noms des célébrités qui l'ont foulé. Souvent, des hebdomadaires suédois ont consacré des reportages aux stars de l'écran : Marilyn Monroe, Sophia Loren et autres Greta Garbo. Ingrid s'est promis d'être adulée, elle aussi. Son physique le lui permet. Le jour n'est pas si loin où elle jouera un rôle de premier plan dans le cinéma, le show business ou la couture. En attendant, le taxi réglé, il ne lui reste que quatre-vingt-deux dollars. C'est peu mais suffisant pour dénicher une chambre dans un des hôtels rococos qui fourmillent autour du Mann's Chinese Theater. Encore lui faut-il se renseigner pour éviter de tomber dans un coupe-gorge. La valise à la main, elle arpente Hollywood Boulevard envahi par les burgers-shops, les sex-shops et une faune loin d'être sécurisante. A Highland Avenue, la modeste devanture d'une coffee-shop attire son regard. Elle entre. Quelques clients juchés sur des tabourets consomment au comptoir derrière lequel un Noir à toque blanche fait office de cuisinier. Ingrid s'installe, la valise coincée à terre entre ses chevilles. Elle commande un hamburger.

Le burger est énorme, pour un prix modique, et Ingrid se félicite de son choix. Le *Hollywood Reporter* traîne sur le comptoir. Elle le parcourt. Une annonce en caractères gras, à la dernière page, lui saute aux yeux : « Artistic House - Hillcrest Avenue. Chambres à prix réduit pour artistes de passage. » Voilà ce qu'il lui faut. Un meublé pas cher pour sa première nuit. Réservé aux artistes, en plus ! Demain, elle avisera.

– Tu peux me passer le ketchup ?

Ingrid lève les yeux. Perchée sur le tabouret voisin, une femme jeune, vingt-cinq ans peut-être, cheveux bruns tombant en cascade sur les épaules, élégante, jupe relevée sur les jambes croisées, lui sourit. Elle lui tend la bouteille de sauce.

– *Thank you*, dit la fille. Je suis Liza. Tu es nouvelle, toi, ici ?

Le mouvement de menton qui accompagne la voix

aux intonations traînantes désigne la valise coincée sous le tabouret.

– Oui, j'arrive. De Paris.

– De Paris ?

Les grands yeux noirs ont réagi au nom magique.

– On m'a dit que Hollywood recherchait des débutantes pour des rôles de télévision ou de cinéma. Je viens tenter ma chance. Avant, j'étais mannequin. Peut-être que je dégoterai un contrat. Je m'appelle Ingrid et je suis suédoise. Comme Ingrid Bergman...

Liza hésite, attend un instant, puis se décide, quitte à décevoir cette belle fille pleine d'illusions :

– Je ne sais pas qui t'a raconté ça, mais ce n'est pas tout à fait vrai. Les places sont chères à Hollywood ! Les studios disparaissent les uns après les autres, et les nanas, même les plus tartes, rappliquent des quatre coins des States pour tenter leur chance. Les producteurs n'ont qu'à se baisser pour en prendre. Se coucher plutôt. Si tu savais combien de contrats, même minables, se concluent à l'horizontale ! C'est l'empire du cul !

– Ah bon ? dit Ingrid, un peu refroidie par le langage cru de Liza. Il y en a quand même qui réussissent, non ?

– Bien sûr il y en a... Mais si tu débarques sans argent, sans garde-robe, sans adresse, sans agent pour te prendre en main, tu n'es pas sortie de l'auberge ! J'en sais quelque chose, moi ! J'ai fait quelques bouts d'essai et quelques petits rôles de remplacement chez Paramount et Disney. Ça n'a pas duré longtemps ! Tu dors où ce soir ?

Ingrid désigne l'annonce du *Hollywood Reporter*.

– J'ai repéré ça. L'Artistic fait des prix...

– Ouais. Pour une nuit ça peut aller mais c'est pas

le luxe! Appelle-moi demain au 652.2831 si tu veux. C'est chez moi, 1842 Cory Avenue. Sunset, quoi! Si je peux faire quelque chose pour toi... Tu te souviendras du numéro? Je vais te le noter.

Elle extirpe du fouillis de son sac un petit bloc-notes, déchire une page.

– Je ne voudrais pas te déranger, dit Ingrid, confuse.

– Si je te le propose, c'est que tu ne me déranges pas. Téléphone-moi. Pas avant 11 heures parce que je dors encore. Après, je sors. Tu m'excuses mais j'ai un rendez-vous de cœur qui ne peut pas attendre. A demain!

– O.K., dit Ingrid. Merci... Merci beaucoup!

Sur le seuil de la coffee-shop, Liza se retourne pour lui faire un signe amical. Hollywood, Sunset Boulevard, le Boulevard du Crépuscule qui rappelle à Ingrid ce film qu'elle a vu trois ou quatre fois. Sa vie hollywoodienne ne peut pas mieux commencer. Liza, malgré ses propos pessimistes, peut lui donner un sacré coup de main.

Du baume au cœur, elle gagne l'Artistic House. Elle sera sous peu tout en haut de l'affiche. Il ne peut en être autrement. C'est écrit.

Ingrid se mire dans la haute psyché Directoire, se tourne à demi pour un ultime coup d'œil, chausse des escarpins de lézard, foule le tapis persan jusqu'au bas de l'escalier. Tout respire la richesse dans sa villa. Un luxe un peu hétéroclite parfois, les sièges mexicains cotoyant des bergères et des fauteuils Empire, leur seule parenté étant de coûter fort cher.

Le soleil inonde l'immense living-room au bas des marches. Là encore, règnent les tapis et les meubles cossus. S'y ajoutent de vastes jardinières débordant de fleurs donnant à la pièce aux larges baies une structure de jardin intérieur qui se prolonge par la pelouse et les massifs, tremplins d'oiseaux de toutes les couleurs.

– Madame prendra son petit déjeuner au salon ou sur la terrasse?

– Je n'ai pas faim, Roberta. Juste un jus d'orange sur la terrasse. Vous pourrez disposer, après. Ralph a déposé les clés de la Rolls à l'office?

– Oui, madame. Il l'a garée près de la Ferrari. C'est son jour de repos.

– Je sais, Roberta, je sais! Je n'ai besoin ni de lui ni de vous. Aujourd'hui, je ne sors pas. A lundi.

– A demain, madame.

La Mexicaine noire de poil et de peau, au masque d'Indienne, tapote quelques coussins du sofa sur lequel Ingrid va s'installer, et disparaît. Sur la table de marbre veiné, la photographie de Pierre Julien de Larzac trône dans un cadre-miroir.

Ingrid est à peine assise que grésille le téléphone portable posé près du cendrier de cristal taillé. Elle décroche. Son avocat, sans doute? Avant-hier il était à San Francisco, hier à Carmel, mais sa secrétaire a averti Ingrid qu'il la joindrait dès son retour... Non, ce n'est pas Billings, mais Liza. Ingrid retient son souffle, heureuse et émue.

– Je pensais à toi il n'y a pas dix minutes, dit-elle. J'allais t'appeler. Si tu ne fais rien de spécial ce soir, tu viens dîner. Rappelle-moi vers 6 heures. Je te raconterai comment ça s'est passé.

Raccroché. Ingrid n'aime pas s'étendre au téléphone. Même avec Liza à qui elle doit beaucoup, Liza qui est à l'origine de sa fortune, qui est devenue sa confidente et qui à l'époque habitait dans un condominium tarabiscoté de Cory Avenue.

Avec elle, Ingrid apprend qu'il lui faut sortir, fréquenter les restaurants et les bars à la mode où son visage, ses cheveux, son corps font sensation. Liza la présente à des amis. Elle vole de bras en bras jusqu'au jour où elle rencontre Tony au Petit Four, un restaurant français à la mode de Sunset Plaza. Le coup de foudre. Tony Hopper est grand, brun, beau, musclé. Il a son âge, vingt-cinq ans. Ses ressources restent mystérieuses, mais il l'entretient aussi divinement qu'il fait l'amour. Dans la voiture, dans la piscine, dans le jacuzzi, qu'importe si les voisins les voient et les entendent! Elle finit par s'installer dans le duplex de La Cienega qui domine Santa Monica Boulevard.

L'ennui, c'est qu'après le sexe, Tony l'habitue à l'herbe, puis à la coke. Liza ne cesse de lui reprocher sa liaison dangereuse.

– Un jour, tu auras des ennuis, ma grande! L'amour c'est bien beau mais ça n'enrichit pas. Il ne faut pas en être esclave.

Les ennuis surviennent plus vite même qu'elle ne le pensait. Tony, dénoncé par un dealer, découvre le charme de la prison de Folsom. Ses dénégations, la plaidoirie percutante de son avocat, le font élargir au bout de quelques mois de détention mais, quand il réintègre La Cienega, Ingrid a disparu.

– Fiche-lui la paix, ordonne Liza à qui, déboussolé, il rend visite. Ingrid est une fille bien, trop bien pour toi. Elle refait sa vie avec un industriel français bourré aux as. Tu n'as pas intérêt à venir l'emmerder.

– Comment il est, cet enfoiré?

– La classe. Et noble par-dessus le marché. Son nom, tu peux le lire en lettres de néon sur Rodeo. C'est le propriétaire de *De Larzac Magic Style*. Des relations en pagaille. Ami du *Commissioner*.

Journée de calme, de *farniente*. La ville ruisselle de lumière, le Pacifique miroite au soleil tel du vif-argent. Prises dans le souffle de la brise, les palmes se balancent doucement au-dessus de ma tête. Leur ombre semble balayer la terrasse. Un couple de libellules folâtre sur l'eau de la piscine et, derrière un ados de jasmins, la queue d'un écureuil à la recherche de son casse-croûte joue les points d'interrogation.

Il est 11 heures. Allongé sur un transat, je goûte la fraîcheur des collines. Le *Times* que je lisais – cent quatre-vingt-trois pages pour un dollar ! – glisse à terre. Ses reporters ont comptabilisé les dégâts : cinq mille incendies volontaires, quinze mille bâtiments commerciaux dévastés, deux mille véhicules brûlés. Lourd bilan.

Consuela, la maman-poule du célibataire que je suis pour une quinzaine encore, a bourré le réfrigérateur de tant de réserves que je pourrais soutenir un siège de longue durée. Le micro-ondes n'attend que mon bon vouloir. Je n'ai pas faim. J'ai surtout envie de paresser. Baker, oublieux du décalage horaire, m'a réveillé à l'aube. Il m'annonçait son retour à Los Angeles pour mardi prochain. Il m'a proposé une nouvelle escapade à Las Vegas mais j'ai sagement décliné l'invitation. L'expérience veut qu'il n'y ait pas de meilleur gain que de laisser ses *quarters* au fond de la poche.

Côté enquête, ce n'est guère brillant. Ma visite au camp Kilpatrick m'a plongé dans le doute. Leslie Brown, qui n'a rien pu tirer de Baby Dog, a levé les bras au ciel lorsque je lui ai rapporté ma conversation avec G. Vamp.

— Larzac ne s'est tout de même pas suicidé! Des deux, il y en a bien un dans le coup. Il finira par accoucher un jour ou l'autre.

Les renseignements que j'ai demandés sur le trio Julien, Palding, Krametz devraient me parvenir dans quelques jours. Cela sert d'avoir conservé des amitiés au sein des archives policières.

Le claquement d'une portière me tire de ma torpeur. Mon voisin, un original de cinquante-trois ans, la chevelure poivre et sel dégringolant en cascade sur ses maigres épaules, un brillant dans le lobe de l'oreille gauche et la narine ornée d'un anneau d'or, aurait-il interrompu son séjour à Palm Springs? Cela m'étonne. La fin de l'alerte a sonné depuis longtemps à Los Angeles mais, poltron comme je le connais, la prudence est pour lui le meilleur des remparts.

Le carillon à deux timbres de la porte d'entrée me fait sursauter. Je me lève, croise mon peignoir, boucle la ceinture. Je me propulse, les pieds nus, jusqu'à la grille, me demandant qui cela peut être. Trop tard pour esquisser un mouvement de retraite. Plantée devant le pilier de briques, le doigt sur le bouton de sonnette qu'elle s'apprête une nouvelle fois à titiller, Ingrid Palding m'a vu. Je m'avance, gêné d'être surpris dans cette tenue négligée, ouvre la bouche pour la saluer.

— Désolée de vous déranger, dit-elle, dans le style de la duchesse qui débarque sans que le valet l'ait annoncée. Puis-je entrer?

Le temps de reprendre mes esprits et je tourne la clé dans la serrure.

— Faites. Je prenais un bain de soleil.

Du menton, elle désigne le perron.

— C'est par là?

Sans attendre ma réponse, elle se dirige droit vers les marches. Elle paraît différente de la dernière fois, plus sexy, peut-être, en jean moulant, les cheveux coiffés en queue de cheval. Elle avance avec le déhanchement caractéristique des mannequins, choisit un large fauteuil du living dans lequel elle se laisse choir. Son regard fait le tour de la pièce.

— Jolis meubles, apprécie-t-elle en guise de préambule. Je vois que vous aimez aussi l'Empire?

Je ne pense pas qu'elle soit venue m'importuner un dimanche matin pour parler antiquités. J'acquiesce d'un signe de tête poli, m'assieds en face d'elle, résolu à demeurer sur une prudente réserve. J'ai trop en mémoire la froideur voisine du mépris qu'elle avait manifestée à mon endroit lors de notre unique et fugitive entrevue.

Elle paraît sur le point de poursuivre sur un ton salonard, se ravise, minaude :

— Vous ne me demandez pas comment j'ai eu votre adresse?

— M. Hyde vous l'a sûrement communiquée, dis-je tout de go. Il a dû penser qu'il me serait agréable de recevoir chez moi une jolie femme. Quoique j'eusse préféré l'accueillir dans une tenue plus décente.

Elle me considère d'un air étonné.

— C'est M. Hyde en effet. Je n'aime pas les fins de non-recevoir, aussi ai-je décidé de venir à l'improviste.

— Vous m'en voyez ravi.

Elle s'avance sur le bord du fauteuil, tout près de moi, pour que j'aie bien conscience de sa présence et que j'apprécie les effluves de son discret parfum, puis s'éloigne.

— Vous êtes fâché?

— Un proverbe américain prétend que c'est un

péché que d'ouvrir sa porte et de garder le visage fermé. Le mien rayonne. C'est donc que je ne suis pas fâché.

Elle affiche une moue de scepticisme. Sa bouche damnerait un saint.

— Vous n'en avez pas l'air... Vous devez être un curieux personnage!

— Un personnage curieux, plutôt. Déformation professionnelle. Que me vaut le plaisir de votre visite?

Elle pose sur moi un regard plein de reproches. Et ses yeux jouent les démons tentateurs.

— Vous auriez été moins odieux avec moi, l'autre jour, je vous en aurais touché deux mots, énonce-t-elle d'une voix un peu rauque, comme voilée.

C'est la troisième tentation de saint Borniche, mais je garde un sang-froid méritoire.

— Pourquoi, odieux?

— Ne faites pas l'innocent. Vous vous rappelez fort bien m'avoir demandé si je m'entendais avec Pierre et si je l'avais trompé. Le moment n'était guère choisi et je n'ai pas du tout apprécié. Mon avocat non plus. Il a trouvé la question discourtoise, sans rapport avec le meurtre ni le paiement de l'indemnité d'assurance.

Pendant quelques secondes, je subis son regard, puis me décide :

— Admettons que je sois un curieux personnage. Doublé d'un rustre. À l'avenir, je saurai respecter les règles de bienséance. Mais vous n'avez tout de même pas fait le déplacement de Bel Air pour me faire la leçon?

Elle ne répond pas tout de suite, continuant à se tortiller dans le fauteuil, manifestement mal à l'aise.

— Vous avez évoqué l'acte d'un jaloux, finit-elle

par murmurer. J'aimerais savoir ce que vous vouliez dire...

Ses pupilles deviennent deux dards qui tentent de percer ma pensée. Je la laisse m'examiner jusqu'à ce qu'elle découvre dans les miennes une étincelle amusée.

– La curiosité aurait-elle changé de camp? dis-je.

Elle ne semble pas apprécier mon humour.

– Vous aviez une idée derrière la tête pour dire ça? poursuit-elle, élevant la voix.

Je ramène sur mes genoux les pans du peignoir qui a une fâcheuse tendance à s'ouvrir, me renverse dans le fauteuil.

– Un flic a toujours une idée derrière la tête. La présence d'un cadavre pose une triple interrogation : qui, pourquoi, comment? Le comment est facile à déterminer puisque les constatations ou l'autopsie révèlent les moyens qu'a utilisés le meurtrier pour commettre son forfait. Mettre un nom sur son visage est un autre problème. D'où la nécessité de définir le mobile, ce qui n'est pas toujours évident. En général, l'intérêt et la passion sont les deux mamelles du crime.

Ingrid Palding, le visage tendu, se hâte d'affirmer :

– Dans le cas de Pierre, ni l'intérêt ni la passion n'ont motivé l'acte des émeutiers!

– Qu'est-ce qui vous prouve qu'ils sont coupables? Rien n'est moins sûr.

La contrariété amène sur sa bouche un sourire qui la rend, un instant, presque laide.

– Ils ont avoué! Un inspecteur de Culver City m'a même lu leurs déclarations.

J'approuve, hochant doctement la tête :

– Eh bien, vous avez pu vous rendre compte que chacun d'eux accuse l'autre, tout en niant avoir tiré.

Ce soir-là, tous deux étaient en possession d'armes de fort calibre, visibles sur la bande-vidéo. Des engins capables de décapsuler le crâne du rhinocéros le plus endurci. On ne les a pas retrouvées. Le doute est donc permis. Voilà pourquoi j'avais envisagé l'hypothèse d'un troisième personnage... Je ne pensais pas vous traumatiser à ce point.

— Troisième personnage téléguidé par la jalousie, n'est-ce pas? demande-t-elle, avec une ironie qui me laisse froid.

— Souvent le suspect qui apparaît en fin d'enquête est celui auquel personne n'avait pensé auparavant. Parfois, il agit seul, parfois avec un ou une complice, complicité qui ne vous concerne pas, bien entendu.

— Encore heureux! Ainsi, je vais pouvoir mener une existence dorée, selon votre propre expression... On dirait que cela vous chagrine que je perçoive cinq millions de francs suisses.

— Cela me chagrinerait si vous étiez pour quelque chose dans la fin tragique de votre ami. Mais ce n'est pas le cas, heureusement! Quoique j'aie vu dans ma carrière des hommes et des femmes insoupçonnables commettre les pires vilenies. Supposez, ne voyez là qu'une supposition, que vous soyez de connivence avec Krametz pour empocher tous deux un joli magot. Je vous le répète, ce n'est qu'une supposition. Les émeutiers sont sur Pico, vous êtes à Bel Air, prête à rejoindre Julien au restaurant. Alibi solide, confirmé par le chauffeur et vos gens de maison. Mais Krametz, où se trouve-t-il à cette heure-là? A Rodeo Drive? Entre Rodeo et Pico? A l'intérieur de l'entrepôt dont il a les clés? Je vais plus loin. Il connaît le fonctionnement de la caméra, puisqu'il l'a réceptionnée. Les émeutiers forcent la porte. Voici l'occasion inespérée de se débarrasser d'un associé dont il hérite de la femme et de la fortune.

Un bref éclat de rire récompense ma supposition.

– Vous délirez, inspecteur! Vous lisez trop de romans noirs. Vous avez vu à quoi il ressemble, Krametz?

J'enregistre sa répugnance à prononcer le prénom de l'associé de son ami. Je m'en étais déjà rendu compte l'autre fois, dès qu'elle avait eu connaissance des dispositions testamentaires en sa faveur.

– Je n'ai jamais vu Simon Krametz, dis-je. La police l'a interrogé au sujet de la caméra. Moi, non. J'étais plutôt impatient de connaître vos réactions face au drame. Vous allez dire que je délire toujours, mais je n'ai pas trouvé chez vous une profonde affliction. D'où ma question, peut-être saugrenue à vos oreilles, de savoir si vous vous entendiez bien avec Pierre Julien et si...

– ...je l'avais trompé? Qu'est-ce que cela vient faire dans un dossier d'assurance?

Ma main cueille sur la table basse un calepin que je feuillette. C'est du cinéma, mais le procédé a parfois porté ses fruits.

– J'ai recueilli quelques renseignements sur les uns et sur les autres, dis-je, distillant mes mots. Ils ne sont pas assez étoffés pour que je vous en parle aujourd'hui mais j'en attends d'autres. Sans doute nous reverrons-nous pour en discuter. Pour déjouer aussi toute dissimulation.

La menace à peine voilée fait passer un bout de langue sur les lèvres desséchées. Ingrid se penche vers moi.

– Vous savez que la vie privée est protégée, aux U.S.A.! proteste-t-elle. Renseignements sur Pierre? Sur Krametz? Sur moi?

– Sur les trois. Quand j'évoque la dissimulation, je n'entends pas l'art de camoufler sa pensée. Je pense

136

à l'omission volontaire d'une partie de l'actif d'un commerçant pour ne pas payer de taxes. Dans la confection, tout le monde fait du noir, comme on dit. D'où l'obligation d'y voir clair avant tout règlement.

— C'est-à-dire?

— Pierre Julien pouvait fort bien avoir deux sources de revenus, l'une légale, l'autre illégale. Il faut donc enquêter ici et là, interroger les fournisseurs, les employés de Pico, les vendeuses de ses magasins. Il n'a certainement pas amassé pareille fortune sans posséder un don spécial pour, disons, les investissements. Krametz devrait pouvoir m'aider dans mes vérifications, s'il est de bonne foi. Vous l'aimez bien, Krametz?

Son ricanement de mépris sonne désagréablement à mes oreilles.

— Autant qu'il peut m'aimer. C'est-à-dire pas beaucoup. C'est pour cela que votre scénario de complicité ne tient pas debout. Si vous l'aviez vu, vous auriez réalisé quel genre d'homme il est.

— Expliquez-moi.

— Ce n'est pas un homme à femmes. C'est pour vous parler de lui que je suis venue vous voir. Lorsque vous m'avez appris que Pierre en avait fait son héritier, j'ai d'abord été surprise. Me Billings m'a ensuite confirmé les prescriptions du testament en sa faveur. Alors, j'ai repensé à ce que vous m'aviez dit : « Vous n'avez pas intérêt à vous faire écraser. »

— Qu'avez-vous à craindre de Krametz?

— Je ne comprends plus, s'exclame-t-elle. Tout à l'heure, vous le voyiez en train d'abattre Pierre. Maintenant vous le jugez inoffensif. Pour moi, c'est un dégonflé.

Un temps.

— Évidemment, c'est facile de faire un mauvais

137

coup dans cette ville. La police est débordée. On met ça sur le compte des Noirs, et le tour est joué. Mon avocat m'a conseillé de faire attention. Attention à qui, à quoi? Je ne peux pas vivre constamment cloîtrée...

Sa voix tremble, sans doute d'énervement, davantage que de crainte.

— L'intérêt démesuré que portait Pierre Julien à Krametz m'a paru bizarre, dis-je. Je me suis même demandé si une telle générosité ne signifiait pas un attachement particulier... très particulier. Je ne m'étais donc pas trompé?

Elle pousse un soupir de lassitude que dément l'expression froide du visage.

— Pierre et moi n'étions pas mariés, vous le savez. Depuis longtemps, nous n'avions plus de relations. J'avais vite décelé son penchant pour les hommes. Le rapport d'un détective parisien à mon avocat d'alors, Me Kliberg, aujourd'hui décédé, m'avait édifiée. Pierre avait l'habitude de fréquenter les vespasiennes pour y rencontrer des jeunes qu'il dominait et humiliait. Surpris un soir par une ronde de police, il avait été interrogé à la Brigade mondaine et avait reconnu se livrer à l'homosexualité depuis sa puberté. J'ai été écœurée. Comme il m'offrait tout ce qu'une jeune femme peut attendre d'un homme riche, j'ai pourtant continué à vivre avec lui, mais nous faisions chambre à part. J'ai cherché une compensation. J'ai retrouvé un amant que j'avais quitté pour Pierre qui a bien volontiers accepté cette liaison. Cet amant exigeait une rupture définitive entre Pierre et moi. Je perdais situation, relations, argent. Par lâcheté, j'ai rompu. Un autre amant a remplacé l'ancien. Finalement, ils se ressemblent tous. Lui n'a vu que l'intérêt de sortir avec une femme qui roule en Ferrari. J'ai préféré rester seule. Un amour non payé de retour est une question sans réponse. Voilà pourquoi vous ne m'avez pas trouvée au fond du désespoir...

Elle se tait, me regarde fixement. Le silence s'éternise. L'on n'entend que le tic-tac de la pendule du salon, nichée sur la console, entre deux vases d'albâtre. Au bout d'un très long moment, je lui demande si elle connaît l'adresse de Simon Krametz.

– Bien sûr. 2831 Longwood Street, mais ce n'est qu'un pied-à-terre. Il habiterait du côté de Pacific Palisades avec un ami, on ne sait pas où exactement. Mon chauffeur a tenté de le suivre sans succès. Pourquoi ?

– Comme ça, dis-je froidement. Pour me rendre compte...

– Surtout, je ne vous ai rien dit...

– Pas grand-chose d'intéressant pour le moment. Mais on se reverra, je pense...

femme qui roule en Ferrari. J'ai préféré rester seule. Un amour non payé de retour est une question sans réponse. Voilà pourquoi vous ne m'avez pas trouvée au fond du désespoir...

Elle se tait, me regarde fixement. Le silence s'éternise. L'on n'entend que le tic-tac de la pendule du salon, nichée sur la console, entre deux vases d'albâtre. Au bout d'un très long moment, je lui demande si elle connaît l'adresse de Simon Kramer.

— Bien sûr. 2831 Longwood Street, mais ce n'est qu'un pied-à-terre. Il habiterait du côté de Pacific Palisades avec un ami, on ne sait pas où exactement. Mon chauffeur a tenté de le suivre sans succès. Pourquoi ?

— Comme ça, dis-je froidement. Pour me rendre compte...

— Surtout, je ne vous ai rien dit...

— Pas grand-chose d'intéressant pour le moment. Mais on se reverra, je pense...

10

Le défilé de jolies jambes m'émoustille et je me prends à aimer les peaux bronzées de Beverly Hills, dans la joie du ciel bleu. Je navigue dans le triangle d'or, le sur-mesure de la *jet-society*. Tout brille, tout grouille, tout s'active, comme si les émeutes des semaines passées n'avaient jamais eu lieu. Le luxe s'étire au long de Rodeo Drive jusqu'au Wilshire Boulevard. Je me repais de la haute joaillerie de Cartier et Van Cleef, de la couture Chanel, des couleurs Ungaro, des sacs et des foulards Hermès, de la sellerie Vuitton. Un faubourg Saint-Honoré modèle réduit où, près de la galerie d'art pour Orientaux nantis, Lapidus poursuit sa politique de soldes à soixante pour cent du prix coûtant. L'appareil photographique en bandoulière, une colonie de Japonais déferle, au pas cadencé, vers l'empire Gucci.

Leslie Brown a convoqué Krametz pour une confrontation technique avec un spécialiste de caméra-vidéo et moi, à 9 heures pile, je franchis, guilleret, le seuil du magasin *De Larzac Magic Style*.

Le portier-réceptionniste, étonné par une visite aussi matinale, m'interpelle :

– Sir ?

Les « r » se perdent dans la vibration propre à la prononciation des gens du Sud-Ouest. Je me dis que dans quelques secondes, lorsque je vais lui susurrer le mot « police » à l'oreille, le larbin en tenue d'amiral va casser sa stature de joueur de rugby à angle droit. J'en ai vu des écrasements spectaculaires devant ce sésame lorsque je l'utilisais officiellement. Pas besoin de présenter ma carte tricolore ou la plaque de bronze aux feuilles d'acanthe pour dérouter mon monde. Un chuchotement suffisait. Ce n'est plus le cas mais, glissé dans un inaudible charabia où enquête, expertise, police d'assurance vont s'imbriquer à en donner le tournis, le mot police va sûrement encore faire miracle.

— Vous seriez français que ça ne m'étonnerait pas, dis-je, sourire patelin à l'appui, après avoir baragouiné mon discours.

Comme prévu, le portier n'a retenu que l'appellation magique. Il se tortille, se tasse, s'escamote. La tête rentre dans les épaules, l'œil de bovidé se noie dans le velours. La voix tout à l'heure arrogante, presque provocante, se fait servile :

— S'cusez-moi, je vous prenais pour un représentant. Mais je vous préviens, si c'est pour l'incendie de Pico, il est pas là, le directeur. Mlle Simonneau peut vous recevoir, si vous voulez...

— On verra, dis-je d'un ton souverain. Vous êtes du Midi, vous ?

La figure mafflue s'allonge.

— Du Gers, oui, pourquoi ?

— Ça s'entend ! D'où exactement ?

— Lectoure.

— Non ?

Le sourcil s'est mis en accent circonflexe.

— Ça vous étonne ?

– Que non! dis-je avec un air désarmant de franchise. Je l'aurais deviné. Je suis de Fleurance. Toute ma famille est de Fleurance. Malheureusement, je suis venu tout jeunot à Paris, alors l'accent, forcément...

Eh oui, je mens. Je mens avec application et sans scrupules. C'est le métier de flic qui ressort. Quand on veut se ménager un futur témoin, pour qu'il s'ouvre, pour qu'il parle, il faut être de son avis, de sa région, presque de son village. Cela crée des affinités. Si on peut faire semblant de connaître le maire, le curé, le garde-champêtre et pourquoi pas le bistrot du coin, la confiance est à ce prix, la confidence garantie.

Le portier est de Lectoure? Allons-y pour Lectoure.

Je connais la bourgade. J'ai tellement bourlingué lorsque je traquais le truand au fin fond des provinces de France! J'en ai même retenu quelques jurons sonores.

J'interroge avec l'assurance d'un natif du pays :

– L'hôtel Bastard existe toujours?

– Bastard? Un régal! Ils font un tabac avec leur jambonnette de volaille au coulis de langoustine!

Je surenchéris, faisant claquer ma langue.

– Et leur armagnac, qu'est-ce que vous en dites? Quand j'ai été intronisé Mousquetaire avec Dominique Baudis, le maire de Toulouse, j'ai fait un détour chez Bastard rien que pour le sentir... Il n'y en a pas deux comme ça dans la région...

Il s'en pourlèche, le Gascon. Nos clins d'œil se rejoignent dans le miracle des reconnaissances faciles. C'est gagné. Je demande :

– Comment c'est votre nom?

– Labarrère...

Mon visage reflète un parfait étonnement.

— Alors là, vous le faites exprès?

— Comment ça?

— Mon beau-frère, c'est aussi un Labarrère! Seulement, il est de Condom, pas très loin...

C'est l'euphorie. La bastide de Lectoure est enlevée. D'un seul coup!

Il doit en savoir des choses, Labarrère! Les portiers, c'est comme les concierges d'immeubles. Les clés d'or de la caverne de Larzac...

Labarrère-Ali Baba!

Je regarde ma montre. Je suis ici depuis trois minutes et j'ai déjà un allié. J'ai réendossé la pelure de flic, récupéré le baratin professionnel avec une aisance qui me stupéfie. « La police, ça se monte avec des tuyaux comme le chauffage », disait mon ancien chef de groupe. Il n'avait pas tort. L'indic fait le flic! Il n'y a que ça de vrai! Sans mouchard, pas de police.

Labarrère réintègre ses fonctions de portier:

— Je vous l'appelle, Mlle Simonneau?

Deux jeunes vendeuses qui viennent de prendre leur service s'affairent autour de mannequins-modèles tout en me regardant à la dérobée. Dès qu'elles bougent, il semble qu'une caresse parcourt leur peau...

Le tutoiement fait sauter les barrières.

— Mlle Simonneau ne m'apprendra rien. C'est Krametz que je voulais voir, pas longtemps, une minute. Mais puisque tu me dis qu'il n'est pas là... Sympa avec toi, le Krametz?

— Oui, oh...

C'est plein de sous-entendus, un oh! C'est l'allusion, la restriction, la réticence. Je m'engouffre dans la brèche.

144

– Pourquoi tu fais « oh » ?

Labarrère se courbe, jette un coup d'œil de côté, met une sourdine à sa voix :

– C'est un pédé.

A mon tour d'émettre un « oh » expressif et bien calculé, en même temps que je me rejette en arrière comme si je venais de recevoir une décharge électrique. Pour le pousser dans ses retranchements, je n'ai pas le choix : il faut abonder dans son sens.

– Lui aussi ? C'est fou ce qu'il y a comme pédés dans ce pays ! On ne voit qu'eux sur Sunset ou la Santa Monica. Ça défile main dans la main, ça se tient par la taille, ça s'embrasse à pleine bouche ! Les coiffeurs, les antiquaires, les artistes, les garçons de restaurant, c'est à qui montrera le plus qu'il est de la famille ! Heureusement qu'on n'a pas ça dans notre Sud-Ouest... Mâle ou femelle, à ton avis ?

Le crâne de Labarrère oscille de droite à gauche.

– Qui ça ?

– Krametz, pardi.

– Allez savoir... A le voir onduler, p't-être bien que c'est la femme...

C'est le moment d'enfoncer le clou, d'un ton détaché :

– Généreux avec toi quand même ?

– Avec un lance-pierres, oui ! Personne ne peut l'encaisser, le Krametz. Il traite les vendeuses comme des moins-que-rien. N'empêche qu'avec le vieux il s'en mettait plein les poches. Ce que je comprends pas, c'est que la veuve supporte ça. Maintenant qu'il est plus là, elle ferait bien de jeter un coup d'œil aux boutiques...

– Elle va peut-être le faire.

– M'étonnerait. Comme Simonneau pourrait vous le dire, on la voit jamais. Ce qu'on sait par le chauffeur, c'est qu'elle est partie de rien. Elle a trouvé le pigeon, quoi! Si j'avais pas à gagner ma vie, comment que je rentrerais au pays... Seulement, il y a pas grand-chose à y faire. Ça se dépeuple tellement. Il y a plus un jeune qui veut y rester. J'suis là depuis douze ans mais j'en ai plein le dos de l'Amérique et des Ricains. A part le dollar qu'est leur religion, Marilyn, Elvis, Michael Jackson ou Madonna, il y a rien d'autre qui compte... Je me fais mon petit pécule parce que la vie est moins chère qu'en France mais dans quelques années, hop, la malle... J'ai une chance de faire le guide au musée des Antiquités à Lectoure, je vais pas la laisser passer.

— Tu trouves la vie moins chère ici qu'en France, toi? Moi, pas. Une fois qu'on a payé son loyer, son assurance, sa voiture...

— A Beverly Hills, elle est chère, c'est vrai. Pas à Culver City. Je viens par le bus. Je roule pas en Bentley comme Krametz, moi...

— La rouge qui est dans le parking derrière le magasin?

— Elle est pas là ce matin. La sienne, c'est une métallisée or avec des initiales en noir sur les portières. Il a même collé son nom sur la plaque arrière pour faire riche, le Krametz! Parce qu'ici, on peut inscrire ce que l'on veut en payant, du moment que ça ne dépasse pas sept lettres. Krametz, ça faisait le compte. Du genre, quoi! La frime! Qu'est-ce que je lui dirai, au directeur?

— Rien. Ça pourrait le vexer que je t'aie demandé à quelle heure il a quitté Rodeo le soir de l'émeute. Il a raconté à la police qu'il n'avait pas pu arriver sur Pico à cause des barrages...

— Exact. Il a dit ça aussi le lendemain au magasin. Même qu'il chialait. Ce soir-là, comme ça chauffait

146

du côté de South Central, on avait bouclé de bonne heure : 6 heures, 6 h 10 à tout casser. Il a tiré la grille derrière moi. J'ai fait le pied de grue pendant deux heures, il y avait plus de car. Vous croyez qu'il m'aurait proposé de me reconduire? Pensez-vous! Je vais vous dire un truc puisque vous êtes de la police. C'est pas sur Larzac qu'il pleurait, boudiou. C'est sur son pognon.

– Il ne me reste qu'à vous remercier de nous avoir accordé un peu de votre temps, monsieur Krametz, dit Leslie Brown, quittant son siège et contournant le bureau. Je sais combien il est précieux.

Simon Krametz se lève à son tour. Il semble soulagé. La main qu'il tend à la jeune femme est molle, un peu moite. Il s'incline avec obséquiosité.

– C'est moi qui vous remercie pour votre accueil, sergent. Tout ce qui pourra servir l'enquête sur la mort de M. de Larzac...

Leslie feint de ne pas entendre. Elle s'est tournée vers le détective Jim O'Hara, de la police scientifique, spécialiste des installations-vidéo de surveillance.

– Si vous voulez patienter quelques secondes, Jim, le temps que je reconduise monsieur...

Dès que Krametz a disparu dans le couloir en direction des ascenseurs, le front de Leslie se plisse :

– Alors, qu'est-ce que vous pensez de tout ça?

– Je n'en sais rien, Leslie, très franchement. J'ai davantage l'habitude des banques et des prisons où le matériel est obligatoirement agréé. Dans le cas d'un magasin privé, personne ne peut vous obliger à vous équiper d'une vidéo de pointe. Cela dit...

– Oui?

– Les explications de votre témoin ne m'ont pas

convaincu. Pas du tout, même. Si la caméra avait été détériorée par le feu, comme il l'a dit, la totalité de la bande en aurait souffert et l'enregistrement ne se serait pas arrêté de façon aussi nette. J'ai retenu que l'incendie s'est déclaré après la mort de la victime. Or, sur la bande, on ne voit personne mettre le feu. Question : pourquoi s'est-elle arrêtée justement au moment où Julien est abattu ?

La circulation est fluide. La Bentley a pris de la distance. Au croisement de Beverly Glen, ses feux rouges doublent de surface. Krametz freine. J'en fais autant. Les feux reprennent leur volume normal. Je repars.

Ma BMW roule à distance respectable de la Rolls du pauvre. Le soleil couchant qui se glisse entre les arbres illumine mon pare-brise par intervalles, me donnant l'impression que j'avance par sauts de puce. De part et d'autre du Sunset Boulevard, il compose une symphonie de couleurs. La carte en relief du panorama bariolé s'élargit sous mes yeux. Le bleu des piscines émerge du rouge des bougainvillées. Des demeures victoriennes, au luxe agressif, trônent, auréolées de verdure dans un foisonnement de pins et de fleurs. Parfois, au détour d'une courbe, un portail grand ouvert m'offre une allée au bout de laquelle se détache, sur fond de lis, la façade immaculée d'une villa hollywoodienne.

Westwood est maintenant derrière nous. Le pont qui surplombe les six voies de la San Diego Freeway franchi, nous traversons Brendwood. Krametz ne semble pas pressé. Je ne le suis pas non plus. Quelques grincheux que mon allure modérée exaspère jouent de l'avertisseur avant de s'intercaler entre nos

voitures et de disparaître ensuite dans une accéléra-
tion foudroyante. L'un d'eux a même cru bon de
baisser sa vitre teintée pour m'exhiber un bras
d'honneur. Je l'ai gratifié d'un sourire. Le sosie du
Christ à barbe blonde, chemise rose et pendeloque à
l'oreille, n'a sûrement pas réalisé à quel point
j'appréciais la présence de sa Mercedes qui, avant de
me doubler, m'avait un instant servi d'écran. Toujours précieux, pour une filature en voiture.

De toute façon, Krametz ne se doute de rien. Non
seulément le Gascon cancanier m'a facilité la tâche,
mais le rendez-vous donné par Leslie Brown m'a
permis de l'attendre bien tranquillement. Il suffisait
de guetter le démarrage de la Bentley à carrosserie
d'or, de lui emboîter la roue jusqu'à la sortie sur
Brighton, également à sens unique, de la suivre hors
du champ de ses rétroviseurs. Les stops successifs de
Camden Avenue avec temps d'arrêt obligatoire,
n'avaient rendu la filature que plus aisée encore. Le
flux des véhicules m'avait happé jusqu'à Westwood,
puis, le campus d'U.C.L.A. dépassé, Sunset avait
retrouvé son calme.

Je m'efforce de ne pas perdre le contact. Le ronronnement du moteur reste assez discret, même
lorsque les feux de signalisation de Bundy Avenue
me rapprochent de la Bentley. Sunset n'est fait que
de virages. Je calque mon allure sur celle de Krametz qui ralentit à l'entrée de Pacific Palisades : la
plaque me saute aux yeux lorsque j'y arrive à mon
tour. Il roule à vitesse réduite, ce qui est de bon
augure, exécute un virage à gauche sur Palmera
Avenue, emprunte Bienveneda. Je me laisse guider,
accélérant par moments pour ne pas me laisser
décoller.

La chasse à l'homme m'électrise. Je ressens le flot

de chaleur qui m'avait envahi lorsque, flic débutant en quête d'émotions inconnues, j'avais exercé ma première filature. L'expérience s'était souvent renouvelée. Avec des hauts et des bas, et, en corollaire, des succès et des échecs. Mais chaque fois que je me mettais en piste, j'entrais dans un état de surexcitation que rien, ni dans ma voix ni dans mes gestes, ne trahissait. J'en étais arrivé à m'inoculer le flegme du pêcheur quand il affûte ses hameçons et prépare ses leurres comme si sa vie dépendait d'un nœud mal fait ou d'une épissure incertaine.

Dans ces circonvolutions de voies de Pacific Palisades Park, mon intérêt est de ne pas me laisser distancer, bien que je ne puisse serrer de trop près la Bentley qui vient de disparaître à l'angle de Marquette Street. J'écrase l'accélérateur comme si je voulais lui faire traverser le tapis de sol. La BMW fait un bond en avant. Elle longe une continuité de bungalows modernes en instance de location, roule jusqu'à Grenola. Parvenu au virage en épingle à cheveux qui termine l'avenue, la panique me submerge : la limousine s'est évaporée.

Je double en trombe un vieux bonhomme en pantalon de golf juché sur une bicyclette préhistorique, l'envoie presque dinguer dans le caniveau. Je m'enfonce dans un labyrinthe de ruelles tortueuses pour regagner mon point de départ! Mon inquiétude croît à chaque tour de roues. Je suis revenu sur Sunset sans avoir rencontré d'autre véhicule qu'une camionnette de jardiniers mexicains, surchargée de branches coupées.

Je fais demi-tour, parviens à me garer dans un minuscule espace, devant une pelouse rabougrie transformée en taupinière. Une solution s'impose : refaire à pied le chemin parcouru. Avant même que j'aie retiré la clé de contact, j'entends grincer la porte d'un pavillon que je n'avais pas vu. Un homme édenté, la chevelure en broussaille sur les traits burinés, se précipite sur ma portière. Je ne pourrais pas l'ouvrir sans le bousculer.

– Vous voyez pas que c'est interdit de parquer ici?

Mon menton désigne l'emplacement vide de panonceau.

– Ce n'est pas marqué...

– Moi, je vous le dis. Jim?

La porte livre passage à un second homme, plus jeune, torse nu, vêtu d'un short de toile effrangé, qui s'avance en roulant les mécaniques :

– Ouais. Qu'est-ce qui se passe, Fred?

– Il ne veut pas partir, dit le premier en me désignant.

Un poitrail ruisselant de sueur se plante sous mon nez :

– Pas possible! Monsieur veut se créer des ennuis?

– Non, non, dis-je, craignant que les éclats de voix attirent l'attention de Krametz. Je cherche la maison d'un ami mais je ne me souviens plus de l'adresse. J'affronte calmement les deux paires d'yeux méfiants qui me sondent.

– Il s'appelle comment, votre type?

Un nom me passe par la tête :

– Dick Carver.

Les fronts se plissent. Ces gens-là n'aiment pas les problèmes.

– Inconnu au bataillon, ce mec, gueule Jim. Vous foutez le camp, et en vitesse! Chez nous, c'est pas un parking!

Inutile d'insister. Pour peu que Fred monte aussi le ton, le pugilat risque d'ameuter le voisinage.

151

J'accepte la malchance. Je démarre. Les deux brutes me suivent du regard, les poings sur les hanches, jusqu'à ce que le tournant les absorbe. Je roule lentement, glace baissée, jusqu'à une bâtisse en retrait d'un jardinet joliment fleuri. Sur les marches du perron, une adolescente dévore un illustré, un roquet noir et blanc en laisse à ses côtés. Elle me sourit, découvrant une rangée d'incisives cerclées de bagues métalliques.

Je souris à mon tour. Ça me change du duo Jim et Fred.

— Savez-vous où se trouve la maison de Dick Carver?

Elle se lève, abandonne la bande dessinée, s'avance jusqu'à la portière. C'est une grande Lolita sympathique. Sa chevelure rousse lui bat les reins.

— Dick comment, monsieur?

— Carver. Il a une voiture toute dorée...

— J' connais pas. Mon père, c'est Kirk Liston... Il y a bien un petit bonhomme avec une Bentley de cette couleur, là-bas, sur Baylor, mais je sais pas si c'est ça.

Sa main désigne la direction opposée. Je renonce à m'étonner qu'elle connaisse la marque anglaise. La jeunesse, aujourd'hui!

— J'en reviens, dis-je. C'est Las Casas que vous m'indiquez, pas Baylor...

Elle secoue la tête. Sourire métallique et indulgent :

— Baylor, c'est la petite rue à gauche, dans Las Casas. Elle entre par là, la voiture. D'ailleurs, elle passe presque tous les soirs devant chez nous...

Je la remercie de sa gentillesse, lui souhaite une bonne lecture de ses *comics*.

Marche arrière! Un demi-tour et je repasse devant le parking des deux malappris. La jeune fille connaît bien son territoire. Baylor-la-mystérieuse vient se greffer sur Las Casas. Une allée tranquille où s'alignent quelques villas que dissimulent des haies protectrices. Je quitte ma BM sur une portion de chemin macadamisé dépourvue de panneau d'interdiction, adopte le pas nonchalant du promeneur. Le soleil commence à disparaître et le Pacifique rougeoie sous les derniers rayons.

L'endroit est désert. De vastes espaces déboisés séparent les propriétés. Je m'en approche, glissant au passage un œil averti dans les interstices des portails, entre pilier et bois. Sans succès. J'aborde un lieu où la fiévreuse appétence immobilière n'a pas encore massacré les arbres pour leur substituer de sinistres condominiums bétonnés. Mes chaussures s'enfoncent dans la terre meuble jusqu'à une douve jouxtant une demeure à peine visible. La déclivité est si forte que mes semelles glissent sur les côtés comme des skis dans la poudreuse. Une branche de pin, plus basse que les autres, effleure ma joue. Je m'en sers comme d'une corde. Une traction de bras et je suis sur le sommet d'un monticule.

Devant la façade rose d'un pavillon de plain-pied, le toit de la Bentley jette vers le ciel des reflets dorés.

La villa n'a rien d'une enceinte fortifiée. De mon poste d'observation, on pourrait pourtant le croire. Tel un donjon dont la toiture s'orne d'un lambrequin de bois artistiquement ajouré, le bâtiment principal s'élève au centre d'un parc charmant et de dimensions modestes que ceinture une muraille de rosiers, de cactus, de lianes, de ronces entremêlées de massifs de houx aux feuilles luisantes. Une excellente protection végétale. De quoi décourager le voyeur, voire l'envahisseur le plus téméraire. En deçà de ces omniprésentes et épineuses broussailles, une allée de dalles, couleur rose façade, se détache du vert de la pelouse pour s'en aller cerner un bassin où la bouche arrondie d'un éphèbe aux joues de marbre crache une eau babillarde. Un appentis, au fond du parc, sert de remise à un monstre de motocyclette bardée de chromes, aux sacoches de cuir fauve mouchetées de clous à tête d'argent. J'imagine mal le fluet Krametz là-dessus. Sans doute ce monstre appartient-il à l'« ami » dont m'avait parlé Ingrid Palding.

Je demeure là, planté sur mon monticule comme un spectateur de mezzanine dans un théâtre de verdure. Les feux du couchant nimbent de cuivre les crêtes alentour. L'incessant bruissement du feuillage – gîte de quelles bestioles ? – se mêle au murmure de la fontaine.

La Bentley, immobile dans cette oasis de verdure, pourrait signifier une nuit sans imprévu. M'inciter à lever l'ancre pour reprendre, à l'aube, ma surveillance. La persévérance que j'ai apprise en des années de police et ma prudence naturelle me conseillent de patienter, au moins jusqu'à l'extinction des lumières que je discerne à peine au travers des branchages.

Malgré le calme de la nuit alentour, un vent de fronde s'est glissé derrière la façade aux volets clos. Plus impertinent, plus irrévérencieux, plus éméché que jamais, Burt Field, en blouson de cuir, casque de motard à la main, considère son ami, effondré sur le canapé du salon.

– Pas la peine de faire cette gueule, Simon, glapit-il. J'ai promis, j'y vais.

La main de Krametz s'avance vers lui, tente d'agripper la sienne.

– Chéri, sois raisonnable. C'est à moi que tu avais promis que nous passerions la soirée ensemble. Je t'ai

154

même apporté le dernier tube de Michael Jackson, tu sais celui que tu aimes bien...

— Rien à foutre de Michael Jackson. Ma soirée vidéo est autrement « *in* » et les copains de Venice autrement marrants que toi avec ta tête de croquemort.

Les lèvres de Simon affichent une moue de dédain :

— Ce milieu pourri...

— Quel milieu pourri ? Tu étais bien content de m'y trouver, à l'Homo, quand tu le fréquentais il n'y a pas si longtemps encore ! Alors, mollo, si tu veux. Ne viens pas maintenant cracher dans la soupe.

Burt se détourne pour ingurgiter une gorgée de whisky à même la bouteille, fait claquer sa langue, conseille, ironique :

— Fais comme moi, bois un coup. Ça te donnera des idées gaies.

Krametz ne répond pas. S'il pouvait s'enivrer, en effet, comme Field, pour oublier son cauchemar. Mais il ne doit pas boire s'il veut amincir une taille qui a tendance à s'arrondir. Une coupe de champagne de temps en temps, un doigt de vin, c'est tout. C'est pour plaire à Burt qu'il a décidé de retrouver sa ligne, de cesser de boire en mangeant, d'éviter le pain et les sauces. Burt dont les calories s'évanouissent dans les salles de musculation, au rythme des appareils de torture. Ce Burt au corps d'Apollon, si charmant, si caressant quand il n'a pas bu.

— Chéri ?

— Quoi encore...

— N'y va pas. Tu m'as assuré ce matin que nous dînerions tous les deux en tête à tête, que nous...

Burt le coupe, hausse les épaules.

— Eh bien, on a dîné ! Qu'est-ce que tu veux de plus ?

– Oui, mais...

– Il n'y a pas de mais. Ce matin, c'était ce matin. J'ai changé d'avis, voilà tout. Couche-toi au lieu de gémir. Ou regarde ta cassette, si tu n'as pas sommeil.

La voix de Simon se fait suppliante :

– Sans toi ?

– Oui, sans moi. Tu y es bien, sans moi, à longueur de journée, pendant que je m'empoisonne comme un rat mort entre ces quatre murs. Tu fais le joli cœur dans ton magasin de fripes, des ronds de jambe aux mères maquerelles qui veulent encore jouer les minettes : « Mes hommages, madame... Mon Dieu, comme ce décolleté vous va bien... Un bijou... » Un bijou, tu parles, avec leurs nichons en gants de toilette. Mais ça te plaît, les roucoulades...

– N'exagère pas, Burt, je n'habille que des jeunes femmes.

– Mon cul, oui. Des jeunes femmes comme cette pouffiasse décolorée de Barbara Stanwyck qui jouait dans les muets au temps du déluge. Me fais pas rigoler... Je me casse, je vais être en retard.

– Tu seras là à quelle heure, chéri ?

– Je ne sais pas, couche-toi, tu verras bien. Deux heures, trois peut-être, quand j'aurai ma claque de clips, de son et lumière... Tout ce que tu sais dire, c'est « Tu seras là à quelle heure ? ». Je ne peux pas faire un pas sans « Attention à toi, Burt ! Où vas-tu, Burt ? Tu en as mis du temps, Burt. Tu es sorti à quelle heure ? A quelle heure es-tu rentré ? J'ai appelé plusieurs fois et tu n'étais pas là »... Tu ne vois pas que tu arrives à être casse-couilles, mon pauvre Simon. Et que j'en ai marre d'être toujours chaperonné. Si je me conduisais mal, encore...

– Ne sois pas injuste, chéri. Je ne sais même pas ce que tu fais. Tiens, j'ai appelé encore cet après-midi, et tu n'étais pas là. Si tu as quelqu'un d'autre, il faut me le dire.

Field a de nouveau recours au goulot de la bouteille, la repose.

— J'ai fait une virée à moto, si tu veux savoir. Encore heureux que ma Kawa ne parle pas, tu serais capable de la questionner. Salut...

Le cœur brisé, Krametz essaie une dernière fois de le retenir. Il voit déjà son cher ange fonçant dans le décor sur son engin de mort. Avec tout ce qu'il a bu, ce soir, à table...

— Reste, amour. Ne prends pas la moto, tu risques le pépin...

— Parce que je suis bourré, c'est ça? fulmine Burt se dirigeant vers la porte. Ne t'en fais pas, je sais encore tenir sur une Kawa. C'est toi qui me forces à picoler, pauvre con. J'étouffe, ici. Il faut bien que je trouve une distraction. Va dormir, ça vaudra mieux.

Il enfile le casque d'un geste rageur, puis ses gants de peau, noirs comme le blouson.

— Burt?

La porte s'ouvre. Simon est devant lui, ses clés de voiture à la main.

— ... Je t'en prie, Burt, c'est trop dangereux la moto. Prends la Bentley, le plein est fait... J'attendrai que tu reviennes, j'ai un peu de comptabilité à faire...

Ma planque est bonne. En cet endroit que l'obscurité a maintenant envahi, je me sens aussi en sécurité qu'invisible.

L'ennui est qu'il fait froid à dix heures du soir sur mon piédestal de fortune. Tour à tour, l'ankylose gagne ma jambe droite puis la gauche. La terre s'effrite sous mon poids. Je la racle sans cesse de mes semelles afin de trouver une assise confortable. Comment aurais-je pu penser qu'il me faudrait un anorak sous les Tropiques? Ne serait-il pas plus prudent de me réfugier dans ma BMW que j'ai laissée, portes verrouillées, à quelque trois cents mètres de là pour éviter qu'on ne la repère?

Avec des précautions de voleur, je fais le tour de la propriété. Un souffle agite les hautes broussailles. Une chouette, tout près, ulule. Les arbres et le chemin suent l'angoisse. L'épaulette de ma chemise s'accroche à un buisson épineux. Je manque me tordre la cheville sur une taupinière traîtreusement cachée sous une touffe.

Le bref miaulement d'un démarreur troue soudain le silence. Une portière claque, précédant le cliquetis de l'ouverture électrique du portail. Je n'ai plus qu'à me réfugier dans un enchevêtrement de broussailles. Des phares illuminent la route, balaient la propriété d'en face, virent sur la gauche. Je tends le cou, enrage de n'apercevoir que les larges feux rouges de la Bentley qui s'évanouissent à l'amorce d'un virage. Et au volant, une ombre qui ne peut être que la silhouette de Simon Krametz.

DEUXIÈME PARTIE

11

21 mai 1992.

C'est amusant, une Porsche : un jouet de race. Ça rugit, ça enivre, mais ça peut grimper aux arbres. Surtout dans les virages. Et des virages, jusqu'à Topanga Beach, il n'y a que ça.

Les mains crispées à l'armature de mon siège-baquet, la ceinture de sécurité bloquée à la limite de l'asphyxie, je crains fort de vivre les dernières minutes de mon odyssée américaine. Je suis secoué, ballotté, meurtri. Ma tête a du mal à suivre, mon cœur s'emballe, l'angoisse me noue les tripes. J'ai la sensation d'être une enveloppe sans squelette. Qu'un dingue roulant en sens inverse ait la fantaisie de doubler, lui aussi, la file de voitures qui saturent Sunset en cette matinée de printemps et me voici réduit à l'état de charpie au milieu d'un tas de ferraille et de plastique en feu.

Baker, lui, ne se pose pas de questions. Insouciant, décontracté, il slalome, joue de la boîte de vitesses et du dérapage contrôlé avec la virtuosité d'un champion de rallye qui en a vu d'autres. Les accélérations se succèdent. Mon estomac se crispe. Mes pieds, par instinct, freinent dans le vide. Est-ce par peur ou conscience aiguë du danger, je me dis que la place du mort n'est pas la meilleure. Et le vivant que je suis encore se demande si le poids lourd qui vient de surgir devant nous va pouvoir s'écarter à temps. Je ferme les yeux. Le miaulement des pneus me les fait ouvrir bien grands. Nous sommes passés. De justesse, mais passés. Mes poumons se débloquent. Dieu m'a offert un nouveau bout de vie.

— Un bouchon, là-bas, grogne Baker. Manquait plus que ça!

Moi, je bénis saint Christophe qui vole à mon secours. Devant nous, la circulation s'est brutalement assagie. Richard lève le pied. Nous roulons maintenant pare-chocs contre pare-chocs, nous faufilant entre des voitures de la Highway Patrol disposées en quinconce. Des éclats de voix me parviennent. Les gyrophares jettent sur les carrosseries des lueurs d'incendie.

— Encore un qui a dû vouloir faire le zigoto, pas vrai, *Rodger*?

Et moi, hypocrite :

— On pourrait peut-être gagner du temps en passant par Bel Air?

— On peut, mais c'est moins sportif.

Un coup de klaxon, bref, impératif, et le brusque changement de file me colle contre le montant heureusement rembourré. Nous franchissons la porte de Copa Oro qui nous ouvre la voie macadamisée du domaine résidentiel de Bel Air. A une allure raisonnable, prolifération des stops oblige, nous longeons le Country Club, ce centre privé de loisirs où les calandres de Rolls et de Bentley miroitent sous le soleil. L'accalmie ne dure pas. A la jonction Bellagio-Sunset, la Porsche retrouve sa vitesse de croisière et moi, mon chemin de croix.

Mon calvaire avait commencé une heure plus tôt, par une sonnerie de téléphone qui sema la panique parmi l'escadrille de geais bleus qui égayait ma pelouse. Une voix à l'intonation chinoise avait zézayé dans l'écouteur :

– Zé voudrais meuzieur Rozé.

– Qui le demande?

– Zé bien meuzieur Rozé?

– Oui, c'est monsieur Roger, que vous réveillez à 7 heures du matin... Qu'est-ce que vous lui voulez, à monsieur Roger?

J'étais furieux. Rentré déçu, amer, de mon périple nocturne, j'avais eu du mal à trouver le sommeil. Les événements ne cessaient de jouer à saute-mouton sous mon crâne. J'avais l'impression d'être passé à côté de quelque chose d'important, et la disparition de la Bentley ne cessait de m'intriguer. J'étais resté allongé sur le lit, la couverture rejetée, les bras croisés sous la tête, à regarder le plafond rayé par les lamelles des persiennes, puis je m'étais décidé à me lever. J'avais endossé ma robe de chambre, je m'étais affalé sur un rocking-chair de la terrasse. Le ciel ne m'offrait qu'un poudroiement d'étoiles. Au-delà de l'aéroport muet comme chaque nuit, les installations portuaires de Long Beach clignotaient de tous leurs feux. De temps en temps, un hélicoptère du L.A.P.D. pétaradait au-dessus des collines, couvrant le clapotis indécis de l'eau de la piscine.

Une bonne douche d'avant-coucher avait-elle des vertus lénifiantes? Je ne m'en étais pas rendu compte. Je m'étais pourtant glissé sous un jet plus froid que tiède. J'avais enfilé mon pyjama et, de guerre lasse, je m'étais figé devant le téléviseur. Discovery diffusait pour la énième fois la destruction de l'escadre américaine à Pearl Harbor.

J'avais quitté le living, retapé mon lit et m'étais niché au creux de l'oreiller, en me tournant et me retournant sur le côté, sur le ventre, sur le dos jusqu'à ce que les premières lueurs de l'aube viennent à leur tour zébrer le plafond. Après, je ne sais plus.

– S'cuzé-moi, meuzieur Rozé, c'est Yi, la secrétaire de meuzieur Baker. Il est pas loin de 7 heures. Meuzieur Baker passe vous chercher dans vingt minutes.

Secrétaire est un grand mot. Le minois de l'hôtesse eurasienne qui triture ses claviers de combinés téléphoniques dans l'entrée du cabinet du *private investigator* Baker m'était revenu en mémoire.

– Qu'est-ce qu'il me veut, Baker?

– Ze zé pas... Ze fais la commizzion...

Plus question de me rendormir. J'avais sauté du lit, m'étais rasé, habillé avec des gestes d'automate. L'initiative inattendue de Baker ne pouvait que m'inquiéter un peu plus.

J'avais fait les cent pas sur Rising Glen, mains dans les poches et soleil dans les yeux, avant que ne surgisse le bolide de Richard Baker. Un freinage suivi d'un demi-tour de cascadeur et la portière droite bâillait à ma hauteur.

– *Good morning*, *Rodger*, on a juste le temps...

Le démarrage foudroyant m'avait aplati sur le dosseret. Avant d'être projeté dans le pare-brise, j'avais eu tout juste le temps d'attacher ma ceinture.

– Qu'est-ce qui se passe, Richard?

– Ingrid, la femme de Larzac, a été flinguée. Moss et Leslie Brown nous attendent au musée Getty...

La Porsche attaquait les premiers virages de Doheny, éliminant la limitation de vitesse, narguant les stops. La nouvelle me laissait sans voix.

– Comment ça?

– Je n'en sais pas plus que vous. Je rentrais du jogging lorsque Yi m'a prévenu. Moss avait appelé deux fois. Il n'avait pas votre numéro de téléphone.

Le café ingurgité à la hâte, le ballottement continuel me donnaient des nausées. Heureusement, le vent qui s'infiltrait par le toit à demi ouvert rafraîchissait mes tempes sifflantes, rugissantes.

– Il voulait me voir?

Baker avait jeté le chewing-gum usagé, lâché le volant, une seconde, le temps de dépiauter une nouvelle plaquette.

– Je ne sais pas pourquoi. Ce qui est sûr, c'est que la disparition de la fille va faire un heureux héritier.

Les curieux se sont agglutinés devant l'entrée du musée Getty que protège un solide cordon de police. Les journalistes sont là, téléobjectifs et caméras de télévision braqués sur le péristyle qui, au-dessus des parkings, entoure une cour saturée de moulages de bronze autour d'un bassin qui se voudrait piscine olympique.

J. Paul Getty, le magnat du pétrole, s'était découvert une passion pour Herculanum et Pompéi. Il avait souhaité bâtir une reconstitution exacte de la fastueuse villa des Papyrus enfouie sous les cendres du Vésuve. Topanga-Malibu, sur la Santa Monica Bay, lui offrait le lieu et l'espace. Encore fallait-il transformer ce qui n'était alors qu'un chaos de collines sauvages en un havre de paix et de fraîcheur, offrant ses charmes à des milliers de visiteurs.

Le coupe-file officiel à mention *special agent retired F.B.I.* fait s'entrouvrir le barrage de sécurité.

Richard Baker sourit, soupire, me donne une claque sur l'épaule :

– On a du pot, Moss et Leslie Brown sont encore là. Le petit chauve là-bas, qui s'apprête à partir, c'est le toubib qui a mis le feu aux poudres. Un pète-sec. Il était loin de se douter qu'un seau de peinture lancé contre sa tire par un dingue, sur Mulholland, aurait des conséquences aussi catastrophiques : passage à tabac d'un Noir, acquittement des policiers à Simi Valley, émeutes, mort de Larzac. Et de sa femme aujourd'hui !

La propension de Richard-le-distingué à employer des mots d'argot m'amuse. On dirait qu'il essaie de me convaincre de sa maîtrise en gouaillerie, souvenir d'un stage de plusieurs mois dans la police parisienne. Je me garde de le contrarier : si je parlais l'argot américain comme lui le français, la barrière de la langue ne m'handicaperait plus.

Sa Porsche se gare dans un espace de parking quasi désert, exception faite de la voiture à fanion du patron de la California Highway Patrol et de la Ford du L.A.P.D. Nous mettons pied à terre. Une casquette noire à écusson doré se dresse devant nous :

– Je suis Benson, le gardien-chef du musée. Ces messieurs sont au D, avec le *district attorney* et le shérif. Le parking du dessus. Si jamais on s'attendait à un truc pareil !

Le gardien n'en dit pas plus mais son écœurement est visible. Sa main désigne la trouée dans la haie de fusains qui sépare les emplacements C et D. Près du groupe de policiers plantés devant une lourde Chrysler, portières béantes, deux spécialistes procèdent au relevé topographique. Nous escaladons les marches, serrons les mains qui se tendent.

– Mort par coup de feu. Une balle tirée à bout touchant, annonce Moss. Elle remonte à une vingtaine d'heures d'après le coroner. Crime inexplicable, commis en plein jour, alors que les parkings se vidaient sous l'œil des préposés. Nous n'avons été prévenus que ce matin. Le sergent Brown est chargé de l'enquête.

Leslie, son visage d'ange noir empreint d'une gravité de circonstance, confirme d'un hochement de tête. Ses doigts longs et fins aux ongles laqués de rouge pianotent nerveusement la boucle du ceinturon.

– Le meurtrier est doté d'une bonne dose d'inconscience pour avoir agi de la sorte au risque d'être surpris, poursuit Moss. A la fermeture du musée, tous les parkings doivent être dégagés.

Cette histoire me semble invraisemblable. Baker devance la question que j'allais poser :

– Comment se fait-il que personne n'ait remarqué la Chrysler plus tôt ?

Leslie Brown le dévisage :

– Il n'y a pas de surveillance sur les parkings. La voiture a bien été vue hier, mais comment savoir ce qu'il y avait à l'intérieur ? Les portières étaient verrouillées. Le cadavre est recroquevillé sur le plancher arrière, dissimulé sous un plaid écossais. On n'a pu le découvrir que lorsque le shérif a fait forcer les serrures. Julius Benson, le gardien du musée qui l'a alerté, a d'abord cru à une panne de voiture, puis à un vol. Pas une seconde il n'a pensé à un crime.

– Qui vous dit qu'on n'a pas voulu donner le change avec le vol ? Cela demande pas mal de temps et d'efforts pour loger un corps à l'arrière, non ? Même si l'espace le permet.

– C'est ce que nous avons pensé, avec le commandant et le shérif. L'assassin est peut-être revenu la nuit pour camoufler le corps dans la position où nous l'avons trouvé ce matin. Par la colline, il est facile d'arriver sur les parkings. Une chose est sûre, il a un jeu de clés de la Chrysler puisque les portières étaient fermées.

— Ce que je ne comprends pas, dis-je, c'est ce que faisait Ingrid Palding dans cette voiture alors qu'elle a une Ferrari, et même une Rolls avec chauffeur!

Leslie Brown tire un calepin de la poche de son uniforme.

Les archives m'ont appris que le véhicule appartient à l'épouse d'un important diamantaire, Mme Liza Feldman, 8761 Basil Street à Bel Air. Je l'ai jointe au téléphone. Elle est catastrophée. Je l'ai convoquée au bureau cet après-midi. Son amie lui avait laissé la Ferrari en échange de la Chrysler qu'elle lui a empruntée pour venir au musée. Elle devait la lui rendre hier soir, les deux femmes étant convenues de dîner ensemble. Ne la voyant pas apparaître, Mme Feldman s'est inquiétée. Elle a téléphoné plusieurs fois, puis, en désespoir de cause, elle s'est rendue au domicile de la victime, pas très loin de chez elle. Aucune lumière et aucune réponse à ses appels...

— Pourquoi cet échange de voitures?

— Miss Palding, toujours d'après son amie, pensait déjouer d'éventuels suiveurs. Elle n'était pas tranquille depuis que vous lui aviez recommandé la prudence. Elle était même venue chez vous pour vous faire part de ses appréhensions... Le commandant Moss voulait vous joindre pour que vous précisiez votre pensée.

Ma marge de manœuvres m'apparaît étroite : ou je déballe tout ce que je sais sur la visite de Mme Palding et la nuit de veille que je viens de passer, ou je continue à coller aux roues de Simon Krametz. Dans quel but? Tout simplement de suivre jusqu'au bout un raisonnement logique qui paraît, dès l'abord, s'imposer : l'élimination d'Ingrid fait de Krametz le seul et heureux bénéficiaire de l'opération. L'héritier, comme dit Richard. La plus que confortable assurance vie, le testament qui le rend propriétaire d'une affaire en plein essor, le paiement de l'indemnité consécutive à l'incendie des bâtiments de Pico et du stock entreposé, sont autant de cadeaux du destin qui vont lui assurer une vie sans problème jusqu'à la fin de ses jours. Comment ne pas penser qu'il a pu sérieusement l'aider, le destin? Mais est-ce dans ses cordes?

Je me fais mon cinéma. Je m'en veux, surtout, d'avoir laissé s'évanouir dans la nuit les feux rouges de sa Bentley. Il n'y a que les débutants qui se font semer. Pas les flics qui ont du métier. A croire que mes années sabbatiques ont déposé de la rouille sur mes méninges, paralysé les antennes qu'une longue pratique avait aiguisées. J'aurais dû prévoir sa sortie possible, ne pas lever l'ancre avant le lever du jour, attendre, douillettement allongé sur la banquette arrière de ma voiture, dans l'angle mort de la carrosserie. Au lieu de cela, j'ai fait le pied de grue, péniblement perché sur un monticule de glaise... pour voir quoi, entendre qui?

La voix de Leslie Brown me tire de mon autocritique pessimiste.

— D'après ce qui m'a été rapporté, miss Palding est sortie une des dernières de la salle du premier étage. Elle s'était longuement attardée devant le portrait de Véronèse et le saint Barthélemy de Rembrandt. J'ai demandé un relevé d'empreintes et des photos de la voiture, extérieures et intérieures. Je verrai le médecin légiste après l'autopsie... Mais vous ne savez pas encore comment le gardien Benson a donné l'alarme...

Julius Benson trottine à travers le parc du musée Getty, son domaine, son fief, son royaume. Ses courtes jambes s'activent vers les parkings vides d'occupants, depuis la fermeture de la porte principale. Il aborde le A, met le cap sur le B, s'assure que le C et le D sont déserts. En cette fin de journée, Benson, gardien-chef depuis l'ouverture de l'établissement en 1974, n'a pas envie de musarder. La chaîne N.B.C. diffuse un épisode de *I love Lucy* qui le fait rire chaque jour avec une efficacité qui ne se dément pas. Rescapé du Viêt-nam où il a laissé le bras gauche, Benson est un maniaque. Normalement, la ronde du soir est effectuée par le surveillant de permanence chargé du compostage des billets et de leur collation avec le nombre des sorties. Mais Julius-le-pointilleux aime contrôler, *de visu* comme il dit, bien qu'il n'ait pas à le faire, si rien ne cloche avant la nuit.

Lorsque son regard survole le terre-plein D, Julius sursaute. Le préposé aux entrées lui a assuré, tickets en main, que tous les véhicules ont quitté leurs emplacements. Or, une grosse voiture gris foncé stationne au bout du parking, près de la rampe circulaire que marquent d'énormes flèches blanches de sens unique.

– C'est pas possible que Carver se soit encore trompé! fulmine-t-il en se rapprochant du véhicule. Ça fait trois fois qu'il me fait le coup.

Julius presse l'allure comme pour éliminer la fureur qui l'oppresse, s'arrête devant la calandre. Glissé sous le balai gauche de l'essuie-glace, un panonceau en lettres rouges sur fond blanc indique « EN PANNE ». Du coup, sa mauvaise humeur s'envole. L'automobiliste n'a pas pu démarrer, voilà tout. Il lui faudra attendre la dépanneuse, pas avant 9 heures du matin, puisque les portes du musée sont obligatoirement closes. Comme le règlement le prescrit, l'original du ticket doit être comptabilisé avec les comptes globaux. En échange, une fiche de retard glissée dans le tiroir de la guérite permet au guichetier de laisser sortir le véhicule le lendemain. Par précaution, Julius en note le numéro sur un bout de papier qu'il extrait de sa poche.

Le lendemain matin, à la première heure, le gardien-chef s'approche de la voiture, s'enhardit à actionner la poignée de la portière, côté conducteur. La porte a été verrouillée. Celle de droite à laquelle il s'attaque à présent également. Il colle son nez à la vitre pour jeter un coup d'œil à l'intérieur. Même pour un regard de profane, le spectacle serait édifiant : la tablette-tablier est ouverte, la boîte à gants a été vidée de son contenu. Des papiers ont été éparpillés sur le siège, les fils de la radio pendent comme si on avait voulu les arracher, des objets traînent sur le tapis de sol jonché de mégots à bout doré provenant du cendrier renversé.

– Ce n'est pas une panne, c'est une voiture volée, grommelle Julius en se précipitant dans son pavillon de garde.

Dix minutes plus tard, les rouages de la police se mettent en train.

J'ai enregistré le récit de Leslie, pendant que la lourde dépanneuse du L.A.P.D. s'approchait en marche arrière de la Chrysler, la soulevait et la prenait en remorque dans un tintamarre de poulies et de chaînes. Le parking s'est vidé de l'armada policière, agents, techniciens et photographes. Moss, Brown, Baker et moi demeurons pensifs. Le fantôme d'Ingrid Palding plane entre nous.

Leslie, la première, rompt le silence pour nous proposer :

– Si ça vous tente d'assister à l'audition de Mme Feldman, nous pourrions nous retrouver au bureau après le déjeuner.

L'invitation me prend au dépourvu. Une idée me trotte dans la tête. Je me couvre d'un prétexte :

– J'ai quelque chose d'assez important à vérifier mais je vous appellerai en fin de soirée pour vous en communiquer le résultat.

Je ne sais si l'audition de Liza Feldman présente une utilité primordiale pour l'enquête, mais ce dont je suis sûr, c'est que ce cher Simon Krametz devra me dire où il est allé en pleine nuit au volant de sa Bentley. Et si, par hasard, sa petite promenade ne l'aurait pas entraîné jusqu'aux abords du musée Getty.

– Moi, ça me tente, dit Richard. Les confidences féminines, j'adore ça. On y va, *Rodger*?

Simon Krametz considère d'un œil morne la pile de commandes et de factures entassées sur son bureau. Les heures de nuit blanche passées à guetter le retour de la Bentley l'ont mis dans un état de découragement, de lassitude au bord de la nausée, qui anéantit son dynamisme habituel. Il rêvasse, sans pouvoir se décider à se mettre au travail. Il marche jusqu'à la fenêtre qui surplombe Rodeo Drive, soulève le voilage, s'adonne, pensif et triste, à la contemplation de cette rue qu'il connaît par cœur. Il est près de midi. Le Café Rodeo, lieu de rencontre des banquiers, avocats, mannequins et hommes d'affaires de Beverly Hills, est déjà envahi. Des touristes affublés de chemisettes multicolores baguenaudent devant les vitrines où s'étale le luxe, rivalisant de matériel japonais pour photographier la Rolls 1925 qu'un chauffeur en livrée a garée devant la galerie d'art moderne.

Simon ressasse ses idées pessimistes, sans parvenir à chasser la douloureuse sensation que sa liaison avec Burt touche à sa fin. Dans la villa de Pacific Palisades plongée dans la nuit, il est demeuré allongé sur le dos, inerte, les yeux ouverts, écoutant les notes martelées du carillon de l'entrée. Il n'y a pas si longtemps, il était persuadé que Burt et lui ne pouvaient vivre l'un sans l'autre. Souvent, avant de s'endormir, Simon savourait le souffle profond et régulier de son amant dont le grand corps, toujours placé en diagonale dans l'abandon du sommeil, occupait la plus grande partie de l'immense lit à baldaquin. Mais depuis peu, l'atmosphère n'est plus la même. Burt se met à boire, à fréquenter de nouveau l'Homo Club de Venice, surtout depuis que Simon lui a offert la plus puissante Kawasaki, le dernier beau monstre à la mode. Les escapades du motard se succèdent, de jour comme de nuit, sans qu'il daigne fournir la moindre explication. Des observations, Simon, crucifié par la jalousie, est passé aux reproches, déclenchant maladroitement des scènes de plus en plus violentes.

— Qu'est-ce qui se passe, Burt? Tu n'as plus envie de moi?

Burt se garde toujours de répondre.

— Dis-moi tout, chéri. Tu as quelqu'un d'autre?

— Ça fait dix fois que tu me demandes ça!

— Alors, quoi?

Burt demeure silencieux, sort du lit, nu, s'étire. La beauté de son corps, la puissance de ses muscles, rendent Simon muet à son tour.

Et c'est Burt qui, sans crier gare, contre-attaque.

– Assez! J'en ai marre de toujours t'entendre demander ce que je fais, où je vais, qui j'ai vu! C'est insupportable! Un jour, je mettrai les voiles.

Simon, effrayé, s'est fait violence jusqu'alors pour ne plus poser de questions. En tout cas, le moins possible. Perdre Burt, ce serait la déchirure, l'horreur de l'adieu sans retour.

Cette nuit, l'attente lui a semblé plus longue, plus pénible encore que d'habitude. Il a essayé de collationner sa comptabilité occulte, mais sa pensée était ailleurs. Vers 4 heures du matin, au moment où la Bentley se rangeait devant le perron, il s'était résigné à s'allonger sur le lit, tout habillé, avait fait semblant de dormir. Burt avait entrouvert, refermé la porte de la chambre, puis était allé se coucher dans la chambre d'amis. Il dormait encore lorsque Simon avait quitté la villa pour Rodeo. Dans la cuisine flottait une forte odeur de whisky. Sur l'évier, la bouteille était vide.

– Monsieur?

Simon se retourne quand la secrétaire entre dans la pièce, le visage révulsé.

– Oui, mademoiselle Simonneau?

– C'est affreux, ce que M. Hyde vient de m'apprendre.

Simon secoue sa sombre rêverie, revient vers son bureau, se laisse choir dans son fauteuil. D'habitude, les sempiternelles lamentations de sa collaboratrice le laissent de marbre. Avec elle, tout est toujours affreux : la mode ultra-courte qui découvre le haut des cuisses, une livraison en retard, la demande de permission d'une vendeuse pour une visite médicale, les plaisanteries graveleuses du portier Labarrère... autant d'éléments de tragédie. Elle aurait dû faire du théâtre.

174

– Remettez-vous, mademoiselle. Qu'est-ce que cet ivrogne d'expert en assurances a bien pu vous raconter pour vous mettre dans cet état?

– Mme de Larzac a été assassinée! M. Hyde partait à la villa. Il vous appellera dans l'après-midi.

12

C'est autant pour calmer mes nerfs que pour faire le point que je décide d'abandonner ma voiture sur Carolwood, entre les villas d'Elvis Presley et de Burt Reynolds, et de rejoindre la boutique de feu Pierre Julien de Larzac par le chemin des écoliers. Il est 16 heures. Le soleil cogne et mon cerveau bout à cent degrés. Rodeo Drive charrie sa foule habituelle de badauds. L'indispensable sac Vuitton en bandoulière, de jeunes et minuscules Japonaises assiègent la maison Chanel tandis que le magasin Hassmacher contigu, spécialiste en matériel électronique, expose sa dernière nouveauté : le téléphone-écran qui permet à l'abonné de saisir les réactions du visage de son interlocuteur.

Brighton Street me ramène dans El Camino, le passage parallèle à Rodeo, là où Krametz gare sa Bentley, cette fameuse Bentley immatriculée à son nom qui m'a filé sous le nez à Pacific Palisades et que je n'ai réussi ni à rattraper ni à retrouver. Déception : la belle Anglaise n'est pas sur son emplacement réservé. Mon œil a beau jouer les périscopes, force est de me rendre à l'évidence, Krametz a momentanément abandonné ses locaux. J'aurais pourtant aimé lui poser quelques questions, tenter de discerner dans ses réponses et son attitude des signes révélateurs de ses états d'âme, de son humeur du moment.

Officiellement, Krametz habite Longwood, officieusement, Pacific Palisades. Il s'y était rendu hier soir, à faible allure, pour en repartir de nuit, à vive allure. Pour aller où? Mystère à débrouiller.

Je reviens sur Rodeo. La boutique me paraît tout d'un coup bien triste et bien déserte malgré l'affluence de la rue. Les passants semblent l'éviter, pressent le pas devant la devanture pourtant attrayante. Je pousse le bec-de-cane.

Est-ce pour entretenir l'habileté de son index que le portier Labarrère est en train de se curer le nez en rêvant de sa Gascogne natale? C'est sans doute un de ses tics favoris tant il y met d'application, et dont le prolongement naturel est d'essuyer le doigt sur tout ce qui se présente, en l'occurrence une jupe de tailleur accrochée derrière lui. Dès que je pénètre dans le salon climatisé, ses yeux s'écarquillent, sa voix vibre :

— Boudiou, monsieur l'assureur-inspecteur! Ça, alors! Vous n'avez pas de chance, il est toujours pas là, le directeur. Je vous appelle Mlle Simonneau?

J'hésite à tendre la main tant le doigt a dû faire plus d'une fois dans la journée le tour des narines.

— Pas la peine. Il sera là quand?

Les épaules de pilier de rugby se soulèvent, les bras s'écartent.

— Ça! Vous avez su ce qui est arrivé à la patronne? Il est peut-être parti là-bas, à moins qu'il soit allé ailleurs. Allez savoir avec lui...

— J'ai su ça, oui. Tu l'as appris comment, toi, le meurtre?

– Par Mlle Simonneau. Vous voulez pas que je lui dise que vous êtes là? C'est terrible ce qui est arrivé!

– Krametz a réagi comment?

La voix se fait plus discrète :

– Ça avait l'air de l'avoir touché. Mais avec ce qui va lui dégringoler, il peut toujours faire semblant d'avoir de la peine. Ce que je vous en dis, c'est ce que je pense, pas moins... Vous y allez quand, à Lectoure?

Le décès d'Ingrid n'a nullement l'air d'éprouver le Gascon-gorille.

– Bientôt. Si tu veux, je te rapporterai du foie gras et de l'armagnac. Il est peut-être à Longwood, Krametz?

– A Longwood, à Beverly Center ou à Santa Monica, je sais pas. Normalement, il devait faire le tour des magasins pour la recette. Il ne l'oublie jamais, la recette, Krametz. Il est parti précipitamment. Mais pour vous dire si c'est là ou ailleurs, un patron, ça ne vous met pas forcément au courant de tout. Mlle Simonneau a dit qu'on allait fermer plus tôt, c'est tout ce que je sais.

Quand après cet édifiant dialogue de sourds je retrouve la fournaise de la ville, je suis encore plus impatient de rencontrer Krametz et de savoir ce qu'il est allé faire, la nuit dernière, au volant de sa Bentley. Mes pions sont placés sur l'échiquier de l'expectative. S'il est à Longwood, je devrais le savoir rapidement. Je vais y foncer. Sinon, je referai le chemin de Pacific Palisades puisque Krametz est mon atout maître.

J'en suis là de mes cogitations et je m'apprête à reprendre le chemin de Carolwood quand la voix de Labarrère me fait sursauter :

– Mlle Simonneau vient de dire qu'il a dû aller à

Longwood changer de costume pour se rendre à l'hôpital, si ça peut vous intéresser.

Si ça m'intéresse? Plutôt deux fois qu'une!

Liza Feldman, image parfaite de l'Américaine élégante, a pris place en face de Leslie Brown. Baker observe sans vergogne les jambes qu'elle a croisées haut avec ostentation, la chaînette d'or qui cercle la cheville droite, les longs cheveux bruns, les yeux d'un bleu très clair, la peau hâlée sans fard, les lèvres pulpeuses qui semblent l'œuvre d'un maître du dessin. Le visage est tendu. Le chagrin, peut-être?

— Je vous présente le *supervisor* Baker, du F.B.I., dit le sergent Brown. Il n'est pas chargé de l'enquête et si vous souhaitez que nous restions seules...

— Pas du tout, répond Liza d'une voix douce et ferme. Si monsieur est du F.B.I., au contraire...

— Anciennement, rectifie Richard Baker en s'écartant du mur d'angle contre lequel il s'était adossé. J'ai un cabinet d'enquêtes privées, mais le meurtre de votre amie m'intéresse.

Il fixe une seconde l'énorme diamant qui scintille au-dessus de l'alliance.

— Nous souhaitons votre coopération, madame Feldman, enchaîne Leslie Brown. Si vous voyez des objections à mes questions, n'hésitez pas à me le dire.

— Naturellement.

— Depuis combien de temps connaissiez-vous Ingrid Palding?

— Vingt ans, au moins. Elle arrivait de France, avec l'espoir de se faire connaître à Hollywood. Elle ne savait pas où loger. Elle a partagé quelques mois l'appartement que je louais sur Cory Avenue. Après, elle a fait du chemin...

Richard Baker se penche sur le bureau de Leslie Brown :

– Vous permettez ?

Il s'empare de quelques feuillets, les parcourt, relève la tête :

– Elle se disait mannequin, je crois ?

– Elle l'était. Et même pour une grande maison, d'après ce qu'elle m'avait dit. Elle était belle.

– Très belle, en effet. La police française nous a communiqué quelques renseignements à son sujet, ainsi qu'une photo d'identité que j'ai remise au sergent Brown. Mais mannequin de grande maison... Hum ! Elle a suivi les cours d'une école de mannequins à Paris, rue de Ponthieu. Cela lui a procuré quelques remplacements, voilà tout. Ensuite ?

Il se met à marcher de long en large, les mains dans les poches, ses yeux clairs fixés sur le sourire triste que dessinent les lèvres de Liza.

– Ensuite quoi ? demande-t-elle enfin. Je ne comprends pas.

– Vous disiez « elle a fait du chemin ». Précisez.

Liza, interloquée, le dévisage.

– Il s'agit de sa vie privée... Vous me demandez de la trahir !

– Trahir ? Non. Nous cherchons seulement à cerner le personnage de votre malheureuse amie et, du coup, le profil de son meurtrier... Donc, elle a fait du chemin. Toute seule ou avec l'aide de quelqu'un ?

– Vous savez, à vrai dire... Nous sommes sorties assez souvent ensemble, et puis elle a rencontré un ami, c'est normal. Elle a vécu avec lui.

– Ah !

Liza, de nouveau, semble surprise, choquée, par Baker. Il s'est immobilisé devant elle, la domine.

– Je ne tiens pas particulièrement à parler de cet

181

homme, dit-elle. Cette histoire fait partie de la vie d'Ingrid. C'est un moment douloureux, que je voudrais oublier.

Leslie Brown prend la relève de Baker. Elle enchaîne, très calme, suggérant par son sourire une vague complicité féminine.

– C'est pour l'enquête, madame Feldman. Nous sommes bien obligés de fouiller le passé de votre amie, dont nous connaissons déjà une partie...

Liza hésite, regarde tour à tour Leslie Brown et Richard Baker. Ils finissent par lui inspirer confiance, ces deux-là. Ses réticences fondent.

– Il s'appelait Tony. Il se moquait d'Ingrid. Elle a eu de la chance de s'échapper de ses griffes avant qu'il ne soit trop tard. Quand elle a rencontré Larzac, elle a tout fait pour oublier Tony. Ça n'a pas été facile!

– Tony comment?

– Hopper. Vous en avez peut-être entendu parler. La drogue, c'était son job. Il achetait, vendait, et il consommait aussi. Quand il est sorti de prison, il est venu trouver Larzac, qui lui a donné une grosse somme afin qu'il laisse Ingrid tranquille. Malgré ça, il a refait surface de temps en temps, mais Ingrid avait tourné la page. Elle avait du mérite, vu qu'elle l'avait dans la peau, ce salaud, malgré tout. Si elle tenait bon, quand il la relançait, c'est par reconnaissance pour Larzac, qui lui assurait un train de vie de princesse et la faisait passer pour sa femme. D'ailleurs, je suis sûre qu'il aurait fini par l'épouser.

– Elle l'avait revu, ce Hopper?

– Le moins possible, d'après ce qu'elle m'a dit.

– Mais encore?

– Trois fois, je crois... Non, deux : une, à L'Ermitage, un restaurant chic de La Cienega. J'étais avec

Ingrid et Larzac. Il est venu la saluer, sans insister, mais elle m'a dit le lendemain qu'il l'avait appelée pour lui soutirer un nouvel acompte de vingt mille dollars, ajoutant que si elle ne s'exécutait pas il pourrait leur arriver des « bricoles » à tous les deux. Une autre fois, il serait venu chez elle après avoir appris dans le journal la mort dramatique de Larzac. Il s'inquiétait de ce qu'elle allait devenir...

Richard Baker allume une cigarette, aspire doucement la fumée, puis rejette d'un seul souffle une énorme bouffée qui s'épanouit vers le plafond. Il rit, de toutes ses dents que le chewing-gum n'a pas gâtées.

— Un sentimental, ce Hopper, non? C'est beau, l'amitié.

L'ironie passe à quelques centimètres au-dessus de la tête de la sensuelle Liza Feldman, qui commence seulement à réaliser.

— Si vous vous intéressez à Tony, c'est parce que vous pensez qu'il est pour quelque chose dans la mort d'Ingrid? demande-t-elle.

Prise d'une soudaine perplexité, elle décroise les jambes, tire sa jupe sur ses genoux. Baker jette un coup d'œil sur le sergent Brown. Leslie acquiesce discrètement. Elle laisse provisoirement le gouvernail à Richard.

— Justement, madame Feldman, j'allais vous demander ce que vous en pensez, puisque Ingrid vous disait tout. Elle n'a jamais revu ce Hopper depuis la mort de Larzac? Elle ne lui a jamais remis d'argent? Elle vous aurait tenue au courant, je suppose.

Il défie les yeux bleus de Liza. Elle ne cille pas, répond avec assurance :

— Je ne prétends pas qu'elle me disait tout. Mais

de ça, elle m'aurait parlé! Elle en avait peur, de ce Tony de malheur. Elle ne voulait même plus qu'on prononce son nom. Surtout depuis qu'un flic français était venu lui conseiller de faire attention. Je ne sais pas exactement ce qu'il a pu lui raconter, mais elle n'était plus la même... Elle avait peur, c'est sûr.

– Peur de quoi?

– De tout, de rien... Elle est même allée voir ce Français chez lui, un dimanche matin. Le soir, on a dîné toutes les deux. Elle m'a raconté la visite. Elle ne l'avait pas prévenu, il n'était pas rasé, il avait des problèmes avec la ceinture de son peignoir. Mais très correct, très *french inspector*, un peu comme en vacances, sérieux quand même...

Richard Baker réprime un sourire, fouille son paquet de cigarettes, en extirpe la dernière victime, jure parce qu'elle est brisée et qu'il n'arrive pas à l'allumer.

– ... Assez sérieux pour la mettre de nouveau en garde?

– Oh là là! Oui! Elle m'a même dit qu'elle ne pouvait plus se servir de la Ferrari ni de la Rolls, trop repérables, et m'a demandé si je pouvais, de temps en temps, lui prêter ma Chrysler. Ça ne me gênait pas, vu que je me sers plus souvent de la petite Golf. Alors, ce serait Tony qui... mais pourquoi?

– Ce n'est qu'une hypothèse entre autres, madame Feldman. Vengeance, besoin d'argent qu'elle refuse de lui donner, chantage...

– Ça m'étonnerait. Tony est un voyou, pas un tueur... Vous savez, j'y pense, Ingrid m'avait parlé de l'associé de son mari...

– Krametz?

– Simon, oui.

Leslie Brown admire l'allure de plus en plus F.B.I. de Baker, qui a repris ses allers et retours, la mâchoire volontaire.

– Alors, ce Krametz?

– Ingrid avait peur de lui... C'est un homosexuel, il vit avec son amant. Ingrid les avait vus, mais elle n'avait rien dit à Larzac.

– O.K... Le Français dont vous parliez, rassurez-vous, je le connais. Il enquête pour les compagnies d'assurances. Un détail : le beau Tony Hopper, vous avez son adresse?

– Sûrement pas! Mon mari est diamantaire, et nous ne fréquentons pas ce genre d'individu! Ingrid, ce n'était pas pareil. C'était mon amie. Vous pensez vraiment que Tony aurait pu...

– Je ne pense pas, j'enquête. Le mobile ne m'apparaît pas encore. A moins qu'Ingrid ne vous ait pas tout dit... Sergent Brown, nous n'avons plus qu'à remercier Mme Feldman de sa coopération. Gardez contact avec elle. On ne sait jamais.

Le *Beautiful Cottage* ne mérite évidemment pas l'appellation de cottage, due sans doute à un humoriste, ni la qualification de beau. Le 2831 Longwood Street est un condominium de cinq étages, déjà bien fatigué. Un sérieux coup de ravalement s'imposerait. On a retapé l'immeuble tant bien que mal, au jour le jour et à moindres frais. Les fissures dues aux séismes qui se succèdent en Californie ont été colmatées par des sortes de fresques plâtreuses qui, zébrant de blanc le gris souris des murs, évoquent les zigzags des éclairs. Des jardinières fleuries ont beau tenter de redonner vie aux balcons lugubres, le linge bariolé pendu aux fenêtres achève de faire de ce *Beautiful Cottage* un vaste clapier pour déshérités. La peinture de la porte d'entrée s'écaille comme une peau malade, et le vert-de-gris ronge les griffes de la patte de lion qui sert de heurtoir dès la tombée de la nuit. Je trouve invraisemblable que Simon Krametz, dont la situation de fortune est plus qu'enviable, ait eu le courage de s'installer là. A moins que ce *Beautiful Cottage* ne soit réellement qu'une adresse bidon, et que Krametz ne fréquente exclusivement que sa villa de Pacific Palisades.

J'aime aller au fond des choses. Le propre du flic est de ne négliger aucune piste, aucun détail. Du temps perdu, souvent. Mais quand le hasard se met de la partie, quelle revanche! Labarrère, le portier du magasin *De Larzac Magic Style*, a évoqué l'appartement de Longwood Street. Peut-être que j'y trouverai Krametz, peut-être que je n'y trouverai rien, mais l'image du cadavre d'Ingrid ne cesse de me hanter, comme la désagréable impression d'être en partie responsable de sa mort. Il faut que j'agisse.

Je pousse la porte. Des rangées superposées de boîtes à lettres en hêtre verni, la plupart ouvertes à tous les vents, me jettent au visage les noms des locataires. Concernant le cinquième étage, près de celle, bien fermée, d'une veuve Gladys Brighton, une étiquette indique le numéro de l'appartement de Krametz. Le tapis rouge élimé de l'entrée assourdit mes pas. Les portes d'aluminium de l'ascenseur se referment. Bonne surprise. Je m'attendais à ce qu'il soit en panne. Entre les étages, des bruits de voix et des flots de musique accompagnent mon ascension. La cabine vient à peine d'atteindre le palier que la porte du logement 51 s'entrebâille. Dans l'encadrement une tignasse poil de carotte apparaît. Les yeux vert bouteille de Gladys Brighton me scrutent.

– Vous cherchez quelqu'un?

– M. Krametz. Simon Krametz.

– Au 52, à côté. Seulement il n'est jamais là dans la journée. Il n'est pas souvent là, d'ailleurs. Il y a quelque chose à lui dire?

– Je voulais le voir, pour l'assurance. Mon patron m'a dit que je pouvais le trouver ici.

La porte s'entrebâille un peu plus, découvrant des seins lourds, constellés de taches de rousseur, prisonniers arrogants et fugueurs d'un soutien-gorge de dentelle noir, arachnéen. Je suis agréablement troublé par les formes pulpeuses, la peau laiteuse que pimente la pigmentation, les lèvres épaisses étrangement fardées de noir qui dessinent un sourire autour des dents d'une blancheur et d'un alignement parfaits.

La veuve secoue sa chevelure flamboyante qui rendrait jalouse une jument alezane.

– Vous ne le trouverez pas dans la journée, je vous dis. Il est censé habiter ici, mais il ne vient que de temps en temps. Des fois, je ne l'entends pas pendant des jours. C'est Burt qui prend le courrier. Vous le connaissez?

– Burt?

– Un beau gosse avec une énorme moto. Des fois, il me casse les oreilles avec sa musique, mais on ne peut pas lui en vouloir. C'est de son âge.

– Burt comment?

– Field. Burt Field. Vous êtes de quelle assurance?

– Continental Company.

J'ai annoncé ça tout de go, comme si cette compagnie existait. Il y en a tant, aux U.S., qu'une de plus ou de moins... Pour faire bonne mesure, je demande :

– Ça ne vous intéresserait pas, vous, de contracter une assurance?

187

– Oh que non! Depuis que mon mari s'est écrabouillé sur la 405 à hauteur de Carmel, je n'ai plus de voiture.

Elle essuie une larme imaginaire.

– Je suis désolé...

– C'est comme ça. Attendez deux secondes, je passe ma robe de chambre et je vous ouvre... Comme il n'y a pas de climatiseur, je ne m'habille pas.

Elle disparaît sans me laisser le temps de placer un mot. Accueillante, la rouquine! Je ne demandais que ça, vu que discuter dans un couloir n'est jamais très productif. Quant à Gladys, elle a sûrement envie d'un brin de conversation. Une veuve a besoin de s'épancher, non?

– Entrez!

La porte s'ouvre sur un living impeccablement agencé. Le poste de télévision trône devant la baie à guillotine. Sur la table basse, près d'un bouquet de roses artificielles récemment épousseté, je remarque une photo en couleurs d'un barbu poivre et sel. La main blanche et potelée aux ongles laqués de noir, couleur des lèvres, me désigne le portrait :

– C'est mon pauvre Kirk. Un bon époux, que je ne reverrai plus. Il était mon aîné de vingt ans. Il aurait eu ses soixante-deux dans un mois...

Le calcul est vite fait. La rousse bien en chair a quarante-deux ans. Il aurait pu faire attention, le barbu : quelle idée de se planter en voiture quand on dispose d'une monture aussi appétissante!

– Vous prendrez bien quelque chose, monsieur... monsieur?

– Tom Healey.

– Et moi, Gladys Brighton... Un scotch?

– *Baby*, alors. Avec un peu d'eau.

Je la regarde évoluer. Le peignoir de soie

découvre, entre la table et le bar, des jambes un peu lourdes, mais la structure générale est bien équilibrée. Seulement je ne suis pas là pour contempler une créature de Renoir. Ce qui m'intéresse, ce sont les voisins. J'ai hâte d'en savoir davantage.

– Alors, comme ça, dis-je après avoir trempé mes lèvres dans le *baby*, vous êtes sans voiture? Ça doit être embêtant, pour vos courses... Comment faites-vous?

Elle boit deux gorgées de scotch, exhale un soupir de lassitude.

– C'est ça, le problème! Heureusement, j'ai une amie qui n'habite pas loin. Le mardi et le vendredi matin, je vais faire le marché avec elle. Je reviens chargée comme un chameau mais avec sa Toyota ça va, et ça me fait prendre un peu l'air... Ce n'est pas drôle de vivre seule, vous savez!

– Je sais, dis-je, affectant mon air de tristesse le plus convaincant. Moi aussi, j'y suis passé.

Du coup, c'est au tour de la sensuelle Gladys de mimer la pitié :

– Comment, vous aussi?

– Un tracteur a refusé la priorité à mon épouse. Ce plouc a traversé la 637 à hauteur de Taos Pueblo au Nouveau-Mexique. Un choc effroyable...

L'émotion qui m'étrangle bouleverse la flamboyante veuve. Mais comme son regard tombe sur mon alliance, elle se refroidit aussi sec :

– Vous vous êtes remarié vite, dites donc!

Aïe! Je n'avais pas pensé à ça. Cet impair risque d'éliminer les deuils qui nous rapprochaient. Heureusement, je trouve la réplique :

– Je la porte en souvenir. Je l'aimais tant, ma Françoise, vous comprenez...

D'un geste théâtral, je désigne le portrait de Kirkle-Barbu. Ça y est. Elle a de nouveau les yeux humides. Le terrain est reconquis.

Je laisse planer quelques instants le silence des cimetières, puis je me remets au travail :

– ... Je repensais à vos courses. Cela m'étonne que vos voisins ne vous proposent pas de les faire, de temps en temps.

Elle achève son verre, le pose nerveusement sur la table :

– Vous parlez! Ce n'est pas moi qui irais demander un service au vieux Krametz! Pourquoi aller au devant d'un refus? Il aurait peur de salir sa belle voiture dorée! Et avec Burt, ce n'est pas possible. Il ne circule qu'en moto. Vous me voyez assise derrière lui, sur cet engin?

– Pourquoi pas? dis-je avec un sourire enjôleur.

Gladys minaude, ravie.

– Vous rigolez! Cela dit, il est beau gosse, ce Burt, surtout sur sa grosse machine, torse nu, avec ses tatouages. Je les devine même quand il porte son débardeur de cuir, les cheveux au vent... Il faut qu'il soit vraiment à court de fric pour vivre avec ce singe de Krametz! Il doit s'ennuyer, le grand Burt, à force de ne rien faire. Des fois, il vient passer la journée ici. Je l'entends jouer de la guitare, passer des films vidéo, démonter et remonter des postes de radio ou je ne sais quoi. Qu'est-ce qu'il peut fabriquer, pour tuer le temps? Il se balade toujours avec une caméra, un poste, ou un appareil photo sous le bras. Il n'a pas l'air malheureux, vous pouvez le croire.

– L'autre, Krametz, il vient souvent ici?

– De temps en temps, je vous répète. Si vous voulez mon avis, monsieur, ce n'est qu'une garçonnière, pour eux, le 52. Souvent, quand Burt n'est pas encore là, il l'attend. La clé est toujours derrière le compteur d'électricité...

Véhément, j'interviens, en bon agent d'assurances :

– Pas très prudent! Si votre Burt croit que les voleurs ne connaissent pas ce genre de truc!

– Peut-être, mais quand je suis là, ça ne risque rien. Rien ne m'échappe. Et je suis souvent là, trop souvent! Avant la mort de Kirk, je ne travaillais pas. Maintenant, je n'ai que des petits boulots à des heures irrégulières, alors...

Les seins mouchetés ont beau avoir échappé au soutien-gorge pour tenter de franchir l'indulgente barrière de la robe de chambre verte assortie aux yeux de Gladys, je commence à m'impatienter. Elle cause, elle cause, mais cela ne m'avance pas beaucoup. Ça continue :

– ... J'aimerais bien que vous le voyiez, le Burt! Dommage qu'il soit homo. Ce qu'il peut être beau! Ce n'est pas comme le gringalet d'à côté qui ne me dit jamais bonjour quand j'ouvre ma porte : on dirait qu'on l'étrangle lorsqu'il... enfin quand sa femme lui accorde ses faveurs. Pas besoin de coller son oreille à la cloison, comme au 52. Mon Kirk, lui, malgré son âge, il savait me rendre heureuse sans couiner comme un goret...

Allons, bon! Si je dois jouer le rôle du sexologue, maintenant! Silence. Gladys pense à ses amours perdues. Moi, à la clé derrière le tableau du compteur. Et aux courses de la veuve, le mardi et le vendredi. Je remonte au créneau :

– Vous allez loin, faire vos achats?

– Avant, sur Pico. Mais depuis que les Blacks ont fichu le feu aux *stores*, on est obligées d'aller jusqu'à Beverly ou Santa Monica... A pied, ce n'est pas possible!

— Comme vous dites! Mais de toute façon, cela doit vous prendre pas mal de temps, non?

— Une heure, une heure et demie... Tenez, demain, mon amie vient me chercher à 9 heures. Normalement, on est de retour à 10.

Eh oui, quand le hasard se met de la partie...

13

Ce qui fait jouir Burt Field dans cette villa de Paci
fic Palisades, c'est le lit large de deux mètres où il
peut, quand il a la chance d'y dormir seul, s'étaler à
loisir, dans tous les sens. Ce paresseux congénital
aime à s'éveiller dans une chambre baignée de soleil,
avec l'idée que des milliers d'imbéciles s'acharnent
déjà depuis des heures à gagner leur vie, alors que sa
journée ne commence qu'à peine.

Le soleil, le soleil, rien que le soleil. Sa mâchoire
de tigre s'écarte pour un bâillement. Il s'étire, glisse
sous le drap de satin jusqu'à la pendulette dorée dont
les chiffres romains le déconcertent à distance, la
saisit de la main gauche sur la table de nuit d'un
style british colonial douteux, l'approche de ses yeux
qui s'apprivoisent peu à peu à la lumière. 16 h 30! Il
a fait le tour du cadran. Normal, avec les verres de
scotch qu'il a éclusés à son retour au bercail. Ce
pauvre Simon officie depuis des heures dans son
magasin de Rodeo, choyé par sa vieille chouette de
secrétaire, ses vendeuses peinturlurées jusqu'à la
racine des cheveux, et son portier-gorille à l'accent
bizarre, vulgaire et abruti. Burt avait soigneusement
déposé les clés de la Bentley, en évidence sur le buf-

fet. Simon, qui a quitté la villa sans bruit pour ne pas le réveiller, n'a pas eu de mal à les trouver. Touchant.

Burt s'assoit sur le lit, n'en finit pas de s'étirer. Son cerveau tortueux a toujours du mal à reprendre tout à fait conscience. Il finit par constater, avec un plaisir animal, qu'il n'a pas mal au crâne. Le scotch est bien passé, et l'athlète tatoué se sent en pleine forme. Une soirée cool s'annonce. Quelques mouvements habituels de gymnastique, sa première douche de la journée – celle-là, il la prend au maximum de la force du jet –, un *espresso*, et il enfourchera la Kawasaki pour aller restituer à la boutique de Malibu les cassettes qu'il a louées voilà une semaine.

Simon est vraiment une parfaite maîtresse de maison, ce qui n'est pas étonnant quand on a le ventre en forme de margarine fondue et les fesses en gouttes d'huile. Dans la cuisine, les toasts sont prêts à être glissés dans le grille-pain, les saucisses et le beurre disposés sous la coupole de verre, entre le couteau et la fourchette. La tasse à bord doré attend le café parfumé, sous le verseur tamisé de la Caggia.

Le mécanisme d'ouverture du portail ronronne. Burt entend les battants se refermer. Une portière claque. La tasse de café brûlant à la main, il ouvre la porte du vestibule avant même que Simon n'y introduise la clé.

– Qu'est-ce qu'il t'arrive? Il n'est pas 8 heures, tu es malade?

Krametz, très pâle, pose ses lèvres sur le front de Burt, gagne le salon à pas lents, se laisse tomber sur le canapé. Parfaitement insensible à ce qui n'est pas l'argent, le muscle et la vidéo, Burt le regarde avec une moue de dédain.

– Si tu savais, chéri...

194

– Si tu savais quoi? Fais-moi plaisir, garde ton chéri pour toi!

– Ce qui m'arrive. Insensé, c'est insensé!

Burt Field, les yeux au ciel, la tasse dans le creux de sa main gauche, gronde, avec l'autorité d'un père :

– Tu le dis, bon Dieu, ce qui te met dans cet état?

Simon se soulève pour agripper le bras de l'athlète.

– Ingrid est morte!

Il sort sa pochette, fâcheusement assortie à sa cravate, essuie ses yeux.

Burt le considère dédaigneusement.

– Arrête de chialer comme une gonzesse, merde! Elle est morte où, quand, comment, ton Ingrid?

Krametz, entre deux reniflements, essaie de s'expliquer. Il hoquette, puis se reprend, sous le regard impitoyable de Burt :

– Hyde, le type de l'assurance, avait essayé de me joindre vers 11 heures. Je n'ai pu l'avoir qu'après déjeuner.

– Ce vieux con? C'est pas la première fois qu'il te fait chier. Quel rapport avec la pute de Larzac?

– Ne parle pas comme ça, Burt.

– C'est le type de l'assurance qui t'a appris sa mort?

– Il m'a expliqué que son corps avait été découvert ce matin au musée Getty, dans une Chrysler, que c'était un drôle de meurtre, et que la police penche pour un crime de rôdeur...

– Tiens donc! Elle foutait quoi, à bord d'une Chrysler dans ce musée pour snobinards, cette conne?

Simon Krametz s'éponge maintenant le front.

– Donne-moi ta pochette, dit Burt. C'est une serpillière.

195

Il fourre le carré d'étoffe dans la tasse à café, va poser le tout sur la table de marbre façon Knoll. Simon l'accompagne du regard.

— Ça n'a pas l'air de te faire grand-chose, émet-il.

— Tu ne voudrais pas que je porte le deuil de cette salope, quand même?

— Chéri... Tu pourrais...

— Aller à son enterrement? Bonne idée. On ira ensemble, si tu veux. Tu paieras la couronne. Une grande, une belle... Et moi, je jouerai les pleureuses. Tu me fais rigoler, tiens! Une tante qui pleurniche sur une pute!

— Ce n'était pas...

— Parce que tu crois que c'est en jouant du piano qu'elle a ramassé un magot pareil? Sans jeu de mots, à propos de piano, elle a su jouer de la pédale, elle! Cette pédale de Julien de Larzac de mon cul! Elle l'a ponctionné au maximum, le vieux. Pas comme toi...

— Je t'en prie, Burt. Elle n'avait jamais fait de mal à personne, Ingrid. J'ai de la peine, voilà!

— Et comment elle est morte, cette sauterelle?

— Chéri...

— Il n'y a pas de chéri! Étranglée? Poignardée? Flinguée? Violée, ou pas? Quoiqu'elle n'était pas à ça près!

Le décor du salon passe, flou, panoramique tournant devant les yeux embués de larmes de Simon. Bizarrement, il s'arrête une seconde sur un détail. Jamais il ne s'était rendu compte que le mobilier était à ce point hétéroclite. La voix de Field le ramène à la réalité.

— Elle a été liquidée comment, cette pétasse, je te demande?

— Une balle dans la tête, à son volant. On n'a retrouvé ni son sac ni ses papiers. Les journalistes

196

étaient là, dès qu'ils sont su... Deux morts coup sur coup chez les Larzac, ça va faire du bruit!

Burt se laisse tomber sur le canapé près de Simon, se frappe les cuisses, éclatant d'un rire qui résonne dans la maison comme un coup de tonnerre.

– De quoi te plains-tu! C'est un coup terrible de pub, non! Surtout à la télé! Toutes les nanas vont faire craquer les murs de ta boutique! Tu vas en avoir des mamours, c'est moi qui te le dis. « Simon Krametz, le nouveau propriétaire de la célèbre firme *De Larzac Magic Style*, l'héritier plein aux as de feu Pierre Julien de Larzac, vous invite à assister au défilé de sa nouvelle collection. » Tu vois le travail? Simon Krametz, la coqueluche de Beverly Hills! Simon riche, immensément riche... Et qui pleure sur son sort, encore! Si jamais on arrête l'assassin, tu pourras lui payer des avocats de luxe, à ce mec. Même lui filer une prime. Viens, un bon coup de gnole te remontera le moral!

Burt bondit du canapé, file jusqu'au bar prendre une bouteille, revient en pas de valse vers Simon qui a fermé les yeux, éperdu.

– Réveille-toi, bonhomme! Bois! Fais comme moi, pas besoin de verre.

Les paupières de Krametz se soulèvent.

– Moi, si. Tu es rentré tard, cette nuit. Quelle heure, à peu près?

Burt est retourné au faux bar Louis XIII, rapporte deux verres de cristal qu'il emplit à moitié avec un soin protocolaire.

– Ça y est. Ta manie de poser des questions te reprend. Je ne sais pas, à quelle heure. Une, une et quart, peut-être.

– Un peu plus, Burt. Je me suis couché vers 2 heures.

– Bon, disons 2 heures et demie, ça te va?

– Tu étais à l'Homo avec ton inséparable James?

– Où veux-tu que j'aille? Tu serais venu, au lieu de pantoufler comme d'habitude dans ta baraque, ça t'aurait changé les idées. Tu vieillis, Simon, dans ton trou... Il y avait une sacrée ambiance. J'ai même dansé à poil! La seule emmerde, c'est qu'à la sortie, j'ai trouvé une contredanse sur ta Bentley... Au fait, tu pourrais peut-être la faire sauter, toi qui passes ton temps avec les flics! J'ai l'habitude de la moto, alors je n'ai pas vu que je bloquais un truc de pompiers.

Il achève son verre de whisky, le remplit, regarde Simon droit dans les yeux.

– Je vais te dire un truc, Simon. La contredanse, on s'en fout. Mais l'élimination de la pute, c'est quand même une bonne chose. C'est pas ton avis?

Simon, qui n'avait pas encore bu, vide son verre d'un trait, le tend à Burt pour qu'il le resserve. C'est comme si, quelques secondes, il se reprenait. Sa voix grêle grince au plus fort:

– Ne dis pas n'importe quoi. Je l'aimais bien, Ingrid. Et c'était la femme de Pierre.

Une fois de plus, l'énorme rire de Burt explose.

– La femme de Pierre! Elle n'en voulait qu'à son fric, cette salope, et elle a réussi à lui mettre le grappin dessus. Le pognon, maintenant, c'est toi qui l'as! Sors le nez de ton verre et fais-moi un sourire. Je le mérite.

– Ce n'est pas le moment...

– Pas le moment? Tu rigoles! Si, c'est le moment! Une seule balle dans la tronche de la pétasse, et tu ramasses tout: le magasin, les assurances, la villa! Tu remplaces Larzac dans les banques de Californie et d'ailleurs! Les dieux sont avec toi! Et tu dis encore que ce n'est pas le moment?

– Tu es ignoble, Burt...

– C'est toi qui me dis ça? Toi qui n'as jamais pensé qu'au fric, le fric, toujours le fric? Tu devrais nager dans le bonheur aujourd'hui. Au lieu de ça, tu fais la fine bouche, tu joues les éplorés. Eh bien, tes comptes, tu les gardes. Tu peux te les mettre où je pense. Je m'en fous. Sois heureux avec tes chiffres et avec les minets que tu pourras récolter.

– Qu'est-ce que tu veux dire, chéri? Tu n'es pas heureux?

– Avec toi, non.

– Ce n'est pas possible...

– C'est comme ça. Tu m'emmerdes, Simon Krametz. Tu m'emmerdes avec tes questions, avec ton attitude. Tu me prends pour un môme qu'on guide par la main. Et moi, je m'emmerde ici, entre les murs de ton domaine riquiqui dont tu es si fier : quand je plonge dans la piscine, j'ai l'impression que je vais me fracasser le crâne sur le rebord d'en face! Non, ça ne va pas, Simon. Toi qui es loin d'être con, tu aurais dû le sentir. J'ai décidé de foutre le camp.

Simon se lève, va poser lentement son verre sur la table, marche jusqu'à la baie, se retourne. Sa voix se fait doucereuse.

– Burt?

– Quoi encore?

– Avec qui étais-tu, pour rentrer si tard?

– Tu vois bien que tu ne sais qu'espionner. Bois un autre verre.

– Réponds-moi!

– Je n'ai rien à répondre si tu m'as entendu arriver! Tu aurais mieux fait de dormir. J'ai mille fois raisons d'en avoir ma claque. La permission pour aller pisser, j'ai déjà connu, merci. Pas la peine de nous engueuler, l'amour c'est fini. Fini, tu comprends?

Simon reste sans voix. La tête lui tourne. Le whisky n'y est pour rien. Il sent que sa vie s'écroule comme un château de cartes balayé par une main dédaigneuse. « Si j'avais le moindre orgueil, se dit-il, je mettrais cet homme à la porte. »

Il se tait. Burt pose ses grosses pattes sur ses épaules, le domine de sa taille, l'écrase de son poids.

– Fini, Simon. Je me tire! J'en ai par-dessus le crâne. Tu n'as pas encore compris, depuis que je te le répète? Un mec comme moi, pour toi, c'est un poids lourd, qui ne pense que moto, vidéo et photo. Trouve-toi un autre pigeon, si tu sais le faire roucouler. Un pigeon que tu pourras espionner vingt-quatre heures sur vingt-quatre! Le fric, je m'en balance. Ce que je veux, c'est la liberté. La LIBERTÉ, c'est clair?

Il repousse Simon, se dirige vers la salle de bains.

– C'est l'heure de ma deuxième douche. Tu me fous la paix, maintenant.

Il ôte son slip, le jette au visage de Simon qui balbutie :

– Burt...

– Il t'emmerde, Burt! Tu vas encore lui demander si l'eau est chaude, tiède ou froide... S'il ne risque pas de glisser sur la savonnette...

– Sois raisonnable, Burt. Tu me fais une scène pour rien, alors que je suis en plein désarroi.

– Tu le seras encore plus quand je ferai mes valises. Tu entends, Simon Krametz, mes valises! Je vais pouvoir enfin prendre mon pied. La Kawa, ton fric, je te laisse tout ça. Je me barre. Les lamentations, les recommandations d'un papa gâteux, ras le bol!

Il se penche au-dessus de la baignoire, ajuste le volume de l'eau chaude et celui de l'eau froide jusqu'à ce qu'il obtienne la température convenable.

Son corps nu se reflète dans la glace immense et biseautée contre laquelle est appuyé le double lavabo de porcelaine rose.

— Burt...

— Il n'y a plus de Burt. Il se casse, ton « chéri », tu comprends? Il se casse!

— Tu dis des bêtises...

— Tu parles! Ça fait un moment que j'aurais dû me tirer. Eh bien, c'est aujourd'hui. Australie, Nouvelle-Zélande, n'importe où pour ne plus voir ta gueule! En attendant, je prends ma douche.

Simon, étrangement calme, pose sa main sur l'épaule tatouée de son amant.

— Je pars avec toi.

Burt s'immobilise, stupéfait.

— Qu'est-ce que tu déconnes?

— Je pars avec toi. Je t'aime. Je ne te quitterai pas. Tu vas au bout du monde, j'y vais aussi.

— Tu deviens dingue, ma parole. Complètement dingue. Si je me tire, c'est pour ne plus voir ta sale gueule de pleureur.... Qu'est-ce tu veux de plus? Tu hérites d'un des plus beaux magots de la Californie. Sois heureux, merde. Et bon vent.

— Non, Burt. Je ne peux pas être heureux sans toi. Je vais tout mettre en gérance. Dès que j'ai touché l'argent, on s'en va. Tous les deux. Où tu veux.

Burt enjambe la baignoire, ouvre tout grand les robinets, soupire d'aise, commence à se savonner, puis crie, pour couvrir le vacarme de la cataracte :

— C'est sûr, ce que tu viens de dire?

— Sûr.

— Deux minutes.

Burt coupe l'eau, endosse un peignoir, sans même s'essuyer, éclate de rire. Il paraît immense dans la glace. Simon frissonne à la pensée de ce corps d'athlète contre le sien.

– Qu'est-ce qui te prend? demande-t-il. Qu'est-ce qui t'amuse comme ça?

– Toi, pauvre con! Tu as cru une seconde que j'allais te plaquer alors que tu vas toucher tout ce fric? D'ailleurs, il ne faudra pas que ça traîne trop. Il y aura même intérêt à ce qu'on se fasse la malle au plus tôt...

– Tous les deux?

– Bien sûr, tous les deux. Vers un pays où personne ne viendra nous emmerder. Personne. Même pas les flics...

– Vrai?

– Vrai, pauvre pomme! Tu crois que je me serais mouillé s'il n'y avait pas eu tout ce pognon à la clé?

Simon, planté devant son amant dont la peau bronzée scintille de gouttelettes, se sent soudain mal à l'aise. Les paroles de Burt qui devraient le combler de bonheur, lui paraissent tout à coup équivoques. Il hésite, puis :

– Mouillé comment?

– En butant la fille, pardi! J'ai su profiter du moment.

Pris de vertige, Simon sent qu'il va s'évanouir. Il se penche sur Burt, s'accroche au bras du fauteuil, balbutie :

– C'est toi qui as...

– Et alors? C'était le seul moyen pour que tu hérites, non? Tu m'en as assez parlé du testament Larzac! Plus de problème, maintenant. Ça valait le coup de faire un effort pour avoir la vie devant nous, tous les deux, tu ne crois pas?

Simon s'écarte du fauteuil, détourne les yeux de la face narquoise de Burt, qui hausse le ton.

– Tu pourrais au moins me remercier, mon petit Simon.

202

– Ce n'est pas possible. Je rêve, Burt! Tu te rends compte! Si on t'a vu...

– Ta gueule, bébé. On ne m'a pas vu. Ça fait cinq jours que je la file en moto, guettant le moment propice. Au musée, elle était seule. Je l'ai flinguée au silencieux. Plouf, pas un bruit. Je me suis glissé dans sa Chrysler, j'ai fait basculer le corps de la fille à l'arrière. Tout ça en moins de trente secondes. J'ai fermé la tire avec ses clés. La nuit dernière, je suis revenu sur le parking finir le travail. Rien n'avait bougé. Faut dire que j'avais collé sur le pare-brise un beau panneau « en panne » fauché chez un garagiste, il y a un bout de temps. J'ai piqué le sac, les papiers, et j'ai viré le flingue dans la flotte, à Malibu... Voilà, tu sais tout, tu es content?

– Le sac, les papiers, les empreintes...

– Les gants de chirurgien, c'est fait pour quoi d'après toi? Pour les chiens? Le sac, il est enterré là où personne n'ira gratter. Sur les hauteurs de Kanan Road. Les papiers? Déchirés, envolés au cours de ma virée nocturne... J'ai fait l'essentiel. Tu n'as plus qu'à ramasser le blé. Tiens, sers-nous un coup de Chivas.

Simon, blême, se lève comme un automate, va remplir les verres. Sa main tremble. Le liquide se répand sur la table.

– Pas grave, dit Burt. On pourra bientôt s'en offrir des caisses.

– L'arme, tu l'avais prise où?

– Chez toi, à Longwood. C'était ton pistolet. Tu n'aurais jamais été foutu de t'en servir de ce flingue qui trouvait le temps long dans la boîte à chaussures de ta garçonnière! Il était en plein cirage!

– Ne plaisante pas, Burt. Le silencieux?

– Je l'avais acheté sur Kenwood, d'occase, à un Black. Trois dollars, une affaire. Ça ne valait pas le coup de s'en priver.

14

La Ford du L.A.P.D. remonte lentement Longwood. Leslie Brown, au volant, déchiffre les numéros inscrits en noir sur les rectangles blancs du trottoir. Elle arrête la voiture devant le 2807, la gare
contre la bordure de ciment, se tourne vers moi :

– Vous êtes sûr que cela ne risque rien?

– On n'est jamais sûr de rien, mais je veux en
avoir le cœur net. Il est 9 heures moins dix. La rouquine ne devrait pas tarder à déguerpir. C'est plutôt
cocasse, ce que vous avez appris sur elle... Mais au
fond, cela ne m'étonne pas.

Comme en France, où chacun d'entre nous a son
pedigree soigneusement mis en fiche pour parer à
toute éventualité, les archives du L.A.P.D. sont très
complètes, et Leslie y a trouvé le dossier de Gladys
Brighton. L'administration, toujours prudente, sait
que l'inoffensif d'aujourd'hui peut devenir le crimi-
nel de demain. Les services des Renseignements
généraux sont là pour faire éventuellement surgir un
passé perdu dans le labyrinthe poussiéreux des
fichiers.

Le dossier de Gladys ne contient rien de bien
méchant. La veuve est simplement atteinte du virus

de la curiosité comme d'autres sont victimes de la maladie de la persécution. Elle a fait l'objet de deux plaintes émanant de locataires de son immeuble pour avoir décacheté et lu de la correspondance qui ne lui était pas adressée, et s'être introduite dans un appartement dont la porte était malencontreusement restée ouverte. Au policier qui l'interrogeait, elle a expliqué qu'elle s'ennuyait depuis la mort de ce pauvre Kirk. Ses larmes ont ému les plaignants, qui ont décidé de ne pas la poursuivre. Deux affaires d'autant plus vite classées que Gladys avait à cette occasion manifesté sa vocation d'indicatrice auprès de la station de police du quartier. Son passe-temps favori : s'accouder à la barre d'appui de sa fenêtre, et se repaître du spectacle de la rue, dont elle ne semble pas devoir se rassasier.

Nous n'avons pas patienté plus de dix minutes. La Toyota Camry blanche postée devant l'immeuble a emporté Gladys la rousse et sa copine, une petite brune au nez en trompette, vers leur centre d'achats. Je mets pied à terre. Le visage de Leslie passe par toutes les nuances de l'inquiétude.

— Rassurez-vous, dis-je, ça ne risque rien. En cas de pépin, vous intervenez et vous m'arrêtez... D'accord ?

Elle n'a aucune envie de sourire. Elle se contente de cligner les yeux. Il faut dire qu'elle n'était pas chaude, la veille au soir, lorsque je lui ai expliqué mon plan de bataille.

— C'est illégal, ce que vous voulez faire ! Vous vous rendez compte, si on vous surprend !

— La veuve m'a assuré qu'il n'y avait jamais personne avant l'après-midi. En plus, une moto, je l'entendrai arriver...

Le couloir de l'immeuble est désert. Je fais quelques pas en direction de l'ascenseur, referme les portes sur moi, m'élève jusqu'au quatrième. J'ai pris l'habitude, avant de foncer plus avant, de toujours repérer les lieux où je me trouve, appliquant la méthode que mon patron m'avait jadis enseignée. « N'ouvrez jamais une porte que vous ne pourriez refermer. » Il est bon de voir à quoi ressemblent les sorties de secours de ce palace de catégorie plus qu'inférieure. Un escalier de béton, derrière la porte de service, conduit au cinquième étage. Je le prends. Là encore, le couloir est désert, mais un ronronnement d'aspirateur, en provenance du fond, m'avertit d'un danger possible.

Le compteur électrique est à hauteur d'homme. Mes doigts qui se promènent derrière son support rencontrent une ficelle que je tire vers le haut. La clé s'y trouve attachée. Je dénoue le nœud, m'empare de la clé que j'introduis dans la serrure. Bien que protégé par le bruit de l'aspirateur, je retiens mon souffle en tournant la poignée. J'ouvre doucement. La lumière provenant de la baie illumine le logement. J'ai l'impression qu'un projecteur est braqué sur moi. Je pénètre dans la pièce.

L'aspirateur devenu assourdissant s'arrête sans crier gare. Je referme la porte. Le mobilier m'apparaît plus que sommaire. Devant la fenêtre, une table ressemble à un établi d'électricien. Des outils, pinces, tournevis, fer à souder, voisinent avec des bandes magnétiques extraites de cassettes vidéo. Un appareil de radio gît, carcasse ouverte, sur une carte plastifiée au nom de Field Burt, membre du Homo Club. A la place de la photo d'identité, le jeune homme a collé un cliché qui le représente, éclatant de vie et de santé, juché sur une grosse Kawasaki.

Sur un divan, des torchons portent les traces de doigts graisseux. Une commode de bois vernis supporte un appareil de télévision relié à un magnétoscope usagé. J'ouvre les tiroirs, l'un après l'autre, pour n'y dénicher que quelques slips, deux pullovers, des chemisettes. Désabusé, je les referme. Ce n'est pas dans cet atelier-gourbi que je ferai fortune. Sur le lit, une guitare dont une corde est cassée. Au mur, des photographies de Prince et Michael Jackson.

Un coffret sur la table de nuit n'offre rien d'intéressant : des boutons de manchettes dépareillés en métal blanc, une paire de ciseaux à ongles. Je suis déjà persuadé que l'inspection de l'armoire, contre le mur du cabinet de toilette, n'aura pas de meilleur résultat. Quelques pantalons et vestes suspendus au-dessus de plusieurs paires de chaussures, c'est tout. Je referme les portes. Simon Krametz ne doit pas être homme à laisser traîner des preuves compromettantes dans son appartement officiel.

Résigné, dépité, je n'ai plus qu'à m'éclipser. Elle n'aura pas duré longtemps, mon opération pirate! Un coup d'œil dans la salle d'eau, un autre dans la cuisine par acquit de conscience et je rejoindrai Leslie qui doit se faire un sang d'encre à attendre la fin de la visite. Dans l'entrée, une poche fourre-tout, en tissu, attire mon regard. Un réflexe : ma main farfouille le fond de la poche. Rien qu'un papier froissé que j'extirpe, de couleur bleue, semblable à une sommation d'huissier. En réalité, il s'agit d'une facture à en-tête de Maxwirth and Rettor, 24035 Washington Boulevard, Culver City, California 90232. Client : M. Simon Krametz, Longwood Street, Los Angeles. Je lis : 1 Each SW 103742 S&W 640 38 SPL – 379 $ Each – Sérial BNN 9152 – 1 Pkg HSM38LSWC158 –

HSM 38 SPM – 158 Gr LSWC 16,95 Pkg. De l'hébreu! Je note mentalement l'adresse, remets le papier en place, ouvre la porte. Je sonde le couloir, donne un tour de clé, glisse le précieux objet au bout de sa ficelle derrière le compteur. Il était temps! Un jeune homme malingre sort du logement 50 et je ne peux m'empêcher de penser à la réflexion de Gladys la flamboyante : c'est le gringalet qui couine comme un goret quand... Une poubelle à la main, il se dirige sans prêter attention à ma présence vers le vide-ordures, au bout du couloir.

L'ascenseur me ramène à l'air libre. Tandis que je m'achemine vers Leslie, je m'arrête net, figé par une idée soudaine. Les lettres et les numéros que j'ai lus sur la facture S&W 38 SPL ne signifieraient-ils pas Smith et Wesson calibre 38 spécial? Pkg 158 Gr un paquet de balles de 1,58 gramme chacune?

— Maxwirth and Rettor, me confie Leslie Brown alors que la Ford démarre en direction de San Vicente, c'est une grosse armurerie de Washington Boulevard. Vous croyez qu'il s'agit de l'arme qui a tué Ingrid Palding?

— Et si on allait le vérifier?

Il y a des vedettes dans le club plutôt sinistre des champions de l'autopsie, comme parmi les grands chirurgiens. Franklin Hendrix est l'un de ces rois du scalpel, de la scie et du ciseau à décapsuler les crânes. La précision et la concision de ses rapports sont à la hauteur de sa dextérité. Aucune de ses expertises n'a jamais été contestée.

La taille du maître ès découpages est inversement proportionnelle à son talent. Curieux personnage, ce docteur Hendrix. Des cheveux grisonnants se rebellent au-dessus de ses rides de sexagénaire hâlé par le golf, son hobby, son seul luxe. L'œil bleu pétille derrière le lorgnon qu'une pince à ressort maintient sans peine sur le nez imposant. Le docteur, qui n'a pas les revenus de ses confrères au bistouri d'or des cliniques huppées, s'habille en prêt-à-porter dans le plus pur style passe-partout : costume ardoise, chemise blanche à col amidonné, chaussettes et chaussures noires. Seuls le nœud papillon à fleurettes bleues et blanches et le fil rouge d'une décoration à la boutonnière apportent à l'ensemble une note de couleur.

Bientôt 11 heures. Je me morfonds sur un banc, au bout du vestibule de l'institut médico-légal carrelé de faïence blanche du sol au plafond, d'un gris sale. Seul, j'attends les conclusions de l'homme de l'art. Leslie n'est pas restée. J'ai eu l'impression que, après notre escapade matinale à Longwood Street, elle avait hâte de regagner son commissariat. Dans une odeur de formol qui me donne l'impression d'être dans un bocal, le crissement de la lame de scie sur un os récalcitrant ou le glouglou de l'eau dans la rigole d'évacuation percent par moments le silence oppressant.

J'ai eu le plus grand mal à m'insérer dans l'emploi du temps du professeur. L'intervention en ma faveur de Leslie Brown, puis de l'adjoint du commandant Moss, n'avait pas été appréciée par l'osseuse créature du secrétariat dont l'œil ne quitte pas l'écran de l'ordinateur.

– Le médecin-chef ne reçoit personne.

– J'en doute.

– Si vous vous en doutez, pourquoi venez-vous le déranger, alors ?

– Je n'ai pas dit « je m'en doute », j'ai dit « j'en doute ». Pour la bonne raison qu'il a donné son feu

210

vert. Donc, je doute qu'il ne veuille pas me recevoir. Demandez-lui, vous verrez. Je viens de Paris tout exprès.

Le sourcil charbonneux se fronce. La surprise et l'incrédulité se disputent le faciès chevalin.

– Je ne peux pas le déranger maintenant. Il est en opération...

– Je sais. Il autopsie une femme qu'on a trouvée ce matin au musée Getty. J'attendrai !

L'impraticable jument se demande si elle ne rêve pas. Elle me dévisage avec insistance, fait pivoter sa chaise à vis hélicoïdale, se lève. Ses jambes, orphelines de mollets, l'entraînent vers la porte à double battant, assez large pour laisser passer les chariots. Dix secondes suffisent pour que l'échalas réapparaisse.

– Le professeur va vous recevoir...

– Merci... Vous voyez ce que je vous disais !

Elle ne se tient pas pour battue, la garce :

– Oui mais c'est exceptionnel. Il ne faudrait pas que ça devienne une habitude.

– Soyez tranquille, miss. Moins je fréquente ce genre d'endroit, mieux je me porte.

Une lueur meurtrière anime quelque peu son regard. Elle retrouve son siège pivotant dans le froissement de la blouse qui n'a manifestement pas grand-chose à couvrir, se replonge dans l'examen d'un savant cafouillis de statistiques vertes sur fond noir.

Les minutes s'allongent de plus en plus, tandis que s'éternise l'extase de la créature devant le cadran bariolé. De temps en temps, une pression, sur une touche, de l'index à l'ongle rongé, modifie l'ordonnancement. Puis la contemplation recommence, jusqu'à un nouvel orgasme.

Une sonnerie grêle arrache enfin la haridelle à son plaisir. Elle exhale un soupir avant de quitter une fois de plus son porte-fesses tournant et de propulser son squelette vers une porte capitonnée. Elle s'efface à peine, vu sa faible épaisseur, pour m'abandonner dans l'antre du chef de service.

Le plafond du cabinet d'Hendrix est aussi crasseux que celui de la salle d'attente. Là non plus, le décor n'a pas ruiné le contribuable. Une carte du *great* Los Angeles recouvre le mur du fond, derrière un bureau vierge de documents. Des panneaux de dissections détaillées sont suspendus au mur de gauche, face à l'immense baie dont les vitres coulissantes sont occultées par un épais badigeon blanc. Sur une étagère, à droite de la porte, des rangées de livres présentent leurs reliures craquelées. Derrière le bureau, un siège en métal chromé. Devant, une chaise identique, mais sans accoudoirs, que la main du maître me désigne.

— Je vous en prie.

Son accent m'évoque l'Europe centrale. Je suis venu poser des questions, et c'est moi qui ai l'impression d'avoir un interrogatoire à subir. Je sens que je n'ai pas intérêt à m'éterniser en explications oiseuses. Baker m'avait prévenu. L'accueil réservé, le ton autoritaire du toubib confirment son diagnostic. J'ai vite compris. Surtout quand il a redressé son nœud papillon qui battait de l'aile et haussé le ton :

— Je suis choqué qu'un service de police m'impose un visiteur, un ancien flic, peut-être, mais un étranger ! Vous direz à mademoiselle le sergent Brown que la déontologie interdit de fournir une quelconque indication médicale à toute personne autre que le *district attorney*. Elle devrait le savoir.

Ben voyons! Ce n'est pas la première fois qu'un toubib, imbu de ses prérogatives, refusera de me livrer des informations relevant du secret médical. L'exhibition d'une plaque de police ne réussit pas toujours à faire émerger l'homme de science de son mutisme. Le docteur Hendrix ne va pas enfreindre la règle. Je me doute déjà qu'il ne sortira pas grand-chose de notre entretien à sens unique. Et je me prends à plaindre la pauvre Mme Hendrix, qui ne doit pas être à la fête tous les jours avec un tel mari. Je comprends aussi l'humeur revêche de la secrétaire fil de fer. Le grand patron a intoxiqué l'employée.

C'est parce que j'aime que les choses aillent vite que j'ai forcé la main de l'adorable sergent Leslie. Je ne voudrais pas, pour autant, que la rancune de l'équarrisseur se retourne contre elle, suite à son intervention. Mais, si je veux flairer la trace du meurtrier, il me faut l'heure exacte de la mort et les conditions dans lesquelles le coup de feu a été tiré. Donc, du calme, du sang-froid et un minimum de diplomatie face au nœud papillon doué d'une fantaisie qui fait défaut à son maître.

– Je comprends, monsieur le professeur, dis-je avec une humilité propre à endiguer son courroux. Je regrette d'avoir insisté auprès du sergent Brown et du commandant Moss. En France...

– Je ne sais pas comment cela se passe en France, mais ici, cela ne se fait pas.

Ce n'est pas un seul pot de peinture mais dix que le fou de Mulholland aurait dû balancer dans les portières de ce grincheux qui enchaîne :

– Il est vrai que le sergent Brown est jeune dans le métier, mais quand même! Il faut qu'elle apprenne à réfléchir. Quant à moi, tout ce que je peux vous dire, et que vous devez savoir puisque vous étiez sur les lieux, c'est qu'il s'agit d'un meurtre par balle, tirée à bout touchant. Cela laisse supposer que la glace de la conductrice était baissée lorsque la balle a frappé la tempe gauche, dans la direction haut-bas et gauche-droite. Vous en déduisez ce que vous voulez.

Je ne mets pas une heure à réaliser. Premier point : si Ingrid Palding a été mortellement blessée à la tempe gauche, c'est qu'elle n'a pas vu surgir l'assassin. Elle était donc au volant, la face tournée vers le capot. Sinon, la balle l'aurait frappée au front ou dans la nuque. Deuxième point : la direction du haut vers le bas indique que le projectile a suivi une ligne oblique, donc que l'arme était surélevée par rapport à la tête de la victime. Troisième point : le trajet gauche-droite fait entrevoir un tir de gaucher ou celui d'une arme tenue dans la main gauche, sinon la balle serait passée de la droite vers la gauche et aurait vraisemblablement percuté le pare-brise ou le tableau de bord. Les hommes de l'identité judiciaire ont récupéré la balle dans le coussin droit de la banquette arrière, en même temps qu'une douille éjectée à un mètre du coffre de la voiture. L'expertise est en cours.

– Cela vous suffit ?

Je murmure un « merci, monsieur le professeur », qui semble adoucir son attitude hostile. Je retiens que la glace était ouverte. Donc, nul besoin de clé pour ouvrir la portière. La clé, l'assassin s'en est servi pour verrouiller la voiture, une fois le meurtre perpétré. Je retiens aussi que le (ou la) coupable est de taille assez haute, vu la garde au sol de la Chrysler, et peut-être gaucher.

Il me vient une question qui ne va pas manquer d'indisposer le toubib, mais tant pis :

– Pierre Julien de Larzac, le concubin de Mme Palding, est décédé lui aussi dans des conditions mystérieuses, lors des événements de mars. Or, le sergent Brown n'a jamais reçu le rapport d'autopsie...

L'explosion attendue ne se produit pas. C'est un soupir de lassitude qu'exhale le médecin-chef.

– Si les services du *district* n'ont pas fait leur travail, je n'y peux rien, dit-il, quittant son fauteuil. Mes conclusions ont été dictées, dactylographiées, et j'ai signé le rapport. La *Police Station* de Culver City en a bien eu connaissance puisqu'un officier m'a téléphoné au sujet de deux Blacks qu'il avait arrêtés. Je me rappelle parfaitement que la balle avait été retrouvée dans le pariétal du *de cujus*. Du 9 mm, qui avait traversé le frontal. Tirée d'assez loin, d'où force de pénétration moindre. Avec ou sans silencieux, je ne puis me prononcer. Pour la femme, c'est clair : la projection de la poudre a incrusté dans la peau des parcelles sulfureuses, plus groupées quand on emploie un silencieux, ce qui est le cas. Voilà. Merci pour votre visite.

Ça pue le varech tout au long de la côte. A mesure qu'il s'en approche, Colson perçoit les cris assourdissants des mouettes. Le brouillard matinal s'est depuis longtemps dissipé et la brise de mer dépose sur sa peau noire et ridée une pellicule salée.

Colson traverse à vive allure la Coast Highway où la circulation est encore fluide. Ses épaules se dandinent au rythme de ses pas. De larges auréoles de sueur tachent une veste kaki dont les surplus américains se sont débarrassés à la fin de la guerre du Viêt-nam. Une corde tressée la cintre à hauteur de la taille. Les jambes de son jean, trop courtes et effrangées, découvrent des chaussures dépareillées, l'une jaune à tige, l'autre noire et basse. Mais le plus curieux de tout, c'est assurément le Caddie qui déborde d'objets hétéroclites surmontés du drapeau américain et qu'il pousse à une cadence infernale sur le trottoir mi-macadamisé, mi-sablonneux vers le bâtiment de la California Highway Patrol.

Ce n'est pas la première fois que le géant Colson à la tignasse blanche met les pieds dans l'antre du sergent Broziack. Il l'a souvent fréquenté, ce lieu inquiétant et mystérieux. Contre son gré, bien sûr, lorsque ses excentricités ont mis à cran les officiers de patrouille sur Mulholland. Cela n'a pas eu le don de l'assagir. Ce matin, alors que l'aube était encore indécise, Colson a quitté sa base favorite et dévalé à tombeau ouvert les lacets caillouteux de Kanan Road. Pour l'ancien combattant qu'il est, décoré sur le front des troupes, le but qu'il s'est fixé aujourd'hui est sacré.

Les roues du Caddie, mal graissées, émettent des sons plaintifs. Colson n'en a cure. Quand l'une d'elles se bloque, il fait pivoter le Caddie sans interrompre sa marche. Il le tire au lieu de le pousser. De temps à autre, il s'éponge le front d'un revers de manche, crache de côté un jet de salive, poursuit sa marche balancée.

Les pilotis du *beach* dépassés, Colson découvre avec satisfaction le bâtiment dont la façade de briques rouges ouvre de plain-pied sur un parking où stationne une dizaine de voitures blanches à capot et coffre noirs. Avec précaution, il gare le Caddie entre deux véhicules, extrait de son capharnaüm une chaîne de bicyclette dont il se sert pour relier le guidon du panier roulant au poteau d'interdiction de stationnement à droite de la porte d'entrée au vasistas grillagé. D'un pas assuré, il escalade les marches du perron, franchit, menton relevé, le seuil du poste de police.

Pour lui, la solution du mystère est là, derrière le factionnaire qui triture la prise de courant d'une bouilloire électrique.

– Qu'est-ce que tu viens foutre ici, toi, à cette heure?

Colson s'attendait à un accueil plus chaleureux. Il marque un pas de recul devant la barrière qui coupe la salle en deux avant qu'un ressort le propulse vers le comptoir où le planton, dérangé dans son travail, lui lance un regard courroucé.

– Je viens dire deux mots au chef.

– Lequel de chef? Il y a plein de chefs ici. Qu'est-ce que tu as à lui raconter, au chef?

Colson se dandine sur un pied.

– C'est secret. Faut que je lui parle. Celui qui était au Viêt-nam et qui m'appelle sac de charbon.

L'insigne de l'agent accroché au col de la chemise étincelle dans le soleil naissant lorsqu'il se tourne vers le fond de la pièce.

– Un client pour vous, Broziack. Colson le siphonné.

La gorge sèche, le Noir guette l'apparition de l'officier. Sa langue passe sur ses lèvres à deux reprises. Il a envie de prendre la fuite. La façon dont on le reçoit lui déplaît. Qu'est-ce que ça peut faire à cet avorton s'il ne veut parler qu'à Broziack? Puisque sa démarche ne l'intéresse pas, il va regagner Mulholland, un bon bout de chemin à refaire, mais tant pis. Il a tort de se mêler d'une affaire qui ne le regarde pas. A nouveau, il passe la langue sur les lèvres, jette un regard vers la porte.

– Ça ne fait rien, s'il ne veut pas me recevoir,

dit-il. Ce que j'avais à lui dire n'est pas important. Je repasserai.

Il fait demi-tour, s'apprête à ouvrir la porte lorsque la voix puissante de Broziack le cloue sur place.

— Toi, là-bas, le sac de charbon, paraît que tu veux me voir? Qu'est-ce que t'as encore fait comme connerie?

Colson exécute un mouvement tournant. Son œil se pose sur le gradé.

— Je voudrais vous parler en tête à tête, chef. Sous le sceau du secret militaire. Ça doit pouvoir vous intéresser. Le sac est dans ma poussette...

— Quel sac?

— Celui que le type a enterré!

Broziack fait contre mauvaise fortune bon cœur.

— Si tu es venu me faire perdre mon temps alors que j'ai un rapport à faire, je te garantis que tu vas poireauter au trou toute la matinée...

Il déverrouille le portillon de bois, désigne à Colson la porte vitrée de son bureau.

— Avance là-bas, en face. Et un conseil, ne recommence pas à me raconter ta guerre et tes séjours chez les dingues...

Le Noir demeure muet, debout devant la fenêtre grillagée de la pièce. Le ciel est maintenant éblouissant de lumière et, au loin, les vaguelettes du Pacifique miroitent sous le soleil comme autant d'yeux brillants d'un immense troupeau. Broziack s'assied sur l'angle de sa table, la jambe gauche dans le vide :

— Alors?

Colson se décide.

— Ben voilà, chef. J'ai tout vu.

— Tu as vu quoi?

— Tout. La bagnole et le type. J'ai même récupéré le sac. Il l'avait pourtant bien enterré.

– Explique-toi, bon Dieu! Quel type et quelle bagnole?

– Je peux pas dire, j'ai vu que ses pieds, entre les roues. Il y avait un peu de lune mais je pouvais pas me montrer...

Broziack, agacé, quitte la table, vient se poster devant Colson, le foudroie du regard.

– Tu es encore bon pour l'asile, mon pauvre vieux. On n'en finira donc jamais avec toi?

Du coin de l'œil, le Noir regarde les mains qui commencent à s'agiter.

– C'est pas des histoires, chef. Quand j'ai entendu la voiture, j'allais m'endormir sur mon pneumatique, derrière mon fourré. Comme à la guerre, vous vous souvenez?

Le sergent évite de répondre.

– ... D'habitude, les voitures passent vite sur Kanan Road, même que des fois je reçois des gravillons dans la gueule. Celle-là, elle roulait tout doucement, si doucement que j'ai bien cru qu'elle allait tomber en panne. Elle s'est arrêtée à dix mètres de moi. Je me suis soulevé sur un coude, et je n'ai pas respiré. La portière s'est ouverte. J'ai alors vu deux pieds qui descendaient sur la route. Un pneu avait dû crever. J'ai pensé ça quand le type a ouvert le coffre. Je m'étais gourré... A travers les feuilles, j'ai vu qu'il sortait une pelle et qu'il commençait à tâter la terre de l'autre côté de la route. De l'endroit où j'étais je ne voyais que ses pieds. Le métal de la pelle luisait sous la lune. Un moment, il s'est baissé, il a mis quelque chose dans le trou qu'il a rebouché. Ses chaussures ont dansé sur la terre pour la tasser. Il a remis l'outil dans le coffre qu'il a refermé doucement et il est remonté dans sa voiture. Il est parti. Moi, méfiant, je ne suis pas sorti tout de suite de ma cachette. J'ai bien fait parce que sa voiture a fait demi-tour un peu plus loin. J'ai fait ce que je faisais au Viêt-nam. Vous vous rappelez, chef? On ne sortait pas de son trou tant que ça canardait... Même qu'une fois, le lieutenant...

— Abrège, grogne Broziack. Tu n'es pas sorti et le type est parti... Après?

— Après, il est repassé. Mais cette fois, il avait allumé ses lumières. C'était une grosse voiture, très chic, jaune, il me semble... Une voiture de rupin. Il a repris la direction de Malibu... Ça m'a intrigué. Je suis allé voir ce qu'il avait pu fabriquer. La terre était toute molle. J'ai agrandi le trou avec ma cuiller et j'ai trouvé le sac. Vous voulez le voir?

— Bien sûr que je veux le voir. Et qu'est-ce qu'il y avait dedans, dans ce sac?

— Rien. Ça ne vous étonne pas, chef, qu'on vienne dans un coin perdu enterrer un sac dans lequel il n'y a rien? Moi ça m'a paru pas normal!

Broziack ne répond pas. Colson est un vieux fou, tout le monde le sait. Pourtant, ses explications ont l'air d'être censées... De plus, il apporte avec lui une pièce à conviction.

— Pas normal... non, c'est pas normal! Il était comment ton type? Grand? Petit? Gros?

— Difficile à dire, chef. La voiture le cachait et je n'ai vu que ses pieds et le bas de ses jambes entre les roues. Je ne pouvais pas me montrer, forcément. Mais quand elle est repassée, j'ai vu que la plaque arrière n'avait pas de numéro. C'était des lettres... Le tournant l'a absorbée.

Broziack soupire, puis, soupçonneux :

— Tu as l'habitude de voir défiler un tas de bagnoles, là-haut, et tu ne peux pas me dire ce que c'était comme marque? Tu n'étais pas bourré, j'espère?

– Bourré, chef! Moi! Je ne bois que quand...

– O.K., tu n'étais pas en service. Tu t'étais allongé, tu m'as dit...

– Ça ne m'a pas empêché de voir la voiture. A la forme, ça pourrait être une Anglaise comme une Rolls ou une Bentley. Je ne sais pas si ça a un rapport avec, mais quand je suis descendu vous apporter le sac, j'ai trouvé ça le long du fossé.

Colson fouille la poche de sa veste, en extirpe une carte plastifiée déchirée en zigzag. Des lettres DMV suivies des chiffres AR 15674... et Expire 04.11.19.. apparaissent dans la partie supérieure.

– Nom de Dieu, jure Broziack, c'était où, ça?

– Sur Kanan, chef. C'est quoi, à votre avis?

– Un permis de conduire déchiré, grand con. Fonce me chercher le sac. Moi, j'appelle tout de suite le commandant.

15

Les chaussées sont défoncées, les trottoirs inexistants, les embouteillages, à l'heure de la sortie des bureaux, inextricables. On s'étonne de voir s'élever au-dessus de ce tumulte apocalyptique les gratte-ciel à l'architecture futuriste qui abritent les services administratifs et judiciaires de la ville de Los Angeles et du comté. Pas de métro pour accéder au Civic Center. Rien qu'un bus à la cargaison miséreuse, dont le pot d'échappement abandonne aux piétons un nuage de fumée noire et nauséabonde. Le salut n'est que dans le taxi ou la voiture. J'ai casé la mienne dans un parcmètre à l'angle de Main Street et Temple Street, là où les *Vigilentes*, au temps de la ruée vers l'or, pratiquaient le lynchage systématique des Chinois et des Indiens. Je chemine entre des parallélépipèdes de béton qui découpent en lamelles le bleu du ciel. Un vacarme infernal de klaxons et de sirènes de police m'étourdit. Ma tête tournoie, prise du vertige du vertical.

Le building du département de la Justice est planté vers Broadway, dans un bouleversement de terrain qui semble résulter d'un tremblement de terre. Des taudis résistent encore aux assauts des excavatrices parmi des constructions modernes déjà achevées et occupées. Malgré les difficultés d'approche, le hall du majestueux bâtiment est une fourmilière. Les deux ascenseurs y emmagasinent employés et visiteurs de toutes couleurs, de toutes langues, de toutes tenues vestimentaires avant de les déverser dans les couloirs des juridictions centralisées entre ces murs surgis du chaos.

— Cela m'étonnerait que vous obteniez satisfaction, m'a dit Leslie Brown après que je lui eus rapporté ma conversation avec le docteur Hendrix. Les magistrats sont susceptibles. Vous risquez de vous faire sérieusement éconduire.

— Et le rapport de ce Broziack! dis-je en saisissant sur le rebord de son bureau une télécopie transmise par le commandant Moss. Son témoin a reconnu une voiture de type Bentley, et le sac enterré a été identifié par Liza Feldman. Qu'est-ce qu'il vous faut de plus? Vous voulez que ce salaud de Krametz fiche le camp à notre nez et à notre barbe?

Leslie me regarde, une lueur amusée dans les yeux.

— A mon nez et à votre barbe, monsieur Borniche. En ce qui me concerne...

Son sourire me désarme. Je ne sais que trop bien qu'il lui faut respecter la procédure, quitte à perdre inutilement un temps qui paraît toujours précieux. J'ai vécu, moi aussi, de telles frustrations quand les barrages hiérarchiques m'empêchaient de foncer, au moment de saisir mes proies. Mais je savais aussi parfois me passer d'autorisation...

— Croyez-moi, poursuit Leslie. Il vaut mieux faire une demande par la voie hiérarchique.

— Il y en a pour des mois, et, pendant ce temps-là, Krametz risque de filer! Sans parler des deux jeunes, à Kilpatrick, qui attendent d'être jugés!

– Je sais. Mais ils y sont parce qu'ils s'accusent mutuellement. Je ne crois pas que votre démarche, dictée par une simple hypothèse, entraînera la conviction du juge Gower. Personnellement, je ne puis intervenir. Voyez si le commandant Moss peut faire quelque chose de son côté. Ou Baker, qui a le bras long. Soyez diplomate car vous n'avez aucune qualité pour vous immiscer dans un dossier qui ne regarde que la justice.

– Les flics aussi, chère Leslie!

Eh oui, j'ai une tendance fâcheuse à jouer les don Quichotte comme si, policièrement parlant, j'existais toujours. Or, je ne suis plus rien, malgré mon titre d'inspecteur principal de police judiciaire honoraire et ma carte barrée des couleurs nationales. Honoraire ou pas, que pourrais-je faire officiellement aux États-Unis, comme dans n'importe quel pays étranger, sans un ordre de mission transmis par Interpol sollicitant aide et assistance?

Rien, sinon jouer d'audace et de diplomatie.

Mon entretien avec l'acariâtre coroner, si peu prolixe qu'ait été l'individu, m'a au moins appris que la balle découverte dans le crâne de Julien de Larzac avait été mise sous scellé. Donc, passible d'expertise. Seul point noir : pourquoi n'a-t-elle pas été transmise à la division Homicide par les agents de Culver City qui ont appréhendé les jeunes Baby Dog et G. Vamp? Guerre des polices? Conflit d'attributions? Pourquoi le juge saisi du meurtre n'a-t-il pas, lui non plus, transmis le rapport d'autopsie en temps et en heure? Autant de questions à élucider, quitte à forcer la porte du magistrat.

Pour moi, il n'y a maintenant aucun doute. C'est Krametz qui a tué Ingrid Palding. Krametz, que la mort de la jeune femme laisse seul héritier de la fortune de Pierre Julien, Krametz qui possède un Smith et Wesson 38 spécial, Krametz que j'ai vu quitter sa villa de Pacific Palisades le soir du crime au volant de la Bentley identifiée plus tard par le pittoresque Colson!

Les mots que Leslie avait prononcés, sur le parking du musée Getty, face à la Chrysler où gisait encore le corps d'Ingrid, me restent en mémoire : « L'assassin est peut-être revenu la nuit pour camoufler le corps dans la position où nous l'avons trouvé ce matin... » Voilà ce que Simon Krametz était allé faire, en pleine nuit, au volant de sa Bentley!

Déterminé, dans la mesure de mes faibles moyens, à tenter l'impossible, j'ai échafaudé mille plans d'approche. J'en suis arrivé à la conclusion qu'un juge est théoriquement là pour démêler le vrai du faux, sans haine, avec une parfaite et totale objectivité. Pas question d'importuner encore le commandant Moss ni l'ami Richard. Je vole de mes propres ailes. On verra bien où j'atterrirai.

La porte de l'ascenseur se referme. Le sifflement de l'air contre les parois de la cabine décroît à mesure que nous approchons du dixième étage. Une ascension rapide, directe, ordonnée par l'index d'une matrone noire, aux cheveux tressés et divisés en damier sur le crâne. La cabine finit sa course silencieuse. Les battants en aluminium découvrent un long couloir moquetté de gris que je suis jusqu'au comptoir d'un gardien-appariteur couleur d'ébène. Ma demande le laisse perplexe.

– Gower? Quel Gower? Il y en a cinq à l'étage... Si vous ne connaissez pas la section...

– Celui qui s'occupe de Culver City...

– Ah! Culver City? Première travée à droite. Bureau 1107.

226

Je me fige devant le numéro gravé dans une plaque de cuivre ovale. Le chiffre 7 m'a toujours porté bonheur. Je suis né un 7, fait ma communion un 7, marié un 7 avec femme née un 25. Cinq et deux : sept, et j'en passe. Ce 1107 finit bien. Je n'ai plus qu'à franchir la porte, happé par le destin.

Le juge John Gower, la trentaine sportive, porte un costume gris clair sur une chemisette bleue à col ouvert. Ses épaules larges, ses cheveux blonds frisés sur un visage rond et souriant en font un anti-Hendrix, ce qui renforce mon assurance. Il me désigne un fauteuil d'où je découvre, à travers la baie, les 108 mètres de hauteur du Civic Center que surmonte une tour d'observation.

— Inspecteur Borniche de la Sûreté française, dis-je en exhibant ma carte de flic honoraire et en mentant un peu. Je me permets de solliciter votre aide pour une affaire extrêmement importante.

Pour franchir les remparts de l'administration, il faut savoir doser la politesse, la ruse et la flatterie. Le succès est à ce prix. Les doigts joints dans une attitude presque religieuse, John Gower me demande :

— Qu'y a-t-il donc de si important et que puis-je pour votre service ?

Tout de suite je décèle la réserve prudente du fonctionnaire qui va être brusquement confronté à un problème susceptible d'engager sa responsabilité.

— Voilà. Vous instruisez l'affaire Pierre Julien de Larzac, un compatriote assassiné dans son entrepôt de Pico Boulevard lors des émeutes. Les inspecteurs de Culver City ont appréhendé deux jeunes Noirs...

Il acquiesce :

— Un Blood et un Crip, que je détiens au camp Kilpatrick. Deux chenapans. Votre nom me dit quelque chose. Vous ne leur avez pas rendu récemment visite, accompagné du sergent Brown? Mon ami Atterson, le directeur du camp, m'en a fait part. C'est bien cela, n'est-ce pas?

– Exact, monsieur le juge.

– Et alors?

– Le professeur Hendrix m'a informé de la découverte d'une balle dans le crâne de la victime. Or, pas plus que le rapport d'autopsie, elle n'aurait été transmise à la division Homicide...

Un sourire amusé éclaire la face poupine du magistrat.

– Évidemment! C'est Culver City qui a l'affaire. Ils gardent donc le dossier et la balle sous le coude. Mais en quoi cela peut-il influencer la marche de l'enquête? Le sergent Brown n'a pas à se formaliser. Il y a d'excellents policiers à Culver City. La preuve, c'est qu'en un rien de temps, ils ont interpellé les deux assassins. Leur culpabilité est nettement établie... Je comprends mal votre démarche.

Je ne me tiens pas pour battu.

– Cela ne gêne pas miss Brown, monsieur le juge. Je pensais, par contre, que la balle pourrait être expertisée par le service balistique de la division Homicide.

Le sourire éclaire toujours le visage du juge qui m'apparaît de plus en plus juvénile.

– S'il n'y a que cela pour vous faire plaisir, c'est facile. Mais cela ne mènera à rien puisqu'il n'existe aucun élément de comparaison. On n'a pas retrouvé la douille dans les gravats de l'établissement, lors des travaux de déblaiement. C'était impossible.

– Dommage, dis-je. Mais on pourrait comparer la balle avec celle qui a tué la femme de Pierre Julien à Topanga Beach. Vous avez dû apprendre qu'elle avait été abattue, elle aussi. Il serait peut-être intéressant de savoir si la même arme n'a pas tiré...

Cette fois le sourire disparaît, les yeux s'arrondissent, comme si le juge Gower me prenait soudain pour un illuminé. Il garde un moment le silence avant d'énoncer, détachant ses mots :

– Je ne vois pas le rapport...

– Si, monsieur le juge. La double disparition fait de l'associé de Pierre Julien un riche, très riche héritier. Il se trouvait à deux pas de l'entrepôt lorsque les événements ont éclaté. C'est du moins ce qu'il a dit au sergent Brown. Les deux jeunes Noirs auraient jeté leurs armes, en tout cas c'est ce qu'ils affirment. Supposez que Krametz, c'est le nom de l'associé, soit arrivé à ce moment-là, qu'il ait trouvé une de ces armes et ait exécuté Pierre Julien par intérêt ou vengeance. Allez savoir ce qui se passe dans la tête d'un homme lorsque la fortune et le ressentiment sont en jeu ! Je n'accuse pas, je tente de trouver une solution à cette affaire qui me semble particulièrement embrouillée.

– Puisque les Noirs s'accusent, eux...

– Je suis d'accord. Mais rien n'empêche Krametz d'avoir récupéré une arme et de s'en être servi pour éliminer la femme Julien.

– C'est un joli feuilleton que vous bâtissez-là, mon cher. Seulement Topanga-Beach-Malibu n'est pas de mon ressort. Il faudrait voir le collègue chargé de l'information... A l'étage au-dessus.

– La division Homicide s'en occupe, monsieur le juge. A vue d'œil, il y a correspondance parfaite de la douille et de la balle retrouvées sur les lieux. L'expertise le confirmera sans nul doute. Il serait utile de faire procéder à l'examen de celle que vous détenez, dans la foulée. Si vous n'y voyez pas d'inconvénient.

Je connais par cœur la façon de procéder. En France, du moins. Est-ce la même chose à Los Angeles ? Dans une des pièces mansardées de l'Identité qui se succèdent sous les combles du palais de justice parisien, le technicien place la balle récupérée sur le curieux support du hatoscope de Soderman, du nom de son inventeur, et la douille sur l'autre support. Un oculaire commande deux objectifs dont les lentilles surmontent deux écrous de serrage. Il règle la visée à l'aide d'une roue moletée. Dans le champ séparé en deux du microscope comparateur, les rayures de la balle prolongent celles de la douille. Les stries laissées sur le laiton par le canon de l'arme utilisée sont identiques lorsque la même arme a tiré. En cas de pluralité de coups de feu, les essais se succèdent. Il n'y a plus qu'à consigner sur fiche le résultat de ces observations et procéder à des agrandissements pour entraîner la conviction des magistrats.

— Soyez satisfait, dit le juge en se levant pour m'accorder une vigoureuse poignée de main, vous l'aurez, votre expertise. Je ne sais pas si elle sera ou non concluante, mais je donne des instructions pour que la balle soit transmise par motard au laboratoire intéressé. Vous ne serez pas venu pour rien.

16

Nullement surpris, en apparence, de recevoir la visite de deux détectives de la division Homicide, Tony Hopper affiche un beau sourire en leur ouvrant la grille de la villa bâtie sur Hartford Drive, à deux pas de l'ancienne propriété de Rita Hayworth. Une demeure de parvenu : l'eau est gaspillée à pleins jets sur les pelouses parsemées d'impatiences et de lauriers-roses. Le bleu de la piscine vogue vers le ciel. Le rouge des géraniums flirte avec la Ferrari qui attend, au bas du perron, le moment de prendre son élan.

– Heureux de vous recevoir, dit Tony sur le ton d'un play-boy décontracté qui déconcerte Leslie Brown et son collègue. Entrez, faites comme chez vous.

Il les devance dans le hall, ouvre grand les portes d'un salon où les meubles dévorent l'espace des tableaux et désigne deux bergères Louis XV au tissu bleu roi damassé.

La charmante Leslie parcourt d'un coup d'œil l'étalage de luxe, puis se tourne vers Tony.

– Vous nous attendiez?

– Bien sûr! Il est logique que vous rendiez visite

au suspect numéro un, non ? Je dois cependant vous prévenir : je ne suis pas chez moi ici. La propriété appartient à une de mes amies, veuve d'un sénateur, et, si vous avez l'intention de vous balader entre ses murs, il vous faudra revenir avec un mandat de perquisition nominatif. Je me fais bien comprendre ?

— Tout à fait, rétorque le petit et fluet Sam Grinspan, sortant un mouchoir de sa poche et éternuant à deux reprises. Vous n'avez pas perdu la main, Tony. Vous aimez toujours vous occuper des femmes seules...

Un nouvel éternuement interrompt l'inspecteur.

— Vous devriez consulter, murmure Tony. Les rhumes sont mauvais, en ce moment... Vous avez de la chance de me trouver. A vingt-quatre heures près, je n'étais pas rentré d'Hawaï. Mon amie est encore là-bas. Je peux vous offrir un verre ?

— Merci. Vous arrivez de voyage, si je comprends ?

— Ce matin-même. De Waikiki Beach, pour être précis. Un endroit délicieux que je vous recommanderais volontiers, si vos moyens vous le permettaient. Le Hawaïan Regent, un palace sur la plage avec ses night-clubs, ses bars, ses suites prodigieuses et ses naïades, les plus belles que l'on puisse rencontrer, au corps bronzé à vous faire saliver... Mais comme vous n'êtes pas les super-flics de la police d'État d'Hawaï qui semblent toujours sortir de chez leur tailleur, même en plein baroud...

Ni Leslie ni Sam ne relèvent l'insolence. Grinspan décide de passer à l'attaque, son vieux carnet à spirales prêt à enregistrer les réponses de Tony.

— Vous n'étiez donc pas à L.A. lorsque votre ancienne maîtresse a été assassinée ?

— Non. Je le regrette pour vous mais je ne peux pas inventer que je m'y trouvais pour vous être agréable. J'ai appris le meurtre par la radio, comme tout le monde. Ça m'a fait un coup, je l'aimais bien, ma Suédoise. Mais vous savez ce que c'est, la baise, c'est pas éternel... Vous pensez sans doute au fric que j'aurais si je m'étais marié avec elle après la mort de Larzac? Et ma liberté, alors? Vous savez ce que c'est, la liberté?

Une sévérité glacée rembrunit le visage de Grinspan :

— La liberté d'un gigolo trafiquant de drogue? La femme du sénateur doit ignorer vos antécédents, non?

— Une femme bien baisée ferme ses yeux et ses oreilles. De toute façon, je ne pense pas que vous irez lui raconter mes péchés de jeunesse! Vous ne voulez vraiment rien prendre? Par sobriété ou peur de la corruption?

— Venons-en au fait, réplique Leslie, sèchement. Qui nous prouve que vous étiez à Hawaï lors de l'assassinat d'Ingrid Palding?

Tony Hopper sourit :

— Vous m'êtes plutôt sympathique, mademoiselle... Le livre de police, qu'est-ce que vous en faites? Un registre d'hôtel, ça ne se trafique pas. Le billet aller et retour de la T.W.A. non plus. Mon séjour a duré une huitaine, et si mes affaires ne m'avaient pas appelé à L.A., je serais resté au soleil plus longtemps.

— Quelles affaires?

— C'est mon job. Ça ne regarde ni le F.B.I., ni la C.I.A., ni vous. Je suis libre. La Constitution existe... Des affaires financières, qui intéressent le portefeuille boursier de mon amie... Il est même possible que je fasse ces jours-ci un saut à Wall Street. Je vous dis ça pour le cas où vous auriez besoin de me convoquer. Je dois aussi vous dire que dans la nuit d'avant-hier une fête de ringards snobs a failli casser les baies du Hawaïan Regent. J'ai pris le micro pour amuser la galerie. Le directeur pourra le confirmer. J'étais loin de Malibu et de savoir ce qui s'y passait aux dépens de la malheureuse Ingrid.

— Vous avez vécu combien de temps avec elle?

— Plusieurs mois. Une passion. Enfin, oui, une sorte de passion... J'ai malheureusement été obligé de m'absenter...

— Raison majeure, grommelle Grinspan.

— On peut dire ça. Quand je suis sorti de prison — puisque vous savez tout — le couturier Larzac m'avait soufflé Ingrid. Je l'ai revue pour lui dire qu'elle aurait pu m'attendre.

— Et soutirer de l'argent à Larzac. Nous avons un témoignage...

Tony Hopper feint de ne pas avoir entendu.

— Son nouvel ami a tenu à me dédommager. Comme si on pouvait tout acheter, tout payer! Le fric, toujours le fric, ce n'est pas ça qui me rendait Ingrid!

— Vous avez quand même pris le million de dollars qu'il vous offrait. Sans scrupules. Vous l'avez revue, Mme Palding, après cette compensation financière?

— Par hasard, dans un restaurant. Elle était avec son vieux birbe et son amie Liza qui l'a toujours poussée à chercher le fric où il est. Ingrid m'a fait un clin d'œil. Ça voulait me faire comprendre qu'elle ne pouvait pas me parler mais que je pouvais lui téléphoner pour la revoir. J'ai écrasé.

— Vous ne l'avez pas revue d'autres fois?

— Non. Pourquoi? Pour la sauter? Après l'avoir aimée? Je savais qu'elle ne quitterait pas son nabab pour moi. J'ai dû me consoler ailleurs. Ça n'a pas été facile, croyez-moi, vu que j'avais Ingrid dans la peau, mais à mon âge, on ne peut pas rester sans âme sœur.

– Assez de grands mots, monsieur Hopper ! Possédez-vous une arme ?

Tony, d'une main chargée de bagues, remet une mèche en place.

– Pour quoi faire ? Non, je n'en possède pas et je n'en posséderai jamais. Ces jouets meurtriers me font peur.

Du coin de l'œil, Leslie capte la moue désabusée de Grinspan, qui déploie un mouchoir douteux et se mouche bruyamment, comme pour mettre un terme à cette entrevue décevante.

– Je vous serais obligée de nous apporter le plus tôt possible au bureau votre billet d'avion L.A.-Hawaï et retour ainsi que le récépissé de votre réservation à l'Hawaïan Regent, dit la jeune femme. A moins que vous ne les ayez sur vous ?

Tony Hopper considère les deux policiers d'un air ennuyé. Il secoue la tête avant de répondre :

– Si j'avais su que vous en auriez besoin, je les aurais pris, croyez-moi. L'ennui est que la réservation a été faite par mon amie. La facture qu'elle acquittera à son départ sera à son nom. J'aurais pu prendre un duplicata de séjour, mais pourquoi ? Elle m'a accompagné à l'aéroport, elle a conservé le billet de la T.W.A. pour le glisser dans ses frais. Je n'en avais pas l'utilité.

– Votre *boarding pass* ?

– J'allais vous en parler. En débarquant à LAX, je l'ai jeté dans la corbeille à papiers de la salle de débarquement. A quoi pouvait-il me servir ? Des paperasses, on en trimballe toujours trop, vous ne croyez pas ?

pour moi. J'ai dû me consoler ailleurs. Ça n'a pas été facile croyez-moi, va que j'avais Ingrid dans la peau.

Il est éprouvant pour un policier d'apprendre qu'un suspect, mauvais garçon de surcroît, se promène avec un alibi qui lui permet de passer à travers les mailles du filet. C'est d'autant plus contrariant dans le cas présent que Tony Hopper n'est pas un inconnu des archivistes du L.A.P.D. Son dossier de récidiviste est éloquent, et ses réponses assorties d'un persiflage insolent ont exaspéré Leslie Brown et Grinspan. Mais les faits sont là, dans toute leur évidence. Le directeur du Hawaïan Regent contacté par téléphone a confirmé la présence du beau Tony dans son établissement. Le service du listing de la compagnie d'aviation a, lui aussi, certifié qu'il avait effectivement occupé la place 12 de la *first class* sur le trajet Honolulu-Los Angeles. Il ne pouvait donc être à Malibu le jour du crime.

Quel mobile l'aurait d'ailleurs poussé à abattre son ancienne liaison puisque son avenir semble assuré par sa maîtresse actuelle?

– Je sais que vous n'y avez jamais cru, me dit la belle Leslie en reposant sa tasse de café.

– Il fallait essayer. Vous avez eu raison de ne pas négliger cette piste. Cela dit...

– Cela dit, vous mettriez votre main à couper que c'est Krametz qui a fait le coup.

Est-ce une impression? Il me semble déceler un brin de mauvaise humeur dans le ton de l'inspectrice.

– ... Je ne vois malheureusement pas comment vous pourrez prouver quoi que ce soit sans preuve, poursuit-elle. Krametz est le suspect idéal, je suis d'accord! Il est même presque trop beau. Mais à part le fait que vous l'ayez vu sortir de chez lui au beau milieu de la nuit, vous ne pourrez rien prouver, rien! A moins de retrouver l'arme, mais ça...

C'est à mon tour de plonger mes lèvres dans le liquide à peine coloré auquel les Américains osent donner le nom de café. Comme à chaque fois, l'absence désespérante de goût me donne un grand coup de nostalgie... Ah, les petits noirs bien serrés bus au rebord d'un zinc, par un matin grisailleux, à Paris, à Lyon ou ailleurs!

— On ne peut rien prouver, mais on peut essayer de faire sortir le loup de sa tanière, dis-je. Une méthode qui fait gagner du temps et qui m'a souvent réussi. Un aveu vaut toutes les preuves, non?

Leslie sourit en levant les yeux au ciel.

— Qu'est-ce que vous voulez faire, encore? Une nouvelle perquisition illégale?

— Je ne fais jamais rien d'illégal, Leslie. Vous devez confondre avec quelqu'un d'autre. Pourriez-vous demander à Richard de m'appeler quand il aura vu son collègue de l'Identité judiciaire?

— Pourquoi? Vous partez?

— Il est tard. Je rentre chez moi.

Leslie sourit à nouveau, différemment.

— Vous ne m'invitez pas à dîner, *Rodger*?

Le juge Gower a tenu parole. Le rapport d'autopsie est arrivé en fin d'après-midi sur le bureau de Stan Harvey, au moment précis où un motard déposait l'enveloppe jaune renfermant le double du document du professeur Hendrix et la balle extraite du crâne de Pierre Julien, soigneusement enveloppée.

Stan Harvey appartient à cette catégorie de policiers en voie de disparition qui aiment leur métier et en sont fiers. Il porte l'amour de son travail à un point qui dépasse grandement la conscience professionnelle. Sa passion, son unique passion, c'est de comparer les empreintes, d'analyser les traces suspectes, de superposer les rayures des douilles et des balles. Passion qui éclipse sa vie familiale au point que sa seconde épouse l'a plusieurs fois menacé de divorce. Le fait est que Stan, diminutif de Stanislas, ne se sent pas le goût de discuter d'autre chose que de formules digitales, de signalements descriptifs et de groupes sanguins au rhésus positif ou négatif. Il est grand, distingué et parle d'une voix douce et courtoise. Les cours d'anthropologie et de criminologie qu'il a suivis dans les locaux du F.B.I. à Washington lui ont donné l'expérience et la maîtrise en matière d'expertise criminelle. C'est à Washington qu'il a fait la connaissance de Richard Baker, alors *special agent*, avant d'endosser les responsabilités de *supervisor* auprès de John Edgar Hoover, le fondateur de cette police fédérale. Il est devenu son ami. A cinquante-deux ans, il occupe les fonctions très enviées de chef de l'Identité judiciaire.

Richard Baker glisse sous sa langue une tablette de chewing-gum qu'il s'empresse de mâchouiller avec l'expression béate d'un ruminant.

— Pour une belle fille, c'est une belle fille, l'amie de feue Mme Palding, dit-il. On l'a cuisinée avec Leslie Brown mais ses déclarations se tiennent. Si vous aviez vu ses jambes... Et le décolleté! Tout pour tenter le diable, quoi!

Stan Harvey n'écoute pas. Il en faut davantage pour le troubler. La pupille collée à l'œilleton de visée, il joue en maître de son microscope. Son pouce et son index procèdent à l'ultime mise au point de la roulette moletée qui commande la précision des lentilles. Dans l'oculaire, les rayures de la douille placée sur le plateau gauche de l'appareil et celles de la balle posée sur le plateau droit apparaissent, démesurément grossies.

Il se détache de l'œilleton, fait pivoter son siège tournant, dévisage Baker.

— Vous n'aurez pas l'agrandissement photo avant demain, dit-il, hochant la tête d'un air entendu. Mais il n'y a aucun problème : les rayures douille-balle coïncident au centième de millimètre près. Exactement comme celles de ce matin. Les balles retrouvées à Pico et à Topanga-Beach ont par conséquent été tirées par la même arme.

Baker a sursauté, manqué d'avaler son chewinggum de surprise. Il demeure là, les yeux arrondis, fixe Harvey quelques secondes en silence.

— Vous êtes sûr ? demande-t-il enfin. C'est incroyable...

— Aucun doute. Ce qui est incroyable, c'est que Culver City ne l'ait pas transmise plus tôt. Ils ont voulu faire cavalier seul, comme cela arrive souvent, malheureusement. C'est le drame de Los Angeles, avec ses quatre-vingts quartiers dont chacun possède son identité et sa vie propre. Ils ont bien leur labo à Culver City mais, sans douille de comparaison, ils ne pouvaient rien faire.

— Quel coup de chance ! murmure Baker. Inespéré.

— Oui et non, ça ne vous met pas pour autant sur la trace du meurtrier. Et l'arme des crimes reste dans la nature.

— Exact. Mais ça prouve au moins une chose : que les deux Blacks détenus à Kilpatrick ne sont pas dans le coup ! Ils ne pouvaient pas être à la fois en taule et à Malibu en train de descendre Ingrid Palding. C'est Brown et l'ami Borniche qui vont être heureux. Pas d'empreintes ?

— Néant. Par contre, on a relevé des traces de pas dans la terre de la colline. Pas nettes, ce qui nous entraîne à quelques travaux dimensionnels. On a des bouts de semelles par-ci, et des arrondis de talons par-là. Au coup d'œil, elles appartiennent à un pied assez grand. Mais pour savoir à qui...

— On le saura quand on aura piqué l'assassin... dit Baker.

17

Simon Krametz esquisse un mouvement de recul lorsque je franchis d'autorité la porte de son bureau. Sous les sourcils clairsemés qui se hérissent de poils gris, ses yeux s'écarquillent, puis s'étirent, dans le style magot chinois. Il rejette la tête en arrière, une moue d'étonnement aux lèvres. Ni le corps du portier gascon à l'accent rocailleux, ni celui de sa sèche secrétaire n'ont pu lui servir de rempart.

– Qu'est-ce que c'est?

Il est debout devant la fenêtre, tenant une enveloppe qu'il s'apprêtait à décacheter. C'est sans doute la première fois qu'un intrus ose violer son antre, un carré de six mètres sur trois au-dessus du magasin de Rodeo Drive, ripoliné de blanc. Le mobilier est modeste : une armoire-classeur qui déborde de dossiers, une table métallique, un fauteuil à dosseret haut et bandes de tapisserie, deux chaises recouvertes de moleskine verte. Pas l'opulence à laquelle j'étais en droit de m'attendre. L'envers du décor alors que la boutique, phosphorescente de néon, baigne dans un luxe presque agressif.

L'arrivée d'une jeune vendeuse, la chevelure blonde frisée et la minijupe au ras des fesses, a facilité mon introduction dans la place. La Bentley était sur son parking réservé, la calandre encore chaude. Labarrère, le gorille chamarré, n'en finissait pas d'encastrer la grille roulante dans sa cache et la demoiselle Simonneau essayait de se faire une beauté dans le miroir d'une cabine d'essayage. Leur inattention m'a permis de me faufiler de la porte de service au couloir desservant la réserve et d'escalader l'escalier en colimaçon. Il n'y avait pas de temps à perdre.

– On en a pour dix minutes, monsieur Krametz. Un quart d'heure au plus. J'ai préféré dialoguer ici, sans témoin, plutôt que vous questionner dans un service de police.

Il sursaute en entendant parler français. Mon œil de flic a déjà enregistré l'imperceptible battement de cils lorsque j'ai prononcé le mot rituel, celui qui noue les estomacs, qui brouille les idées tant il laisse planer de menaces.

– Pourquoi, vous êtes inspecteur ?

Il s'est mis en frais, ce matin, le rondouillard directeur du magasin *De Larzac Magic Style* : chemisette rose échancrée découvrant une chaînette d'or un peu perdue dans la broussaille de la poitrine, pantalon vert d'eau, mocassins blancs. Les cheveux ondulent vers l'arrière suivant une savante discipline, laissant apercevoir par endroits un crâne bruni par le soleil. Un anneau pince le lobe de l'oreille droite et l'auriculaire gauche supporte, lui, le rubis d'une énorme chevalière.

Je décoche à mon témoin du jour un sourire engageant. Il ne faut pas le braquer. Je n'ai que peu d'atouts pour ma partie de poker. Il va me falloir jouer serré, procéder par annonces discrètes, destinées à lui saper le moral à la base. Guetter les premiers signes de l'effondrement de l'édifice pour m'infiltrer dans la brèche et mettre Krametz K.O. au moment favorable. Tout va dépendre des ressources du petit Simon aux joues colorées, comme fardées.

– Vous avez presque deviné, monsieur. Inspecteur, mais d'assurances.

Son oppression se dissipe, mais pas son mécontentement. Il jette la lettre sur le bureau, s'installe dans son fauteuil, les traits crispés :

– D'habitude, les assureurs sont des gentlemen qui préviennent du jour et de l'heure de leur visite...

La sécheresse du ton me donne une arrogance de char d'assaut.

– La malheureuse Mme Palding m'avait déjà fait pareille réflexion. Elle aussi m'avait reproché de ne pas respecter les règles de la bienséance. Puis-je au moins m'asseoir ?

Difficile partie en perspective. Krametz a récupéré. Il me fait le coup du sang-froid, mais son silence équivaut à un acquiescement. Je m'installe face à lui.

– Je ne comprends pas qu'une compagnie suisse délègue un inspecteur français en Californie, reprend-il d'une voix réprobatrice. Un inspecteur qui force le mur de la vie privée...

– Commerciale, monsieur Krametz, excusez-moi. Si vous voulez aborder le chapitre de la vie privée, je vais devoir revenir quelques années en arrière. Lorsque vous aviez fait l'objet d'interpellations pour outrage aux mœurs, par exemple ! Vous ne le souhaitez pas, j'en suis sûr. Ce n'est jamais agréable de revivre un passé tourmenté... Ah, j'oubliais de vous dire que je suis aussi un ancien policier...

Le visage a légèrement pâli.

– Cela veut dire quoi ?

J'adopte un air détaché :

– Que je connais beaucoup de choses. Sur le passé, sur le présent... Pas encore sur le futur, bien sûr, quoique je le devine...

Je débite mon laïus sur un ton dégagé, enrobé d'une pointe de soupçon, d'une pincée de mystère, d'un rien de compréhension. Ça fait partie de ma panoplie d'ancien flicard. Le charme, la gentillesse, la persuasion, le ton paternel, voire consolateur, sont les armes du métier. Je poursuis, jouant mon rôle en acteur consommé :

– ... Vous aviez eu des débuts difficiles, c'est vrai : un père déporté, une mère astreinte au port de l'étoile jaune. La vie ne vous avait pas gâté. Depuis, elle s'est rattrapée. Tant mieux. Il est loin le temps du boulevard Saint-Germain où vous batifoliez devant chez Lipp.

Là, j'y vais fort. Je voyage à travers la documentation que m'a faxée un ami des archives judiciaires. Je me reporte près de trente ans en arrière. Simon Krametz évolue dans le milieu homosexuel de la capitale. Il est sans argent, sans relations, sans parents. Condamné par quelque chromosome sournois, il aimait, enfant, s'habiller en fille, encouragé par une mère qui se gaussait de son goût pour les robes et les chaussures à haut talon. A quinze ans, son premier amant, un industriel de Sotteville-lès-Rouen, connaît dans ses bras la fin glorieuse du président Félix Faure. Cela survient plus souvent qu'on le croit lorsqu'on atteint un certain âge.

C'est le désespoir. Plus d'amour, plus d'argent. Simon côtoie alors la franc-maçonnerie de la pédale. Il se lie avec des personnalités de tous les milieux. Pierre Julien s'intéresse à lui, lui donne l'hospitalité. Il lui fait suivre des cours de comptabilité, s'émerveille du don de son protégé pour les chiffres et les langues.

Le rappel de ses origines trouble Krametz, ça se voit. Ses joues de bébé ont encore rosi. Comme s'il n'avait pas entendu, il enchaîne, cauteleux :

– Que voulez-vous savoir au juste, monsieur l'inspecteur ? J'ai déjà tout dit au sergent Brown.

– Vraiment tout ?

Je lui dédie ce sourire énigmatique qui a souvent fait ses preuves. Son front se plisse. Il exhale le soupir discret du témoin qui se dit qu'il n'est pas encore sorti de l'auberge...

– Tout ce que je sais, évidemment...

– Même sur la vidéo ?

Ses mains s'écartent du sous-main sur lequel elles reposaient.

– La vidéo ?

– La caméra que vous aviez fait installer par Patrol Security. Alors que ni le feu ni les chutes de pierres ou de bois ne l'avaient détériorée, elle a curieusement cessé de fonctionner. Elle n'a enregistré qu'imparfaitement les allées et venues des Noirs, les menaces de deux d'entre eux. Par contre le micro a perçu deux détonations pendant que l'objectif balayait l'allée centrale, mais c'est tout. Des rayures ont ensuite succédé aux images. Des rayures, toujours des rayures...

Krametz subit la tirade sans broncher. Il se tortille un peu sur le fauteuil. C'est tout.

– Qu'y puis-je, inspecteur ? C'est aux experts de déterminer la cause de la panne, pas à moi.

– Je sais. Les spécialistes que j'ai consultés pensent qu'un des fils du magnétoscope a été détérioré ou que la bande a été partiellement réembobinée avant de reprendre son défilement. Le fil de l'accu de secours n'a pas été arraché puisque les coups de feu sont perceptibles. Vous voyez, c'est comme si quelqu'un avait rembobiné une partie de la bande, puis enregistré par-dessus. C'est drôle, non?

Je bluffe. Aucune constatation susceptible d'étayer mes dires n'a été faite. Le rapport des pompiers est muet sur ce point. Il est vrai que l'urgence était ailleurs. La police s'est contentée de décrocher l'appareil et de visionner la bande.

Simon Krametz cherche une justification :

— Je suis un couturier, pas un professionnel de l'électronique. Je commande, je paie pour que cela fonctionne, le reste ne me regarde plus.

— C'est sûr! Ce que je n'arrive pas à comprendre, c'est comment la course horizontale de la caméra a été stoppée alors qu'elle effectuait son demi-cycle de retour.

— Que voulez-vous que je vous dise?

Krametz sort de sa poche un mouchoir de soie dont il se tapote le front. Je change d'angle d'attaque.

— Vous habitez près de Pico, je crois.

— A côté. Longwood Street.

— Seul?

— C'est-à-dire?

— Seul?

Il ferait mieux de ranger une fois pour toutes dans sa poche ce mouchoir qu'il ne cesse de triturer.

— Vous dépassez les limites, monsieur. Cela n'a rien à voir avec l'assurance.

Le « monsieur » a escamoté l'appellation d'inspecteur.

— Si. Je vous en donnerai les raisons tout à l'heure. Seul ou non?

— Ça dépend. Des amis viennent parfois me rendre visite. Avec lesquels je sors. Le logement que je loue est très exigu.

— Vous y logez quand même tous les jours?

Un instant d'hésitation, puis :

– Évidemment. Où voulez-vous que je couche ?

J'attendais le moment de planter une nouvelle banderille.

– Pacific Palisades, par exemple.

Une fugitive grimace a déformé ses traits :

– Pourquoi Pacific Palisades ?

– Et pourquoi pas, cher monsieur ? Maison à façade rose, jardin bien entretenu, bassin gazouillant. La tranquillité et le bonheur, quoi ! Avec Burt Field, bien sûr.

J'éprouve certainement plus de plaisir à le questionner que lui à me répondre. Ce doit être d'avoir entendu le nom de son archange qui le met dans cet état : son teint se brouille, il croise et décroise les jambes, se penche vers le bureau, se rejette en arrière.

Je le laisse reprendre ses esprits, puis :

– Beau garçon, ce Burt, à ce qu'il paraît. Moralité curieuse, mais les gens sont si médisants... De quoi vit-il, votre ami ?

A interrogation embarrassante, réponse embarrassée. Il y a longtemps qu'à sa place j'aurais flanqué le curieux à la porte. Krametz n'ose pas. Quelque chose le gêne. De quoi a-t-il peur, au juste ?

– C'est-à-dire que je le rétribue de temps en temps pour des livraisons de marchandises qu'il fait...

– A moto ?

Le désarroi dont il se rend soudain compte traverse l'esprit de Krametz. Qui a bien pu renseigner ce type aux yeux noirs, enfoncés sous le front, qui ne cesse de le fixer avec un sourire moqueur ? Il vaut mieux composer. Ce serait une catastrophe s'il lui prenait de dévoiler sa liaison avec un repris de justice qu'il entretient royalement. Mais qui a pu l'expédier à Pacific Palisades? Personne ne connaît l'adresse de la villa de leurs amours. Gladys la rouquine, peut-être, qui aurait pu saisir une conversation, collée comme elle est, jour et nuit, à la cloison du logement voisin. Dans ce cas, l'inspecteur sait qu'il ne vient que rarement à Longwood.

Krametz tente de s'extraire de cette gangue, finit par lâcher :

— Je ne vois vraiment pas en quoi cela intéresse l'assurance que j'habite Longwood ou ailleurs.

— Moi, si. Autre chose : Pierre Julien a été abattu d'une balle dans la tête. J'aimerais que vous me parliez du Smith et Wesson que vous avez acquis chez un armurier de Culver City et dont j'ai retrouvé le double de la facture enregistrée à votre nom.

Simon ne s'attendait pas à ça. Cette fois, la Rouquine n'a pas pu manger le morceau. Elle n'est pas dans le secret des dieux. Alors, qui a pu renseigner cet ancien flic qui devient de plus en plus dangereux?

Le mouvement ascensionnel de la glotte dénote l'inquiétude.

— L'arme est chez moi, inspecteur. (Le titre est revenu.) Los Angeles est une ville où la criminalité augmente sans cesse, je l'ai donc achetée pour défendre ma peau. Je ne suis pas le seul dans ce cas. La vente des armes est libre.

J'acquiesce d'un signe de tête.

— Vous avez bien fait. Moi-même, je dors avec un P.38 sous mon oreiller. Vous pourriez donc me la présenter? Au sergent Brown, aussi, si elle vous le demandait?

Il n'en mène pas large, Simon. J'ai touché un point sensible. Il voudrait s'expliquer, mais les mots ont l'air de se bloquer dans la gorge.

Drôle de flic qui fait sauter et ressauter une balle de 9 mm dans sa main comme pour le narguer. Que sait-il exactement?

– Vous ne répondez pas, monsieur Krametz?

– Je réfléchissais. Je ne voulais pas l'avouer mais puisque vous m'y forcez, tant pis. Vous savez peut-être qu'il est défendu de transporter une arme dans sa voiture en Californie. Un jour je l'ai fait. La peur d'être agressé en rentrant le soir chez moi. J'ai eu le tort de laisser, pas longtemps d'ailleurs, la portière de ma voiture ouverte derrière Rodeo. On me l'a volée. Je ne l'ai pas constaté tout de suite, seulement plusieurs jours après. J'étais catastrophé.

– Vous avez aussitôt fait une déclaration de perte, bien sûr! Supposez que ce revolver soit utilisé par le voleur...

– J'y ai pensé mais je n'ai pas osé... Je risquais une sanction pour m'être promené avec une arme sans autorisation. Les magistrats ne sont pas tendres...

– Un homme honnête peut toujours avoir une excuse, monsieur Krametz. La peur, par exemple. Avec un bon avocat...

Son mensonge, débité avec assurance, semble l'avoir remis en selle. Le mouchoir de soie cesse d'aller et venir entre ses doigts épais.

– Entreteniez-vous de bons rapports avec Ingrid Palding?

– Mme de Larzac, voulez-vous dire...

– Si vous voulez.

– Excellents.

– Votre ami Burt aussi, je suppose...

– Ils ne se connaissaient pas.

– Tiens! Pas du tout?

– Non. Du moins, je ne crois pas.

– C'est non ou vous n'en savez rien?

Krametz dodeline de la tête, s'absorbe dans une intense réflexion, finit par affirmer :

– C'est non. Je cherchais si, un jour, à l'occasion d'un cocktail... Mais non. Pour être franc, je ne tenais pas à ce que notre liaison s'ébruite...

– Vous êtes pourtant dans un pays où les couples gays s'affichent au vu et au su de tout le monde. Sans pudeur aucune...

Krametz hésite, bafouille un peu, puis murmure :

– Ça va vous faire sourire, mais j'aime Burt. Je l'aime comme une femme aime son mari. Lui aussi m'aime. Mais c'est un homme, Burt, et les hommes sont coureurs... J'ai peur qu'on me le prenne...

– Pas Mme Palding, tout de même ?

– Sait-on jamais ? De Pierre Julien, j'aurais pu le craindre...

L'aveu semble l'avoir soulagé. Je ne relève pas. Qu'est-ce que cela peut me faire que Pierre Julien ait été ou non homosexuel ? Il se détend jusqu'à ce que je revienne sur le sujet qui me préoccupe.

– Comment avez-vous appris le meurtre d'Ingrid Palding ?

Les traits n'ont pas mis longtemps pour se contracter de nouveau.

– Par ma secrétaire. J'étais ici même lorsqu'elle m'a annoncé la triste nouvelle. Hyde, l'expert, lui avait téléphoné. Je suis tombé dans un tel abattement que je suis rentré chez moi.

– A Longwood ?

Il agite négativement la tête.

– A Pacific Palisades, puisque vous le savez. Et j'ai pleuré, j'ai pleuré...

Il en fait trop, Krametz. Il s'est lancé dans un rôle de comédien de troisième ordre qui ne me plaît pas. Je feins de respecter son chagrin pour jouer plus serré.

– Pourquoi pleurer? Vous devriez être heureux avec la fortune qui vous tombe...

Il se redresse, s'électrise.

– Monsieur l'inspecteur...

– C'est pourtant ce que je pense. Je vais même plus loin. Je m'appellerais Krametz, moi, héritier de comptes courants, de villas, de magasins, de stocks, de maisons de commerce qui marchent du feu de Dieu, j'aurais sauté de joie à l'annonce du décès! Tout vous revient, désormais, vous vous rendez compte! A vous, et à Burt Field, par contrecoup. Je vais même vous dire quelque chose que j'ai jusqu'alors gardé pour moi : la nuit du meurtre, votre Bentley a quitté la villa de Pacific Palisades. J'aimerais que vous me disiez pour quelle destination...

Krametz est devenu blême, tout d'un coup. Ça a fait tilt. L'œil chavire, les narines frémissent quelques secondes. J'ai touché juste. Je me penche vers lui, prêt à saisir la confidence. Je force la note.

– Faites un petit effort, monsieur Krametz. Quand je vous disais tout à l'heure que j'étais au courant de bien des choses! Où votre voiture est-elle donc allée se promener à 11 heures et demie du soir? J'étais à Pacific Palisades. Je l'ai vue démarrer.

Un tremblement des mains a succédé aux vibrations de la glotte. Krametz me dévisage. La langue humecte ses lèvres, à deux reprises. Il est livide, liquéfié, comme paralysé. J'ai mis le doigt sur son mystère. Il faut maintenant qu'il y aille de son discours.

– Ma Bentley n'est pas sortie, bégaie-t-il enfin.

– Vous êtes sûr?

– La nuit, je dors, inspecteur... Pourquoi voulez-vous que ma voiture quitte ma villa?

– Est-elle oui ou non sortie la nuit de l'assassinat ?

– Non.

– Vous l'affirmez ?

La voix chevrote :

– Je suis formel.

– Donc, vous me prenez pour un menteur. Expliquez-moi, alors, comment une contravention a pu lui être dressée alors qu'elle stationnait cette nuit-là sur un passage interdit de Venice, devant l'Homo Club ? Vous savez qu'ici les contraventions s'inscrivent immédiatement sur l'ordinateur. Il ne peut pas y avoir d'erreur de numéro puisque c'est votre nom, inscrit sur la plaque arrière, qui a été enregistré.

Cette ultime banderille, je la dois aux confidences du commandant Moss, suite à notre entretien privé sur le parking du musée Getty. L'informatique fait parfois bien les choses...

Krametz, abasourdi, ne répond pas. Nous sommes aussi tendus l'un que l'autre, lui qui se tait, moi qui vais lui extirper son secret. Moi qui bous d'impatience car je sens que je touche au but. S'il n'a pas utilisé la voiture, ce ne peut être que son ami, je n'ai pas rêvé, l'autre soir.

C'est le cruel, définitif instant de l'estocade :

– Ne mentez plus, Krametz. Que ce soit vous, Burt Field ou Dieu sait qui, quelqu'un est sorti de chez vous cette nuit-là, au volant de votre Bentley, pour assassiner Ingrid Palding. Soyez franc une fois pour toutes, avant qu'il ne soit trop tard : votre Bentley n'a toujours pas quitté Pacific Palisades la nuit de l'assassinat et de la contravention ?

– Non.

– Il faudra alors expliquer au sergent Brown ce qu'elle faisait aussi à Kanan Road et à quoi s'amusait son conducteur, surpris à creuser un trou dans lequel il a enseveli le sac à main de la victime. Grâce à un témoin, il a été retrouvé. Dommage que vous vous entêtiez... Alors, monsieur Krametz. Qui a tué Mme Palding? Vous ou Burt?

Le fardeau pèse, le ressort se brise.

La foudre.

— Burt n'y est pour rien, inspecteur. C'est moi. Pierre Julien m'avait dit que j'hériterais de lui... Ingrid était une gêne, alors j'ai pensé...

Un tremblement violent s'empare du corps de Krametz... Ses yeux s'embuent, ses lèvres frémissent. Il se lève brusquement, se met à marcher, la tête entre les mains.

— Vous n'étiez pas à un cadavre près, dis-je. Le plus dur était de descendre votre ami et protecteur Pierre Julien...

Il s'arrête tout d'un coup, me fixe, l'œil agrandi.

— Eh oui, Krametz... Nous savons que c'est la même arme, la vôtre, qui a servi à abattre votre associé. L'expertise est concluante...

Simon ne répond rien. Effondré, il vacille, s'appuie au rebord de son bureau, le souffle court.

Lorsqu'il relève les yeux vers moi, son visage défait est inondé de larmes.

— Ce n'est pas moi, dit-il. Ce n'est pas moi qui ai tué Pierre Julien...

lequel il a enseveli le sac à main de la victime. Grâce à un témoin, il a été retrouvé. Dommage que vous vous entêtez... Alors, monsieur Krametz. On a tué Mme Palding? Vous ou Bart?

Le fardeau pèse, le ressort se brise.

La foudre.

— Bart n'y est pour rien, inspecteur. C'est moi. Pierre Julien m'avait dit que j'hériterais de lui... Ingrid était une gêne, alors j'ai pensé...

Un tremblement violent s'empare du corps de Krametz... Ses yeux s'embuent, ses lèvres frémissent. Il se lève brusquement, se met à marcher, la tête entre les mains.

— Vous n'étiez pas à un cadavre près, dis-je. Le plus dur était de descendre votre ami et protecteur Pierre Julien...

Il s'arrête tout d'un coup, me fixe, l'œil agrandi.

— Eh oui, Krametz... Nous savons que c'est la même arme, la vôtre, qui a servi à abattre votre associé. L'expertise est concluante...

Simon ne répond rien. Effondré, il vacille, s'appuie au rebord de son bureau, le souffle court. Lorsqu'il relève les yeux vers moi, son visage défait est inondé de larmes.

— Ce n'est pas moi, dit-il. Ce n'est pas moi qui ai tué Pierre Julien...

18

Burt Field est toujours aux aguets, même quand on l'arrache à son sommeil. En un clin d'œil, il émerge de sa torpeur pour décrocher le téléphone.

Il attend, prudent, que la voix se manifeste à l'autre bout du fil. Il n'est rassuré que lorsque le code a fonctionné – deux sonneries dans le vide puis nouvel appel – et qu'il reconnaît le timbre particulièrement affecté de James Windler, le gérant de l'Homo Club.

– Tu es là, mon chou?

– Qu'est-ce qui se passe? grogne Burt. Tu as vu l'heure?

Il se redresse, s'assied au bord du lit, bâille, s'étire, jette un coup d'œil à la pendule. Il est 9 h 40. Comme tous les noctambules, Burt récupère le matin ses nuits d'escapades. La semaine a été fertile en inaugurations, et, ce soir, il sera encore le boute-en-train lors de l'ouverture de Gay-Strip, une nouvelle boîte d'Hollywood Boulevard. Il ne désespère pas d'y entraîner Simon. Ça lui changera les idées.

– Tu n'as pas eu de visites particulières, ces temps-ci?

Un silence lourd de sens.

– Pourquoi tu me demandes ça?

– Parce que j'en ai eu une à ton sujet. Du L.A.P.D. Et pas agréable, au moment où j'allais me coucher. Une femme sergent et un minus qui n'arrêtait pas d'éternuer m'ont sauté dessus à 7 heures du matin. J'avais même pas eu le temps de finir ma caisse et de boucler la boîte. Ils m'ont posé des tas de questions. Si je connaissais un certain Burt Field, entre autres. J'ai fait le con, naturellement, mais j'ai comme l'impression qu'ils aimeraient bien faire un brin de causette avec toi.

Burt passe la main sur son cou inondé de sueur.

– Qu'est-ce qu'ils t'ont dit, exactement?

– Ils voulaient savoir si c'était toi ou Krametz qui était ici, hier soir, *because* une contravention qui a été collée à la Bentley. De quoi tu vivais aussi. Si tu venais souvent au Club. Avec quoi tu avais acheté ta grosse moto. Qui tu fréquentais. Après ils ont fouillé partout, peut-être pour trouver de la came. Il n'y en a jamais chez moi, heureusement. Je suis venu à Westwood dès qu'ils sont partis. Je t'appelle d'une cabine.

Burt s'éclaircit la gorge, jette un nouveau coup d'œil à la pendule, secoue sa crinière emmêlée.

– Et toi, qu'est-ce que tu leur as dit?

– Avec ces cocos-là, moins on en dit, mieux on se porte, mon chou. Il y avait tellement de monde au Club que je ne détaille pas la clientèle. Je vais faire la leçon à mes garçons dans ce sens.

Burt feint de réfléchir quelques secondes, en proie à une soudaine inquiétude.

– Ça m'arrangerait que tu me rendes un service pendant que je prends ma douche, James. Tu téléphones à Rodeo et tu dis à Simon de laisser un message à la piaule du 52. Il comprendra. J'interrogerai le répondeur à distance. Il devait me réveiller à 9 heures comme tous les jours et il ne l'a pas fait. Tu insistes si la secrétaire ne veut pas te le passer. Personnel. J'espère qu'il n'y a pas d'embrouille avec un connard qui se serait fait piquer avec de la came... Je passe te voir dès que je peux.

Rodeo Drive est en effervescence. L'arrestation de Krametz a semé la révolution chez les journalistes. Une édition spéciale lui est consacrée. Son visage envahit les écrans de télévision. C.N.N., C.B.S., N.B.C., K.L.5 se battent à coups de communiqués. Le magasin de Beverly Hills est la proie des objectifs et, à Longwood, Gladys Brighton occupe le devant de la scène, tient conférence sur conférence, sous l'œil éteint du malheureux Kirk.

Mitraillée par les photographes, assaillie de questions, Leslie Brown a dû expliquer et répéter comment et pourquoi le successeur de Pierre Julien à la tête de l'empire Larzac avait été interpellé. Les flashes éteints, les reporters ont volé vers d'autres scoops, et les couloirs de la division Homicide ont retrouvé leur calme.

La trogne enluminée du détective Wilfried s'immisce dans l'entrebâillement de la porte :

– Vous ne déjeunez pas aujourd'hui, sergent ?

Leslie n'a pas faim. Elle n'a pas non plus envie de rester seule au bureau ou d'aller s'attabler devant un Diet Coke à la brasserie de la Triforium Tower. Le mess lui changerait les idées. On n'y sert pas des repas diététiques qui prétendent conserver la ligne, mais ce n'est pas mauvais, surtout pour le prix.

– Si, Peter. Je vous rejoins.

Elle boucle son tiroir, glisse la clé dans la poche de

sa vareuse, gagne la salle où le brouhaha des conversations s'ajoute au tintement des verres et des assiettes entrechoqués. Elle s'assied à une table, réfléchit. Les aveux de Krametz, la découverte à son domicile de Longwood de la facture de l'arme et de deux boîtes de cartouches HSM 38 spécial 158 grains à Pacific Palisades l'avaient momentanément rassurée. Mais elle sent que quelque chose ne va pas. Burt Field reste introuvable, et sans doute en aurait-il long à dire, lui aussi, sur le meurtre de Pierre Julien, que Krametz s'obstine à ne pas endosser. Elle avait espéré que le petit Simon serait laissé en liberté jusqu'à ce que l'affaire soit conclue. Le commandant Moss, le juge Gower surtout, saisi de l'instruction des deux dossiers d'assassinats, s'étaient montrés inflexibles. Prisonnier de son code, le magistrat avait balayé les objections de Leslie et décidé d'appliquer les prescriptions de l'article réprimant le meurtre avec préméditation.

— Votre client a reconnu les faits, non?

— Si, monsieur le juge.

— Vous ne lui avez fait subir aucune contrainte. Ni morale ni physique?

— Non, monsieur le juge.

— Que vous faut-il de plus, alors, sergent? Les aveux sont signés, les visites domiciliaires à Longwood et Pacific Palisades sont concluantes! Nous avons la facture, d'un côté, la découverte des boîtes de cartouches, dont une entamée, de l'autre. En plus, nous avons saisi cinq sachets d'héroïne dans la corniche en stuc qui abrite l'éclairage indirect. Ça ne vous suffit pas? Mais qu'est-ce qu'il vous faut de plus, sergent?

— Burt Field a disparu, monsieur le juge. Rien ne dit que tout cela ne lui appartenait pas...

– Allons, sergent. La facture est au nom de Krametz, les cartouches sont identiques à celle retrouvée à Topanga-Beach, cela me suffit. N'oubliez pas que j'ai deux innocents sur les bras! Il faut que je les fasse sortir rapidement de Kilpatrick si je ne veux pas avoir la communauté noire sur le dos. Pas le moment de laisser dehors un commerçant soi-disant respectable qui finira bien par avouer également le meurtre de Pierre Julien. J'en suis convaincu.

Leslie Brown chipote quelques frites accompagnant le steak, contemple les couleurs irisées de son verre.

– A quoi pensez-vous? demande Wilfried, que le cabernet sauvignon a rendu euphorique tout en accentuant la couperose des pommettes et des ailes du nez. Je vous vois toute chose...

Un pâle sourire :

– A rien. Ou plutôt si. A ce Burt Field qui a déjà disparu. Nous ne pourrons pas le coincer s'il change d'État. Je me demande qui a bien pu le prévenir...

– Qu'est-ce que vous croyez, sergent? Ce gars-là regarde aussi la télé! On en a parlé partout, de l'arrestation de Krametz. Comment voulez-vous que son petit ami ne soit pas au courant? Vous n'avez qu'à lancer un avis de recherche...

– C'est fait. Mais le temps que ça donne des résultats, Field sera loin et Krametz restera moisir à Folsom. Ce n'est pas de la bonne police que nous avons fait là, Wilfried... Ah, bonjour Wesson.

Le sergent Dave Wesson qui a véhiculé ses quatre-vingt-dix kilos de muscles jusqu'à la table de Leslie Brown se fige devant elle :

– Je voulais vous rendre visite. Ça tombe bien.

– Pourquoi? fait Leslie, le regard dans le vide.

– Pour vous féliciter. J'ai vu la tête du Krametz

que vous avez encristé. Drôle de baratineur, c'est moi qui vous le dis. Un faux-cul de mes deux.

— Ah, oui?

— Si vous aviez vu le cirque qu'il nous a fait quand on était détachés sur Pico le jour des émeutes! Sous prétexte qu'il était le patron d'un entrepôt du coin, le monsieur nous a traités de tous les noms. Je te l'ai empoigné quand il nous a menacés de son avocat et je te l'ai collé dans sa Bentley de merde pour qu'il nous foute la paix. Je vous jure que ça l'a calmé. On l'a relâché quand on a levé le barrage, pas avant!

Leslie Brown se verse un verre de Coca. Son regard a pris de l'acuité. Elle pose sa serviette.

— Vous êtes sûr qu'il s'agit de Krametz? Sûr, sûr?

— Avec la frime qu'il a, difficile de se tromper. Et puis des Bentley dorées, j'en vois pas tous les jours. Il voulait aller à son bureau sur Pico. Parlez si c'était le moment! Ça flambait de partout. Il l'a vite fermée sa gueule quand je l'ai soulevé de terre. Les râleurs, moi, je les mate.

— Vous avez bien fait, dit Leslie quittant la table. Mais ça, il faudra le répéter au juge Gower, Wesson. J'y compte.

Burt Field cale la Kawasaki sur sa béquille, verrouille l'antivol, s'en éloigne. Il traverse Ocean Front Walk à grandes enjambées, contourne deux blocs de maisons, fait brusquement demi-tour, revient sur ses pas. Tout en marchant vers l'Homo Club, il jette un coup d'œil dans les devantures pour s'assurer qu'il n'est pas suivi. Les glaces lui renvoient l'image qu'il affectionne et qui le fait ressembler à un martien enrobé de noir : casque intégral aérodynamique, combinaison de cuir à poches plaquées, gants et bottes matelassés. La visière fumée en Plexiglas dissimule son regard.

Burt ne s'était pas attardé sous la douche comme d'habitude, avait négligé ses exercices d'assouplissement et son crawl quotidien dans l'eau tiède de la piscine. Toute la matinée, il avait roulé, le cerveau en ébullition. Après avoir raccroché, il avait allumé la télévision et capté un flash de C.N.N. relatant l'arrestation de Simon. Cédant à la panique, il avait enfilé sa tenue de motard, enfourché la Kawasaki Sumo, dévalé Sunset Boulevard où les pèlerins du cinéma, le *Movie Stars Houses* en main, attaquaient déjà le périple des villas de leurs idoles.

Tout au long du front de mer, de Santa Monica à Venice, la Venise californienne, Burt réduit prudemment les gaz. « Je suis un vrai con d'avoir été mettre Simon au parfum », se dit-il. En proie à une émotion paralysante, il aborde Speedly Street où une patrouille de police contrôle les identités d'un groupe d'amateurs de roller-skate un peu trop bruyants. Windward Avenue, enfin. Calme. Déserte.

Burt pousse la lourde porte cloutée de l'Homo Club dont l'enseigne en cercle autour d'une licorne, symbole de la virginité, est gravée en creux sur une plaque de cuivre brillante comme de l'or. La salle baigne dans une demi-obscurité. James Windler, une mèche blonde dans la chevelure brune, se précipite à sa rencontre avec une incroyable préciosité de la voix et du geste.

– Quelle histoire, mon chou! J'en suis encore tout retourné. Tu te rends compte dans quel bain je serais, s'ils avaient trouvé un quart de gramme de poudre! C'est pour le coup que j'étais fichu. Dis-moi, est-ce que Simon est au courant de nos affaires? Je ne me sens pas tranquille...

Field ne répond pas. Il dépose son casque sur un coin du comptoir, embrasse du regard la salle vide.

Il ressent pour la première fois l'impression de patauger dans un gigantesque sorbet aux amandes. Une lumière tamisée, propre à créer l'ambiance particulière de l'accueillante maison galante interdite à la gent féminine, dégouline du plafond pistache. Tout est vert, dans l'antre du petit James aux hanches pleines, à la face de lune. Verts, les murs tendus de tissu plastifié où s'alignent des photographies d'éphèbes dans le plus simple appareil, vertes, les banquettes profondes autour des tables basses, verte, la moquette que quelques pieds de tabourets ont écrasée et jaunie par endroits. Vert, couleur de l'espérance... Où est-elle, l'espérance, en ce début de matinée?

James Windler, le visage anxieux, réitère sa demande :

— Dis-moi, chou, est-ce que Krametz est au courant? S'ils visitent sa piaule et qu'on y découvre de la marchandise, on est coincés! Je ne vis plus, moi.

Burt ne peut réprimer un geste d'agacement.

— Si tu réfléchissais une seconde au lieu de pleurnicher, tu réaliserais qu'il n'y a que moi qui pourrais te mettre en cause. Il reste quelques sachets à la maison, mais où ils sont planqués, les flics ne risquent pas de mettre le nez dessus...

— Mon Dieu! Pourquoi tu ne les as pas enlevés...

— Parce que je n'en ai pas eu le temps. Et puis, laisse ton bon Dieu tranquille. Ce n'est pas toi qui crains, c'est moi. Tu as fait ce que je te demandais?

James lui adresse le regard d'un noyé en perdition :

— Personne ne répond à Rodeo. On dirait que le magasin est fermé. J'ai insisté je ne sais combien de fois...

Burt a vite pris sa décision.

– On laisse tomber. Tu sais ce que tu vas faire?

James Windler bat des paupières, remue la tête.

– Je te file les clés et tu fonces à Pacific Palisades. Dans la corniche du plafond, au-dessus du piano, tu trouveras les sachets. Tu me les rapportes ou tu en fais ce que tu veux. Moi, je ne peux pas y retourner maintenant.

Les yeux de James s'arrondissent d'effroi.

– Tu es fou? Si les flics étaient là?

– Tu n'entres pas, c'est simple.

– Et s'ils débarquaient pendant que je suis dedans, qu'est-ce que je leur dirais, moi, aux flics? Je veux bien tout ce que tu veux, Burt, mais ça, c'est trop dangereux. Si en plus je tombais sur ceux de ce matin, j'aurais bonne mine. Tu n'avais qu'à les prendre avec toi, tes sachets!

A nouveau, Burt refrène son agacement.

– O.K., on laisse ça en l'état. Tu te souviens quand même de ce que tu m'as proposé, non?

James s'écarte de Burt, le regard en dessous.

– Qu'est-ce que j'ai pu encore te dire?

– Que si j'avais des emmerdes, tu connaissais une planque à Nogales. Que de là, on pourrait me faire passer au Mexique. Tu te rappelles au moins de ça?

– Bien sûr... Seulement, il faut y aller à Nogales! C'est pas la porte à côté...

– Je ne te demande pas ça. C'est valable, oui ou merde? Si tu crains que je fasse des révélations aux flics question drogue, le meilleur moyen c'est que je mette de la distance entre eux et moi, tu ne crois pas?

– Oui. Mais tu me places dans une situation difficile...

– Je ne vois pas comment. Tu me donnes un coup de main, oui ou non?

– C'est pas ça...

Le visage de Burt se durcit.

– C'est pas ça, c'est pas ça... O.K., garde-la ton adresse. Je me débrouillerai autrement. Seulement si je suis piqué, tu ne viendras pas chialer dans mon giron.

– 1546 Grand Avenue. Demande Jésus Arteguas. C'est un Mexicain mâtiné Hopi. Avec cent dollars, tu passes. Sa maison est à cheval sur la frontière. Tu sais, Burt, je t'aime bien. Mais avec toi, si ça continue, je crois que je ne vais pas tarder à devenir chèvre.

19

– Je ne vous en veux pas, sergent Brown. Vous faites votre métier, j'ai confiance en vous.

– Merci, monsieur Krametz.

Leslie et moi sommes assis dans la salle de conférences de la prison de Folsom, le centre de détention le plus sûr de Los Angeles. Elle a été créée pour couper court à toute velléité de fuite. On la cite en exemple.

Folsom étale ses bâtiments au milieu d'un pentagone de clôtures électrifiées surmontées de miradors à vitres antiballes teintées. Un système de sécurité perfectionné permet d'en bloquer les issues, d'isoler les divisions intérieures, de verrouiller les cellules individuelles. Des caméras électroniques prennent en enfilade les couloirs internes. Les allées et les cours de promenades extérieures transmettent leurs images au central de surveillance, véritable régie de chaîne de télévision.

C'est dans une cellule isolée du bloc des irréductibles que le juge Gower a fait placer Krametz, qu'il considère comme un dépravé, capable des machinations les plus perverses. Le bloc abrite une centaine de détenus, mexicains et noirs pour la plupart, en instance de jugement ou de transfert dans des pénitenciers californiens ou fédéraux.

– Puisque vous assurez que vous n'en voulez pas au sergent Brown, j'aimerais que vous lui racontiez la vérité, dis-je.

– Je l'ai dite.

– Non, monsieur Krametz. Depuis que je vous ai interviewé, j'ai compris. Par déduction, par intuition, je ne sais pas. J'ai interrogé, vérifié, supputé, réfléchi et re-réfléchi. Une conclusion s'impose et, comme toutes les grandes évidences, elle déconcerte par sa facilité. Trois hommes étaient capables d'avoir supprimé Pierre Julien et Ingrid Palding, soit par vengeance, soit par intérêt direct ou indirect. Tony Hopper par vengeance, les victimes n'ayant pas donné suite à son chantage. Vous par intérêt, puisque vous étiez le grand bénéficiaire de l'opération de nettoyage. Burt Field, enfin, par jalousie et intérêt, puisqu'il aurait profité de votre héritage. Ça ne pouvait être que vous. Enfin, l'un de vous. Ou deux d'entre vous. Tony Hopper est à mettre hors circuit. Il était absent de L.A. lors du meurtre d'Ingrid. Vous restez à deux.

Krametz ne dit rien, les mains plaquées sur les genoux. Son regard s'affole.

– J'étais certain que vous étiez coupable du double meurtre de vos patrons, mais je me suis trompé.

Il vaut toujours mieux agir par la persuasion que par la force.

– Vous n'y êtes pour rien non plus, Simon. Vous n'auriez eu ni le courage ni la lâcheté de commettre pareils crimes. Vous protégez quelqu'un et je sais qui.

– Je vous assure...

Le geste a été théâtral. La main de Krametz, molle, aux ongles ras, est suspendue en l'air. Une pose d'orateur antique.

— Dites-moi la vérité, Simon. Cette vérité que nous connaissons maintenant. Ça vaudra mieux pour vous.

Il se lève, retient des deux mains le pantalon de bure sur lequel flotte la chemise de lin réservée aux détenus. J'ai pris la gueule du flic que je déteste.

— Burt a fini par avouer, dis-je avec un aplomb qui m'étonne moi-même. Il ne pouvait pas faire autrement.

La mayonnaise va-t-elle prendre ou pas? Si nous le tenions, ce Burt, j'aurais pu le jauger. Est-il le genre d'homme à parler, ou se tairait-il, lui aussi, pour protéger son amant, comme l'a fait jusqu'ici Simon Krametz?

L'espace d'un instant, mon esprit s'envole vers une autre prison, un autre interrogatoire, qui me semble déjà vieux de plusieurs semaines. Baby Dog et G. Vamp, le Blood et le Crip qui, eux aussi, se protégeaient l'un l'autre. Mais c'était la haine qui les unissait, pas l'amour.

— Burt vous aurait dit la vérité, prétendez-vous?

Simon s'efforce d'amuser le tapis avec un sourire qui fait peine à voir. D'où me vient cette certitude qu'il va s'effondrer?

— Il a tout dit, Simon... Ce n'est pas vous qui avez tué Ingrid, n'est-ce pas?

J'ai l'impression qu'il va bondir, tenter de s'échapper pour ne pas en entendre davantage. Devant la grille, le gardien passe et repasse, se balançant de droite à gauche, donnant l'impression d'un jouet mécanique. Je perçois le cliquetis des énormes clés qu'il promène contre sa jambe. Mon paquet de chewing-gums est vide. Je le froisse, je le jette dans la corbeille de plastique, à l'autre bout de la table. Il faut bien que j'aie le style du flic décontracté, sûr de ce qu'il avance.

– Alors, Simon?

– Alors, monsieur Krametz? reprend Leslie comme en écho.

Il nous regarde. Je n'avais pas encore remarqué que ses petits yeux étaient si insondablement lugubres.

– Vous l'avez arrêté où?

– A Venice. Chez un ami avec lequel il vous trompait. Car il vous trompait, Burt Field. Jamais vous ne vous êtes demandé ce qu'il faisait de ses journées, je suis sûr. Pendant que vous travailliez, il prenait du bon temps, croyez-moi.

Krametz s'est affaissé.

Il pleure et j'ai honte.

Sale métier. Et ces clés qui n'arrêtent pas de tinter...

Tout est clair, maintenant. Je devrais sauter de joie, je respire lentement. Nous n'avons devant nous qu'un homme qui pleure. Une mouche escalade la vitre bardée de fer, retombe, reprend inlassablement son ascension. Je pose ma main sur l'épaule de Krametz. Je ne bouge plus. Je n'aurais jamais pensé qu'un homme serait capable de sentiments aussi profonds pour un autre, quitte à sacrifier sa vie.

De la main gauche, je fais signe au surveillant qui nous contemple, stupidement planté devant la grille, que l'entretien se termine.

– N'ayez pas de regrets, monsieur Krametz, ce n'est pas vous qui avez dénoncé Burt. Vous êtes petit et l'assassin d'Ingrid Palding est grand. Et comme vous ne pouviez être à la fois dans l'entrepôt et dans votre Bentley lorsque votre ami et associé Julien a été abattu, notre conviction a été vite faite. Burt est l'unique responsable de ces deux meurtres. Vous avez tenté de le protéger, mais c'est inutile maintenant.

– Vous l'avez mis où, Burt?

– Pas ici, par mesure de prudence. Mais avouez que c'est rare pour des policiers d'avoir un coupable tout trouvé sous la main et de devoir enquêter pour parvenir à établir son innocence. Si vous nous donniez un coup de main, Simon? Vous avez fait ce que vous avez pu pour votre ami. C'est fini. Vous devriez penser un peu à vous...

Simon Krametz relève les yeux vers moi, éperdu.

– Je veux le voir, dit-il. Je veux voir Burt. Après, je vous dirai tout.

Ron Willis, le *supervisor* du F.B.I. pour la Californie-Sud, est un homme de haute taille, svelte et élégant. Les cheveux drus coupés court, le regard bleu acier et la mâchoire carrée lui confèrent l'air martial d'un officier supérieur [1]. Il marche de long en large dans son bureau du dix-septième étage du Federal Building où le planton noir nous a introduits, Baker et moi, après que nous avons rempli une fiche visiteur détachée d'un bloc numéroté avec une lenteur exaspérante.

– D'accord, Richard, d'accord, dit Willis, je veux bien vous être agréable, mais je ne suis saisi d'aucune demande de recherches sur votre Burt Field pour le moment. Que le L.A.P.D. ait lancé une circulaire, ça le regarde. Mais – vous saviez ça quand j'étais encore à l'école de police – chaque État n'est compétent que sur son propre territoire, non sur celui de l'État voi-

---

1. Voir *Kidnapping*, Presses de la Cité.

sin. Nous ne pouvons donc intervenir en cas de franchissement de frontière que lorsqu'il y a violation d'une loi fédérale. Or, le meurtre commis dans un État n'est pas considéré comme crime fédéral. Et puis votre Simon Krametz ne l'a pas formellement accusé, si j'en crois le rapport du sergent Brown.

Pendant qu'il discourt, mon œil fait rapidement le tour de son quartier général. Un bureau d'acajou, de style néo-british, n'occulte heureusement pas la baie vitrée d'où la perspective sur le Pacifique et les Santa Monica Mountains semble vue d'un hélicoptère. Je me secoue, me retourne, pour faire face aux tableaux représentant le siège central du Federal Bureau Investigation de Washington. Comme chez Baker, le portrait de John Edgar Hoover, le fondateur du Bureau, figure en bonne place, au centre d'un panneau mural entre deux immenses cartes, l'une de Los Angeles, l'autre de la Californie.

Richard ne se tient pas pour battu.

— Je sais, Ron. Il y a pourtant violation puisque cinq sachets d'héroïne ont été découverts au domicile clandestin de Field et de Krametz à Pacific Palisades. Le Bureau est compétent.

— Aussi têtu que lorsque vous étiez mon instructeur à la National Police Academy, cher Richard! Vous n'avez pas changé. Il y aura violation quand le L.A.P.D. m'en aura officiellement informé. Je vous rappelle que les relations entre nous ne sont pas au beau fixe et que je pourrais être accusé de vouloir piétiner leurs plates-bandes!

— Burt Field circule en moto, ce qui veut dire qu'il peut aller où il veut, utiliser les chemins de traverse, échapper à tout contrôle si nous ne réagissons pas rapidement. Qui vous dit qu'il ne transporte pas d'autres sachets de drogue dans les sacoches de sa moto, Ron?

270

– Si c'est le cas, on le met dans les pattes de la Drug Enforcment Administration. Ils pourraient se payer un flagrant délit.

– Et vous piquer l'affaire... Bon. Je vais aller les voir...

Le regard de Ron Willis s'adoucit.

– Vous avez le numéro de la moto? demande-t-il.

– Notre ami Borniche n'a fait que l'apercevoir de nuit et de loin. C'est une grosse machine... Mais le numéro...

Le *supervisor* se mord les lèvres. Agacé. Pas content du tout. Je crains que notre démarche ne tourne court alors qu'il me paraissait soudain bien disposé.

– Une voisine de Field l'a peut-être, dis-je courageusement, me souvenant de la curiosité maladive de Gladys Brighton. Je n'ai pas son téléphone mais elle est domiciliée 2831 Longwood Street. Je peux vérifier, si vous voulez...

– Je m'en occupe, dit Willis. Excusez-moi de ne pas vous garder plus longtemps, Richard, mais le gouverneur m'a convoqué. Comptez sur moi, dès que j'ai les renseignements, je vous passe un coup de fil.

« FEDERAL BUREAU OF INVESTIGATIONS — DIRECTION CALIFORNIE — FEDERAL BUILDING 11000 WILSHIRE BOULEVARD LOS ANGELES CALIFORNIA A DIRECTION CENTRALE ET TOUS SERVICES FÉDÉRAUX — STOP — PRIÈRE RECHERCHER NOMMÉ FIELD BURT, SUSPECTÉ DE MEURTRE ET SUSCEPTIBLE SE LIVRER AU TRAFIC DE STUPÉFIANTS — STOP — INTÉRESSÉ CIRCULERAIT MOTO KAWASAKI 1500 COULEUR NOIRE ENJOLIVEURS OR TYPE SUMO IMMATRICULÉE 298 AA 547 CALIFORNIA AU NOM KRAMETZ SIMON, COMMERÇANT, 2831 LONGWOOD STREET CA 90019 — STOP — SIGNALEMENT : CHEVEUX BRUNS, YEUX BLEUS, TAILLE

Burt vient de dépasser Tucson. Il roule maintenant
à vitesse réduite compte tenu des vibrations que la
chaussée imprime au guidon, à ses avant-bras et
dans ses vertèbres qui n'en ont jamais tant enduré.

Jusqu'alors, le parcours s'est déroulé sans
encombre. Sur le large ruban d'asphalte de la 10,
ligne droite à l'infini, il a poussé la Kawasaki Sumo à
plus de 150 miles à l'heure. Un régal de confort et de
silence. Burt a l'impression de s'envoler, dans le ronronnement des cylindres. Il rit aux éclats, cheveux
au vent au-dessus du pare-brise. Un peu lourde peut-
être dans les virages, la Sumo, mais elle n'en colle
que mieux au goudron.

Le franchissement de la frontière d'État entre la
Californie et l'Arizona n'a posé aucun problème.
Sous l'arche du pont, les eaux du Colorado éclabous-
saient d'écume des roches à demi immergées. Le
contrôle agricole, destiné à interdire l'importation en
Californie de fruits porteurs de parasites susceptibles de contaminer les récoltes, s'effectuait sur
l'autre voie de la *freeway*. La traversée de Phoenix,
ville surprenante bâtie au milieu du désert aride et
surchauffé, lui a par contre paru interminable. C'est
alors qu'il faisait le plein à la station Mobil de Buc-
keye Road que la télévision du pompiste lui avait
une fois de plus jeté à la face le visage défait de
Simon. Les menottes aux mains, encadré par deux
gorilles, il escaladait les marches du palais de justice
de L.A. au milieu d'une nuée de photographes tandis
que le reporter expliquait que ses aveux complets
avaient permis de solutionner l'assassinat de la
femme de son employeur.

272

Encore trente miles avant de bifurquer vers le sud. La nuit est brutalement tombée, comme souvent dans les Santa Rita Mountains. Burt Field négocie des virages en épingle à cheveux qui longent des précipices tapissés de fougères géantes. Les roues de la moto aspirent le gravillon de la chaussée fraîchement goudronnée. Dans la lumière du phare, des blocs de rochers se précipitent à leur rencontre.

Burt consulte la montre lumineuse du tableau de bord. Il espère atteindre Nogales avant minuit. Le froid commence à l'engourdir. Ses yeux fatiguent. Il navigue maintenant sous une arche de branches qui semblent se refermer derrière lui, plonge dans l'épais désordre de la végétation où toute la gamme des verts se déploie. Des papillons de nuit aux reflets bleutés miroitent dans le faisceau du phare. Les arbres s'écartent enfin, découvrant les lumières des premières habitations de Tumacacori. Burt ralentit, hésite quelques instants à l'embranchement de National Monument et Nogales. Des torches électriques s'agitent derrière un panneau de signalisation où, au centre d'un triangle phosphorescent rouge, clignote l'inscription *Customs*. La frontière mexicaine est toute proche.

Burt Field ne peut se défendre d'une impression de malaise lorsque son engin vient mourir contre des chevaux de frise. Deux courtes silhouettes s'avancent vers lui. Il emplit lentement ses poumons et se dit qu'il n'a, heureusement, rien à déclarer. Son *speech* est prêt. Il rend visite à son ami Jésus Arteguas, qui réside au 1546 Grand Avenue à Nogales. Les douaniers ne sont pas des flics, son explication leur suffira. S'ils perquisitionnent les sacoches de la Kawa, ils verront bien qu'il ne transporte aucun objet de contrebande.

Il a bien fait de conserver le Smith et Wesson de Simon et de le glisser dans la doublure de son blouson. Les douaniers n'iront pas jusqu'à le fouiller.

Le brigadier Manuel Hacinas est considéré par ses collègues comme un tire-au-flanc indécrottable. Il ne changera jamais. Toutes les occasions pour se défiler, pour échapper aux corvées sont bonnes. Il a bien tenté, aujourd'hui, d'éviter la permanence de nuit sous prétexte que son épouse était sérieusement malade, le lieutenant a été intraitable. Il en était à son dernier quart d'heure de service avec ses collègues Sanchez et Miraflores, lorsque la radio du poste a nasillé :

« Interpeller conducteur de la moto Kawasaki noire à enjoliveurs or, immatriculée 298 AA 547 CALIFORNIA, se dirigeant vers la frontière mexicaine, suite à diffusion provenant du F.B.I. de Los Angeles. Le nommé Burt Field repéré à Phoenix et Tucson n'a pu être intercepté. Selon pompiste Granada Avenue se dirigerait vers Nogales. En cas découverte, fouiller à corps car susceptible de transporter des sachets de stupéfiants. Prévenir arrestation si découverte drogue, direction F.B.I. Phoenix qui répercutera sur Los Angeles. »

A la réception du message, les yeux noirs de Manuel Hacinas se sont rétrécis de part et d'autre du nez en pied de marmite dans la face basanée. Plus renfrogné que jamais, il a coiffé en silence sa casquette, s'est emparé du ceinturon suspendu à la crémone de la fenêtre, l'a bouclé et fait signe à Sanchez et Miraflores de l'accompagner à l'extérieur du poste de douane.

— Prenez les torches et le panneau, a-t-il ordonné. Manquait plus que ça, à dix minutes de la relève.

Mais je vous préviens, les gars, si à minuit pétant on n'a rien vu, on ne s'emmerdera pas à l'attendre, le motard. Je les connais, ceux de Tucson. Des ramiers qui ne pensent qu'à faire travailler les autres.

Burt Field s'est ressaisi. La mine débonnaire du gradé qui l'interpelle le rassure.

— Vous allez où, par là, à cette heure, alors que nous devrions avoir fini le service?

— A Nogales, chef. Un ami m'attendait ce matin, mais j'ai été empoisonné par une panne de carburateur. Sans ça, j'y serais déjà. *Sorry*.

— C'est nous qui sommes désolés. Rien de suspect sur vous? Alcool, bijoux, dollars, drogue?

— Drogue? Vous plaisantez, chef. Qu'est-ce que vous voulez que je fasse avec de la drogue...

— Je n'en sais rien. Le message dit que vous en transportez. C'est pour ça que je vous le demande.

— Quel message? bredouille Burt. Je ne transporte rien!

Manuel Hacinas soulève sa casquette d'une pichenette.

— Eh bien tant mieux! Faut quand même qu'on le vérifie. Pas vrai, Miraflores? Sanchez, regardez la moto. Et vous, venez par ici qu'on vous fouille.

Burt se sent perdu. S'ils trouvent le 38 sur lui, c'en est fini de sa liberté.

— Vous avez les papiers de la moto?

Burt glisse la main dans la poche intérieure de son blouson. Ses doigts sentent la crosse du Smith et Wesson. Il s'apprête à exhiber le récépissé d'assurance au nom de Simon Krametz, se reprend. Si le douanier fait le rapprochement avec le personnage qu'il a pu voir à la télévision, c'est la catastrophe! Sa décision est prise.

– Si vous permettez, j'aimerais ne pas laisser ma moto au milieu de la route. Elle vaut cher. Je vais la garer contre votre bureau.

Sans même attendre l'acquiescement du brigadier, il enfourche la Kawasaki, lance le moteur qui démarre aussitôt. Le pied gauche servant de pivot, il effectue un rapide demi-tour. Manuel Hacinas tente d'entraver son départ en se postant devant lui, mais un coup de feu le projette sur le côté. Puis un second. Il se tord sur le sol tandis que Miraflores court se réfugier dans le poste. Sanchez, lui, a le réflexe rapide. Il dégaine son arme, tire à son tour, à l'abri d'un pilotis. Une première balle touche Burt Field à l'épaule. Une seconde fait voler en éclats le feu arrière et crève le pneu.

Dans une violente embardée, la Kawasaki dérape, et Burt se retrouve projeté à terre. Son épaule frappe le sol, lui arrachant un cri de douleur.

Déjà, des faisceaux de torches électriques convergent vers lui. Burt n'a d'autre ressource que de tenter de fuir vers la vallée plongée dans une obscurité complice.

ÉPILOGUE

Moustache Café, ce lieu gastronomique de Melrose Avenue que les guides signalent comme le restaurant le plus parisien de Los Angeles, se devait d'accueillir à la veille des vacances les invités de Steven Hyde, le *big boss* du cabinet d'expertises internationales Smith's and Parson's. Nous sommes sept sous les spots de la terrasse fleurie qui donnent à l'argenterie un éclat particulier. Autour de la table, blondes et brunes *waîtresses*, plus sexy les unes que les autres, se déplacent avec les grâces du style et l'expression que leur confère le métier de comédienne. Fernand, l'amphitryon, sait les choisir. Entre deux tournages, les candidates au vedettariat ne rechignent pas à jouer le rôle de serveuse.

Solidement accroché à sa flûte de champagne, Steven Hyde marque un silence pour laisser à chacun le temps de mesurer la portée des louanges qu'il va décerner avec l'emphase des grands responsables. Il se racle la gorge, toussote, fixe Edward Moss debout devant lui, de l'autre côté de la table. C'est parti.

— Je suis heureux de vous porter ce toast, commandant Moss, vous en qui je salue le courage, l'abnégation et l'esprit de discipline qui sont les fleurons d'une police trop souvent décriée, trop souvent malmenée, hélas, depuis le regrettable matraquage du pacifique Jim Clarke. Je ne vous oublie pas non plus, sergent Brown et sergent Broziack, dont la perspicacité et les interventions judicieuses ont permis de solutionner une affaire qui aurait pu avoir des conséquences dramatiques. Grâce à vous, un meurtrier a été confondu et une belle erreur judiciaire, évitée.

Il marque une pause, soucieux de ménager ses effets, parcourt l'assemblée d'un regard souverain, poursuit :

– ... Mon directeur général n'a pu faire le déplacement de Genève. Il le regrette. Moi aussi. Mais il m'a prié d'associer dans mon éloge, tous ceux qui, de près ou de loin, policiers, douaniers, auxiliaires intéressés ou bénévoles, ont contribué au succès de l'opération. Bien entendu, je lève aussi ma coupe à la santé des détectives Baker et Borniche et à celle de leur égérie, j'ai nommé Mme Gladys Brighton. Trinquons et buvons, mesdames et messieurs.

Nous sommes depuis longtemps blasés, Baker et moi, par ces péroraisons d'un autre âge, qui précèdent les remises de décorations ou les départs à la retraite. Le coup d'œil que nous échangeons est aussi discret qu'ironique. Tant d'envolées grandiloquentes nous ont été servies au cours de nos carrières respectives que nous sommes vaccinés. Mieux vaut savourer la comédie humaine qui se joue au sein de notre petite assemblée, avec acteur principal et figurants.

Le long et voûté commandant Moss a balbutié un vague remerciement avant de s'asseoir en face de Steven Hyde. Le contraste, entre eux, est du plus haut comique. L'officier en grand uniforme évoque un sac d'os couronné d'une chevelure grise ébouriffée. Son teint blafard, ses verres de lunettes cerclés de métal blanc, sa moustache poivre et sel sous le nez aquilin, me font penser au Charlot des *Temps modernes*. L'expert en assurances affiche, lui, un buste de lutteur, une tignasse rousse taillée à la brosse, un teint rubicond, un nez rond et une moustache poil de carotte en forme de guidon de bicyclette. Les lunettes à grosse monture d'écaille enserrent des verres cul-de-bouteille.

Côté rousseur nous sommes gâtés : Gladys Brighton, assise à côté du sergent Broziack boudiné dans une veste trop étroite, arbore une crinière de lionne qui tranche sur sa robe rose bonbon. Les renseignements qu'elle a fournis sur Field et Krametz ainsi que son implacable repérage du numéro de la Kawasaki lui ont valu la reconnaissance de Steven Hyde. Surexcitée par la situation, elle s'épuise en œillades et minauderies variées. Un médaillon suspendu à son cou par un ruban de deuil offre aux convives le portrait noir et blanc de feu son époux barbu.

Mais la déesse de la soirée est indiscutablement la superbe Leslie Brown qui semble s'être échappée, entre deux scènes, d'un studio de Hollywood. Richard Baker, très en verve, la serre de près à l'autre bout de la table. Je la regarde par-dessus le bouquet de fleurs qui cache en partie le décolleté de sa robe claire. J'ai l'impression de la connaître depuis toujours, cette fille rieuse et grave, méthodique et rêveuse, typiquement noire américaine. Une jeune femme bien élevée, nullement intimidée par la beauté des starlettes à qui elle pourrait facilement faire concurrence.

Les serveuses se déplacent à pas feutrés autour de la table, disparaissent discrètement quand elles ont rempli les verres. Je sais qu'après les toasts de bienvenue et le salut aux absents les plats vont se succéder et qu'entre la poire et le fromage le prince des agapes nous livrera la suite de son discours, de la naissance des contrats d'assurance aux récents événements qui ont entraîné la conviction du juge Gower. Chaque chapitre de son récit, tout le monde le connaît et pour cause, sauf Gladys Brighton, dont les joues commencent à se colorer au point d'escamoter les taches de rousseur.

Drôle de bonhomme, ce Hyde... A mesure que je lui rapportais les faits parvenus à ma connaissance, il s'imprégnait des moindres détails et les répercutait par fax, avec une précision remarquable, à sa direction générale. Les aveux de Krametz l'avaient laissé un moment pantois. Il s'était vite remis en selle :

— Puisqu'il y a meurtre avec préméditation, l'intention frauduleuse prend ici toute sa valeur. L'assurance ne joue pas. La jurisprudence est formelle. C'est clair, net et précis.

— L'assurance, d'accord, monsieur Hyde. Mais le testament n'est pas caduc!

— Cela concerne l'avocat. Je ne vois pas comment un tribunal pourrait faire bénéficier un assassin de dispositions testamentaires dans de telles conditions. Ce qui m'intéresse, moi, c'est l'assurance, rien que l'assurance. Les compagnies n'auront aucune indemnité à verser puisqu'il y a fraude. Pour le reste, il risque d'y avoir du suspense, mais ce n'est plus mon problème.

Je l'avais subi, le suspense, lorsque le *supervisor* Ron Willis avait informé Baker de la fusillade de Tumacacori et de l'évanouissement de Burt Field dans les ténèbres.

Burt dévale la colline. Aussi longtemps qu'il peut courir sans reprendre haleine, il fonce, tête baissée, droit devant lui. Il franchit des fossés bordés de cactus, enjambe des éboulis, s'accroche aux obstacles. Ses pieds heurtent des racines aussi dures que la pierre, se tordent au creux d'excavations invisibles. Un parcours de cauchemar. Dix fois, il manque de tomber. Dix fois, il repart. Ses muscles ne sont plus qu'une machine qui l'entraîne vers le fond de la vallée noyée dans le brouillard. Sa tête bourdonne. Il sue. Son épaule saigne mais il ne ressent plus la douleur. Fuir, fuir les chasseurs qui le traquent! Le sang a imbibé son tee-shirt, englué le blouson. La balle a traversé le biceps, paralysant à demi le bras gauche. A dix centimètres près, le poumon ou le cœur était touché.

Une racine traçante le fait trébucher. Il s'affale, roule sur la pente de plus en plus raide. Sa tête heurte une souche. La douleur de l'épaule se réveille, lui transperce le dos. Il demeure quelques secondes hébété, incapable de faire un geste, comme le boxeur qui vient d'encaisser un mauvais coup. Peu à peu, il reprend ses esprits, mesure l'immensité de la vallée, se demande, la peur au ventre, comment il va pouvoir s'en tirer. Il s'assied, espérant qu'on ne pourra pas venir le dénicher dans ce chaos de roches, de ronces et de plantes grasses. Il aspire goulûment l'air frais, comme pour desserrer le nœud qui l'étrangle. Ses pensées s'ordonnent. Il a dans l'oreille le claquement des détonations quand on lui a tiré dessus. Les douaniers ne vont pas abandonner la partie, ce serait trop beau.

Une liane qui court sur le sol l'aide à se redresser. Il attend que l'élancement faiblisse pour faire le premier pas, jette un regard désespéré autour de lui. A un mile, tout en bas, à proximité du rio, des volutes de fumée s'élèvent d'une bâtisse dont deux fenêtres sont éclairées. S'il pouvait s'en approcher, surprendre les occupants, les obliger à l'héberger ou le déposer en lieu sûr, de gré ou de force. De force, plutôt. Le pistolet qu'il serre dans sa poche est là pour leur faire entendre raison.

La main valide de Burt part à la recherche d'un appui pour amorcer la descente. Son pied tâte le sol. Une pierre se détache, qui roule vers un abîme qu'il n'ose regarder, rebondit le long de la pente abrupte. La crevasse évoque les portes de l'enfer. Le bruit qui s'est répercuté à l'infini a dérangé une chauve-souris géante. Dans un bruissement d'ailes précipité et mou, elle effleure sa chevelure. Une autre pierre se détache, roule au flanc du précipice. Burt serre les dents. Il reprend de justesse son équilibre, n'avance plus que plaqué à la paroi rocheuse.

Une pétarade lointaine décuple son angoisse. La chasse s'organise. Si l'hélicoptère de la douane se met de la partie, l'hallali va bientôt sonner. Burt, inondé de sueur froide, cloué au sol, épie le ciel. L'hélico a déjà surgi au-dessus des vallonnements et le puissant faisceau de son phare balaie les cimes des arbres, perce les feuillages, fouille la steppe. L'appareil décrit de larges cercles, puis la pétarade s'estompe, les feux de position disparaissent derrière un monticule. Tassé dans une anfractuosité de roche, Burt se prend à espérer. Pas le moment pourtant de marcher à découvert. Pourra-t-il quitter les gigantesques ramures qui le protègent avant le jour? Pour aller où? Jamais le passeur mexicain ne consentira à aider le meurtrier d'un douanier à franchir la frontière. Qui sait d'ailleurs s'il ne le dénoncerait pas afin de se concilier les bonnes grâces des gabelous!

Un bruit de branches fait sursauter Burt. Ses

doigts se crispent sur la crosse du revolver dont le barillet ne contient plus que trois cartouches. Il tend l'oreille, souffle coupé. Le bruit ne se renouvelle pas. Quelque lièvre, sans doute, ou un écureuil dérangé dans son sommeil.

Burt se détache de la roche. Sa main agrippe la branche d'un arbuste jaillie devant lui. Sa jambe droite s'apprête à s'écarter de la gauche pour trouver un point d'appui en contrebas. Le mouvement s'arrête net. Un craquement le fait se retourner. Une torche électrique et un canon de fusil se sont braqués sur lui tandis qu'une voix beugle :

– Les mains en l'air et vite !

Tout le monde fait honneur aux plats que le chef de cuisine a concoctés avec la complicité de Steven Hyde, gourmet devant l'Éternel. Pour célébrer l'événement, il a fait tirer de sa réserve quelques rares bouteilles de Bordeaux millésimé. L'alcool échauffe le sang, la conversation s'anime. Elle roule naturellement sur les événements de Los Angeles et leurs dramatiques conséquences. Les commentaires du commandant Moss se révèlent instructifs. Les émeutiers en font les frais. Jamais une ville des États-Unis n'a connu cocktail plus détonant que ces quatre cent cinquante bandes regroupant plus de quatre-vingt mille énergumènes déferlant sur les quartiers commerçants pour y semer la mort, l'incendie, le pillage. Le bilan pour l'ancienne Nuestra Senora de la Reina de Los Angeles, la Reine des Anges, où Chinois et Latinos, Vietnamiens et Cambodgiens, Philippins et Coréens se disputent le contrôle de chaque rue, est lourd. Très lourd. Mille armureries ont été dévalisées, des dizaines de milliers de *stores* pillés et incendiés. Les dégâts sont estimés à plus de deux milliards de dollars. Sans compter les morts, les blessés, les handicapés à vie et les vingt mille emplois perdus.

– Coup dur pour les assurances, maugrée Hyde, que le souvenir de l'affaire Julien-Palding dégrise quelque peu. Ça va sérieusement faire monter les primes...

Le sergent Broziack ne manque pas l'occasion. C'est le moment de se faire valoir :

– Sauf votre respect, commandant, si on avait tiré dans le tas à la mitrailleuse lourde comme au Viêt-nam, je vous jure que ça leur aurait donné à réfléchir! Malheureusement, ce n'est pas fini! Notre président, qui a trouvé injuste l'acquittement de nos collègues, exige un nouveau procès. Tout ça pour faire plaisir aux noirauds de son électorat qui recommenceront leur jeu de massacre si un autre verdict d'acquittement se pointe. Déjà, ils ont obtenu la peau du chef de la police qu'on a remplacé par un Noir. Fallait tirer dans le tas, je vous dis. Si Bush perd les élections au profit de Clinton, il ne l'aura pas volé!

Le sergent a souligné sa diatribe d'une grimace de dégoût. Emporté par sa haine, il ne remarque même pas le regard glacé que Leslie darde sur lui. Du coin de l'œil, je vois l'ami Richard lui glisser un mot à l'oreille et poser sa main sur son avant-bras. Je hausse les épaules. Broziack n'est pas seulement raciste, il est surtout idiot. Les Noirs qui grandissent dans le ghetto ne sont pourtant pas tous des tueurs ou des incendiaires, loin s'en faut. Mais si on ne leur tend pas la main, si on n'éduque pas les jeunes, s'ils n'ont pas d'autre horizon, dans leur vie d'adulte, que le chômage et la misère, si le système leur interdit d'accéder au capital, aux emplois supérieurs, au ferment économique, ils n'ont aucune chance de s'en sortir. Les programmes sociaux sont squelettiques, les promotions superficielles. Depuis l'agitation que les Watts ont connue en 1965, certes il y a eu un progrès dans leur situation, mais si peu...

– Si peu, enchaîne Moss, que la révolte couvait depuis longtemps. Les sociologues l'avaient prévue. Ils avaient remarqué que Crips et Bloods, adversaires sur le terrain, vivaient sur les mêmes bases, violence et drogue. La vente des armes est libre. Avec l'argent que leur rapporte le trafic des stupéfiants, les gangs s'en sont procuré au point de posséder un arsenal plus important que le nôtre.

Le commandant Moss s'interrompt. Silence dans l'assemblée. L'absence de réglementation m'a toujours sidéré. De puissants lobbies tirent de la fabrication et de la vente des armes de scandaleux bénéfices et bloquent toute initiative, fédérale ou gouvernementale, qui tendrait à en limiter les droits d'acquisition. N'importe qui peut détenir le pistolet et les munitions de son choix, exception faite des armes dites de guerre, sous réserve de ne pas les transporter et en faire un usage extérieur. Ces directives administratives ne valent, hélas, que pour le commerce officiel. Les marchés d'occasion, nombreux à South Central, offrent à qui veut l'emporter le matériel désirable, y compris les armes de guerre les plus sophistiquées à des prix défiant toute concurrence. Quant à la drogue, crack, P.C.P., morphine, coke ou héroïne, elle est ouvertement proposée à tout acheteur, pour peu qu'il n'hésite pas à s'enfoncer dans le quartier noir où la police n'aime pas trop s'aventurer.

– Votre Burt ne se camerait pas, par hasard ? m'avait demandé Baker lorsqu'il avait appris qu'on

287

avait découvert des sachets d'héroïne dans la villa de Pacific Palisades. Lui ou son copain Simon? Les deux, peut-être?

Krametz ne m'avait pas donné cette impression. N'ayant pas approché Burt Field, je ne pouvais me prononcer. J'allais en avoir le cœur net en lui rendant visite dans les locaux du shérif de Tucson où il avait été transféré après son arrestation dans les collines de Tumacacori. Sa comparution devant la cour de Phoenix pour tentative de meurtre sur agent du gouvernement dans l'exercice de ses fonctions ayant été fixée dans les délais réglementaires, il importait de l'interroger sur les affaires de Los Angeles avant qu'il ne se ressaisisse.

Le douanier Hacinas avait eu de la chance. La balle qui l'avait couché au sol, déviée par la boucle de son baudrier, s'était logée à un cheveu de l'artère pulmonaire. Son extraction à l'Arizona State Hospital de Phoenix, proche de l'aéroport, n'avait pas posé de problème. L'interrogatoire de Burt Field, en revanche, fut beaucoup plus délicat.

Ce pilote est un casse-cou.

Est-ce pour me faire admirer le paysage que nous virevoltons au ras d'éperons montagneux, de cônes de volcans éteints et de tables de grès isolées dont les flancs escarpés s'élèvent droit vers le ciel? Que le jet glisse entre de hautes murailles de roc, survole des gorges, chevauche des amphithéâtres dont les tons changent constamment selon la marche du soleil?

Quand, avec Leslie Brown et Richard Baker, je me suis embarqué dans l'appareil du F.B.I. mis à notre disposition par Ron Willis, je n'aurais jamais cru qu'on m'offrirait en prime une balade acrobatique au-dessus de déserts, de plateaux riches de cactus de

288

Barbarie, de chaînes de montagnes, de vallées prometteuses de fraîcheur. Déjà, le décollage de LAX Airport valait son pesant de kérosène. Le Magister frémissait en bout de piste de toute la poussée de ses deux réacteurs, engloutissait le bitume, se cabrait devant le satellite d'embarquement, donnait tout ce qu'il avait dans le ventre. J'étais cloué à mon siège. Leslie aussi. Nous avons mis le cap sur Escondido, battu de l'aile au-dessus du Colorado miroitant sous le soleil, puis nous avons piqué vers le désert et Tucson International Airport où le shérif nous attendait.

Tucson.

Le nom est inscrit en lettres capitales blanches sur le sommet de la tour de contrôle. Nous nous arrêtons en un ultime et savant virage. Je déboucle ma ceinture, saute et ordonne à mes jambes cotonneuses d'emboîter le pas à Baker qui ne semble pas avoir souffert de cette promenade-montagnes-russes. Leslie Brown colle à mon ombre.

Huileux, poussif, affecté d'un strabisme divergent et d'une odeur de transpiration tenace, le shérif Lortega nous accueille avec déférence. Pour lui, Richard est quelqu'un. Sa face basanée sous le monumental Stetson couleur miel se fend d'un sourire obséquieux qui dévoile un bridge tout acier.

— Ma voiture est à côté, sur Valencia Road. Je vous offre un petit rafraîchissement au bar de l'*airport* avant de partir? On crève de chaleur, aujourd'hui.

C'est vrai qu'il fait lourd, en Arizona. Tucson est une ville de désert. Le Far West! Le thermomètre atteint facilement ses trente-huit degrés l'été et ne descend que rarement, l'hiver, au-dessous de vingt.

— Pas de refus, dit Baker. Comment va le prisonnier?

— Le mieux possible. Sa blessure est sans gravité.

Le docteur lui a fait une piqûre antitétanique et lui a bandé l'épaule et le bras. Il peut répondre à un interrogatoire même poussé, mais on n'a pas voulu prendre ce risque. Autant vous prévenir, il n'a pas l'air très coopératif, votre Burt Field! Vous comptez l'interroger ce soir ou demain?

Le grand cirque.

Avec toute la troupe.

On a poussé le bureau du shérif dans un angle de la pièce, on a fait asseoir Burt Field au centre sur une simple chaise en bois.

Il est là, Burt, mal rasé, le teint hâve, le bras gauche soudé à la poitrine par un pansement rouge de Mercurochrome. Le jean taché de boue séchée tire-bouchonne sur les bottes mexicaines. Quand, chancelant sous le poids, les douaniers l'ont débarqué l'autre nuit de la Jeep pour l'installer sur le bat-flanc d'une cellule nauséabonde, il était plutôt mal en point. Au cours du transfert Tumacacori-Tucson, il avait perdu beaucoup de sang. Il s'était vite remis sur pied. Le docteur du Community Center, appelé d'urgence, avait nettoyé la blessure avec des compresses d'eau bouillante imbibées d'alcool, extrait la balle qui boursouflait la peau, et planté l'aiguille du goutte-à-goutte. Alors qu'il rangeait son matériel médical, les joues du blessé avaient déjà retrouvé un semblant de couleur.

– Pas la peine de l'envoyer à l'hôpital, avait-il décrété. C'est un costaud, votre tueur. Et un bras, ce n'est pas comme un thorax, ça se cicatrise vite.

Le bureau de la brigade pue le tabac et la sueur, que le ventilateur essoufflé n'arrive pas à évacuer en cette fin de journée. La pièce est sombre, mal éclairée par l'unique fenêtre à barreaux. Au-delà des vitres sales, l'immense forêt de pins escalade les contreforts de la cuvette au fond de laquelle Tucson est nichée. Les derniers rayons de soleil nimbent les cimes d'une lumière orangée.

Il n'en mène pas large, l'ami Burt. Leslie Brown non plus qui se demande avec anxiété s'il va décharger Krametz des meurtres de Pierre Julien et d'Ingrid Palding.

Je ne vois de Burt que le profil de play-boy fatigué et le tatouage, artistique je dois dire, d'un scorpion sur son biceps droit. En bras de chemise, le shérif tire sur son cigarillo avec des airs de matamore. Ses hommes, les manches de chemise roulées au-dessus des coudes, attendent le signal du passage à tabac.

Baker est un habitué des interrogatoires. Assis à califourchon sur une chaise, face au prisonnier, sa voix est calme, courtoise, lorsqu'il demande :

— Nous aimerions que vous nous disiez ce que vous êtes venu faire dans cette région, monsieur Field.

Burt ne répond pas. Il garde le bras droit replié sur l'estomac, le visage fermé. Le shérif nous avait prédit une partie difficile, sans doute a-t-il raison. Pour l'instant, l'angoisse crispe les traits du jeune Californien. Il sait que l'attendent une inculpation pour tentative de meurtre sur la personne d'un douanier et un séjour de longue durée dans une de ces prisons-étuves de l'Arizona. Il sait aussi que nous sommes là pour autre chose.

Leslie Brown rebondit sur la question comme s'il ne l'avait pas entendue :

— La moto que vous avez abandonnée au poste de douane est au nom de Krametz. Il vous l'a confiée, je suppose. Pourquoi alors ne pas en avoir présenté les papiers au lieu de tirer sur les agents ?

Burt la regarde sans rien dire.

— Je ne vous comprends pas, reprend Baker. On répond aux questions quand on n'a rien à cacher. Ou alors, vous l'avez empruntée sans en parler à Krametz dont le *driver motor véhicles*[1] nous a indiqué l'adresse, 2831 Longwood Street à Los Angeles, c'est-à-dire la vôtre. Qu'est-ce qui vous gêne, là-dedans? Cigarette?

Je hausse un sourcil. Richard fume rarement, je le sais. C'est d'ailleurs depuis qu'il a ralenti sa consommation de tabac qu'il ne cesse de mastiquer ses éternels chewing-gums.

Burt Field hésite, puis tend la main vers le paquet que lui propose Richard.

La main gauche.

Le cou tendu, les hommes du shérif guettent le moment de passer à l'action. En temps normal, ils s'en donneraient à cœur joie. Il n'est qu'à voir leur face de brute pour s'en rendre compte. La blessure et notre présence sauvent certainement Burt d'une correction en règle.

En technicien avisé, Richard pratique l'interrogatoire avec un calme et une obstination que j'admire.

— Vous ne voulez pas parler? O.K., je n'insiste pas. Il vous faut cependant décliner votre identité pour la rédaction du procès-verbal. Vous vous appelez bien Burt Field, si je ne m'abuse...

Cette fois, les lèvres se desserrent:

— Puisque vous le savez, inutile de le demander.

— C'est parce que j'aimerais vous l'entendre dire.

— Pour quoi faire?

— Par souci de légalité. Nous autres policiers sommes des gens curieux. Soucieux aussi de ne pas

1. D.M.V.: l'équivalent de notre carte grise.

commettre d'erreurs sur les personnes. Nous voulons savoir qui nous interrogeons.

Visiblement, l'explication de Baker laisse Burt indifférent.

– Admettons que je m'appelle Field. Vous êtes content?

– C'est un point acquis. Un second m'intéresse. Dans quel but avez-vous brusquement quitté Los Angeles pour l'Arizona?

– J'avais envie de me promener.

– Normal. Pourquoi avoir choisi cette région proche de la frontière mexicaine plutôt que la Californie, par exemple? Il y a de beaux paysages, en Californie, non?

– Répondez, dit doucement Leslie Brown.

Burt soulève une épaule, la dévisage :

– Est-ce défendu de se promener près du Mexique?

Elle le gratifie d'un sourire :

– Ce qui est défendu, c'est de franchir clandestinement la frontière.

Burt accuse légèrement le coup.

– Qui vous dit que j'allais passer de l'autre côté?

– Une intuition. Le fait de rouler vers Nogales me le laissait supposer. Vous connaissez quelqu'un à Nogales?

– Personne.

– Pourquoi alors avoir dit au poste de douane qu'un ami vous y attendait depuis le matin?

– Ils ont dû mal interpréter mon propos.

Richard Baker prend le relais.

– Autre petite question sans importance et on en aura terminé pour ce soir, nous ne voulons pas vous fatiguer. De quoi vivez-vous?

– De mes économies.

– Encore normal. On vit de son travail ou de ses économies. Et elles proviennent d'où, ces économies, puisque vous n'avez jamais travaillé?

– Je donne de temps en temps un coup de main à un ami. Au noir, à cause du fisc.

Baker a un haussement de sourcil.

– Quel ami?

– Simon Krametz. J'effectue les livraisons quand il me le demande. Je n'ai pas de salaire mais les clientes savent se montrer généreuses en pourboires.

– Voilà qui est parfait, dit Baker, quittant sa chaise. Nous avons pris note de vos explications et apprécié leur ambiguïté. Bien sûr, il nous faudra passer à des choses plus sérieuses, mais en attendant, nous allons vous laisser le temps de la réflexion.

– C'est-à-dire?

– Ne soyons pas pressés. Nous avons beaucoup de choses à nous dire, monsieur Field. (Il appuie sur monsieur Field en le fixant bien en face.) Nous ne sommes pas venus à Tucson pour faire du tourisme, vous devez le comprendre.

On frappe à la porte. Un adjoint tend un télégramme que le shérif s'empresse de lire. Il fronce le sourcil, le passe à Baker qui le parcourt, sourit, adresse un clin d'œil chargé d'ironie à Field :

– Qu'est-ce que je vous disais mon cher Burt Field il n'y a pas dix secondes? Que nous devions passer aux choses sérieuses. Eh bien, ça se confirme. A demain, monsieur Field. La nuit porte conseil, à ce qu'il paraît.

Le temps d'ingurgiter coup sur coup deux coupes de champagne et Steven Hyde déborde d'enthousiasme :

– Je suis convaincu, sergent Brown, qu'il sera

294

tenu compte de votre excellent travail lors du prochain tableau d'avancement. N'est-ce pas commandant Moss? Déjà, je vous en félicite. Et je puis vous
assurer que j'écrirai personnellement au gouverneur
pour lui dire tout le bien que je pense de sa police.
Ce qui me ferait plaisir, cher monsieur Baker, c'est
que vous nous racontiez par le détail comment s'est
déroulé l'interrogatoire de Burt. Pas sans mal, j'imagine?

Pas sans mal, en effet. Lorsque nous nous retrou-
vons dans le bureau où le shérif tient ses assises
devant un mur couvert de trophées de chasse, Baker
se frotte les mains, puis les pose sur les épaules de
Leslie dans un geste de familiarité inaccoutumée,
signe d'une intense satisfaction.

— On tient le bon bout, s'écrie-t-il en agitant le télégramme. Il va craquer, votre suspect. Il est obligé de
craquer! Ron Willis a eu le labo de Phoenix. La balle
qui a frappé le douanier a été éjectée par l'arme sai-
sie sur Field. Ça c'est une chose. Mais elle a surtout,
et très exactement, les mêmes caractéristiques que
celles qui ont abattu Julien et Palding. Aucune
erreur là-dessus. Phoenix adresse le rapport balistique en urgence au juge Gower. Qu'il avoue ou qu'il
n'avoue pas, le compte de notre salopard est bon. Si
on allait fêter ça dans un petit coin tranquille? On
dîne, on se repose, et on reprend l'interrogatoire
demain. Ça donnera à Field le temps de gamberger.

Je bous d'impatience. Pourquoi reporter l'audition
au lendemain alors que nous avons de sérieux atouts
en main? J'ai senti Burt faiblir devant l'apparition
du télégramme. Moi, j'aurais évidemment continué.
Mais à chaque police sa méthode. Celle des flics
américains m'étonnera toujours.

– Je vous invite, dit le shérif. Au Rancho del Rio, une vieille hacienda du Sabino Canyon où les escargots, les homards et le canard flambé sont appréciés des fins connaisseurs.

La route sinueuse et escarpée longe la massive mission San Xavier del Bao fondée par les Jésuites sur l'ancien territoire des Indiens Pimas avant de s'enfoncer dans la forêt. Le Rancho del Rio apparaît au bas d'une longue descente. Il n'incite pas à la prière, mais au *farniente*. Le propriétaire qui nous accueille peut en être fier. Les bâtiments primitifs, restaurés avec un respect scrupuleux du passé et entretenus avec soin donnent à l'amoureux des vieilles pierres que je suis l'envie de m'éterniser derrière leurs augustes murs.

Leslie Brown, durant le voyage, m'a semblé soucieuse. Elle regardait par la vitre sans prononcer une parole. A mesure que nous approchions de la luxueuse hostellerie croissait sans doute son énervement de ne pas avoir poussé Field dans ses derniers retranchements. Baker, renversé contre le dossier du siège avant comme au fond d'un fauteuil, la nuque calée sur le rembourrage, se taisait lui aussi. Peut-être peaufinait-il son plan?

Le repas traîne en longueur. Je savoure la caresse de la brise par la fenêtre qui donne sur les arcades, autour de la piscine. Euphorique, mon esprit flotte dans un brouillard exotique de jus de fruit corsé qu'a préparé le maître des lieux à notre intention : mélange de cognac, de rhum, de citron pressé et d'eau glacée, le tout passé au mixeur. Je me sens en forme. Pas au point cependant d'oublier que, demain, il faudra sérieusement s'occuper de notre prisonnier. A propos, un détail me revient en mémoire :

– Le coup de la cigarette, Richard, c'était pour voir s'il était gaucher?

Baker sourit, promène la serviette sur sa bouche avant de répondre.

– Exact. Gaucher, comme l'assassin d'Ingrid Palding, *Rodger*. J'espère que vous êtes d'attaque. La pause casse-croûte est finie. On retourne tâter du Burt Field.

– On devait reprendre demain, bredouille le shérif qui transpire de plus en plus.

– C'est vrai, dit Richard avec un sourire en coin. C'est ce que je pensais. Mais le beau Field a tellement envie de passer aux aveux qu'il serait mal venu de le faire attendre trop longtemps.

Ainsi, c'est sa technique à lui. Le suspect se tourne et se retourne sur la couchette de sa cellule, se disant qu'il est au moins tranquille jusqu'au lendemain. Et nous, reposés, abreuvés, nourris, allons lui retomber sur le poil!

Du coup, la belle Leslie a retrouvé son humeur.

Nous entamons la troisième heure d'interrogatoire. Burt Field, le faux dur, n'a pas encore craqué. Il a repris sa place au milieu de la pièce, l'air quand même bien fatigué. Ses yeux las ne regardent même plus l'entourage de flics qui guettent sa capitulation. Leslie Brown puis Baker ne l'ont pas ménagé.

La métamorphose de Richard m'a d'ailleurs stupéfié depuis que nous avons réintégré la pièce. Je le connaissais calme, gentil, passif. Il se révèle un autre homme. L'œil dur, la voix sèche, impérative, le ton sans réplique. Le truand le plus averti ne devait pas avoir beaucoup de chance devant lui lorsqu'il était en activité. Field l'a compris. Il a perdu son attitude narquoise.

Inlassablement, Baker recommence son interrogatoire à zéro, comme si le temps n'existait pas. Il est 2 heures du matin. Les questions fusent avec une telle vitesse que j'ai du mal à les suivre. Il s'approche de Burt. J'ai l'impression qu'il va le secouer.

— Vous savez que je pourrais vous appliquer le troisième degré?

Burt Field esquisse une grimace et sa réplique manque d'assurance.

— Je ferai constater vos brutalités par l'avocat qui me défendra.

— Je doute que vous ayez suffisamment d'économies pour l'honorer. Ça coûte cher, un défenseur, vous devriez le savoir. Surtout lorsque trois gros dossiers sont à préparer et à plaider : un en Arizona et deux en Californie. Avec au bout le court-circuit sur la chaise électrique de San Quentin... Pas rigolo, ça!

Burt regarde le sol. Il accuse le coup. Il n'essaie même plus de résister lorsque Baker enchaîne :

— Parce que vous y allez tout droit à la chaise électrique, monsieur Field, si vous continuez à jouer les silencieux. Nous en savons suffisamment pour nous passer de vos services. Vous avez eu tort de conserver votre arme. Et une arme, ça cause. La vôtre a parlé en trois endroits différents. Trois balles, deux morts et un blessé. Ennuyeux, vraiment très ennuyeux.

Le front de Burt, ses joues ruissellent de sueur. La peur, la haine ou l'atmosphère tendue, suffocante du bureau?

— Vous entendez ce que je vous dis?

Un léger frémissement parcourt la narine de Field. Il va parler. Non. Baker met la pédale douce.

— La loi accorde des circonstances atténuantes à celui qui fait des révélations, vous le savez sans doute. Il bénéficie du statut de témoin. Si vous reconnaissez ce que vous avez fait, vous devenez témoin. O.K.?

Moi, ces dispositions pénales yankees me coupent le souffle!

– ...Vous me racontez ce que vous savez sur la provenance de la drogue que nous avons découverte à Pacific Palisades et sur les accidents dont ont été victimes Pierre Julien de Larzac et sa maîtresse Ingrid, et les choses peuvent s'arranger. Voyez comme je suis compréhensif : je parle d'accidents...

Burt considère Leslie Brown qui, de la paupière, lui fait un signe d'encouragement. Les épaules tassées, il baisse la tête, la relève, balbutie :

– Vous dites ça, mais l'*attorney* n'arrangera rien du tout...

– La loi est la loi, et l'*attorney* est là pour l'appliquer, plus que tout autre.

Le dénouement est proche. Field a mis le doigt dans l'engrenage de la confession. Il faut se garder d'intervenir. Dans ces cas-là, il est de règle de laisser les suspects s'épancher, de ne poser aucune question qui pourrait modifier le cours du débit ou même le stopper.

– ... Si vous me donnez votre parole...

– D'intervenir auprès de l'*attorney*, aucun problème. Nous pourrons même lui spécifier que votre déposition a été libre, franche et pleine de remords. Je ne vous garantis pas l'absolution mais, au moins, vous aurez sauvé votre peau.

– Vrai?

– Vrai. Et celle de Simon Krametz par la même occasion. Nous lui avons rendu visite. C'est un type bien, Krametz, vous pouvez me croire.

Moi, ces dispositions pénales yankees me coupent le souffle!

— Vous me racontez ce que vous savez sur la provenance de la drogue que nous avons découverte à Pacific Palisades et sur les accidents dont ont été victimes Pierre Julien de Larzac et sa maîtresse Ingrid, et les choses peuvent s'arranger. Voyez comme je suis compréhensif ; je parle d'accidents...

Burt considère Leslie Brown qui, de la paupière, lui fait un signe d'encouragement. Les épaules tassées, il baisse la tête, la relève, balbutie :

— Vous dites ça, mais l'attorney n'arrangera rien du tout...

— La loi est la loi, et l'attorney est là pour l'appliquer, plus que tout autre.

Le dénouement est proche. Field a mis le doigt dans l'engrenage de la confession. Il faut se garder d'intervenir. Dans ces cas-là, il est de règle de laisser les suspects s'épancher, de ne poser aucune question qui pourrait modifier le cours du débit ou même le stopper.

— Si vous me donnez votre parole...

— D'intervenir auprès de l'attorney, aucun problème. Nous pourrons même lui spécifier que votre déposition a été libre franche et pleine de remords. Je ne vous garantis pas l'absolution mais, au moins, vous aurez sauvé votre peau.

— Vrai?

— Vrai. Et celle de Simon Kramer par la même occasion. Nous lui avons rendu visite. C'est un type bien, Kramer, vous pouvez me croire.

2

L'auditoire de Moustache Café est tout ouïe. On entendrait une mouche voler. Baker sait tenir son assistance en haleine. Le super-crack du F.B.I. s'est mué en un sacré conteur.

Son regard parcourt l'aréopage des invités, se porte sur le personnel qui s'est curieusement regroupé derrière Fernand, le maître de céans. Il ébauche un sourire de satisfaction. Il sait que tout le monde attend la suite : comment l'amant de Simon Krametz s'y est-il pris pour mettre son funeste projet à exécution ?

Avec une lenteur savante, Richard savoure une demi-coupe de Krug, puis reprend son exposé. Son histoire, je la connais déjà. Burt Field nous l'avait racontée d'une voix hachée, alors que Leslie, Richard et moi gardions le silence, de peur de briser le fil de ses aveux...

Field a passé une partie de l'après-midi à écumer les boutiques de Westwood et de Downtown. Il rentre déçu. Le multiplificateur de focale Nikon qu'il désirait s'offrir n'est toujours pas disponible en magasin. Quand il abandonne sa Kawasaki au bas du

Beautiful Cottage, l'émeute gronde sur South Central. Ses remous déferlent jusqu'à Pico Boulevard, submergent un territoire que les forces de police ont évacué. Une odeur de caoutchouc brûlé stagne sur Longwood. Au-dessus de Venice Boulevard, une fumée épaisse, opaque, s'élève dans le ciel en tournoyant.

A mesure que l'ascenseur l'entraîne vers les étages supérieurs, l'idée de profiter des événements pour supprimer Pierre Julien s'ancre en Burt, avec force. Elle avait déjà germé dans son esprit au début de sa liaison avec Simon. Il voue à l'industriel une haine sourde, passionnée, un ressentiment né d'une jalousie rétrospective, la pire de toutes, comme il s'en rencontre fréquemment dans le milieu homosexuel. Une inimitié encore accentuée par la fortune que Larzac étale avec insolence. S'il venait à disparaître, Simon hériterait de l'affaire Larzac, et Burt, par contrecoup, pourrait pleinement et pour longtemps profiter des plaisirs d'une vie qui, jusqu'alors, n'a pas été tendre avec lui.

Plus d'une fois, dans ses moments de solitude, il avait élaboré des plans. Il n'y avait pas donné suite, par peur ou par manque d'imagination. Ce soir, il en est autrement. La chance est avec lui. La ruée vengeresse des Noirs lui fournit l'occasion inespérée. Si tout se passe bien, Simon Krametz deviendra le *big boss* de l'entreprise dans les heures qui viennent. Une belle partie à jouer. Une aubaine à ne pas laisser passer.

Silencieux sur ses semelles de crêpe, Burt pénètre dans l'appartement de Krametz, allume le poste de télévision. La chaîne C.N.N. le comble d'images évocatrices. Les pillages, les incendies, les fusillades font de La Brea et de Pico un quartier à risques. La quasi-absence des forces de police, impuissantes à endiguer la furie noire, le conforte dans sa certitude de bénéficier de l'impunité. L'appel au secours de Pierre Julien, que le répondeur téléphonique vient de lui restituer, concrétise sa détermination.

Burt enfouit dans la poche de sa combinaison de motard le revolver enveloppé d'une chaussette de laine que Krametz dissimule dans un carton à chaussures, entre les brosses et les boîtes de cirage. Il entrebâille la porte. Dans le couloir désert, le plafonnier couvert de chiures de mouches distille sa lumière laiteuse. Les ébats bruyants de l'envahissante voisine sous la douche finissent de le rassurer. Il referme doucement la porte, se glisse dans la pénombre de l'escalier de service.

Les yeux de Burt scrutent Longwood plongé dans une demi-obscurité. Il abaisse la visière de son casque, quitte le hall où une fumée irritante commence à s'infiltrer, s'enfonce dans l'impasse resserrée comme une faille entre deux immeubles, débouche sur Highland Avenue. Tandis qu'il progresse vers Pico, il se métamorphose. Son cerveau, tout son corps sont suspendus à la réussite de l'opération. Il découvre la jouissance de la férocité, la fascination de la mort. Sa tenue sombre lui sert d'armure protectrice. La visière fumée dissimule ses traits. Le reflex qu'il a suspendu à son cou lui confère l'allure d'un reporter, lui en donne l'assurance. Affronter des manifestants déchaînés aurait été imprudent pour un Blanc. Dans son accoutrement, Burt a le sentiment qu'il ne risque rien. Là-bas, à l'angle de Brighton et Pico, des ombres se déplacent à la lueur des incendies qui embrasent les façades. C'est le moment d'agir.

Burt quitte Brighton, s'avance sur Pico, l'œil aux aguets, passe devant le bâtiment Larzac sans ralentir le pas, fait mine de photographier les flammes qui ravagent le magasin de liqueurs, juste en face, devant lequel de jeunes Noirs dansent une sarabande effrénée. En réalité, son œil ne quitte pas l'entrée de l'entrepôt que violent des émeutiers-chapardeurs. Un panache de fumée barre l'horizon. Occupée par quatre adolescents masqués et armés, une voiture décapotable braque ses phares sur le portail à demi arraché. Les faisceaux révèlent à Burt un spectacle dantesque : femmes échevelées à demi hystériques, enfants dépenaillés, vieillards aux allures hésitantes se livrent au pillage en règle du local, entassent robes, tailleurs, manteaux de toutes tailles et de toutes couleurs dans des carrioles aux roues grinçantes ou des Caddie empruntés à des *department stores* dévalisés et incendiés.

Burt s'approche du portail, s'adosse contre un lampadaire éteint. Comment jouer son va-tout dans pareille effervescence? Comment surtout approcher Julien qui, apeuré, a dû se barricader dans son bureau du premier étage ou se dissimuler dans un coin, guettant l'arrivée des forces de l'ordre? Ne risque-t-il pas de faire feu le premier s'il le voit s'approcher?

Burt grimace. L'affaire ne se présente pas aussi bien qu'il l'avait envisagée. L'euphorie du départ a fait long feu. Ses yeux enregistrent l'agitation avec une prodigieuse mobilité. Toujours le même remue-ménage, toujours la mise à sac de l'entrepôt par des bandes qui vont grossissant, toujours l'indicible et incroyable tumulte, les vociférations, les piaillements, les exclamations de joie, les injures.

Soudain deux coups de feu claquent à l'intérieur

de l'établissement, amplifiés par l'écho, semant la panique chez les chapardeurs qui quittent les lieux en poussant des cris d'effroi. Burt, frappé de stupeur, assiste à leur fuite précipitée, à leur égaillement dans l'obscurité des rues avoisinantes. Il demeure quelques secondes immobile, cherchant à s'expliquer les raisons de cette panique brutale. Ses doigts serrent la crosse du Smith et Wesson. Il tend l'oreille. Le silence est toujours pesant. A croire qu'il n'y a plus âme qui vive dans le local au seuil duquel gît un ballot abandonné de vêtements.

Burt, enfin, se décide. Il ne peut plus reculer. L'idée de la réussite agit sur lui comme un coup de fouet. Des nuages de fumée engloutissent la lune par intermittence. Il appréciera encore plus l'obscurité, tout à l'heure, lorsqu'il aura déniché cette ordure de Julien et l'aura exécuté comme on abat une bête venimeuse. La rage le submerge. Il franchit le portail, décidé à tout, pénètre dans le hall désert.

Une odeur d'essence le prend à la gorge. A proximité, des jerricanes ont été délestés de leur bouchon. Les manifestants n'ont pu mettre leur projet d'incendie à exécution. Les impostes qui diffusent sur le rez-de-chaussée une demi-clarté sinistre lui donnent l'impression d'être dans un des sous-marins attractifs de Disneyland. Mètre après mètre, Burt progresse, s'arrête pour reprendre son souffle et observer. L'inquiétude l'envahit à nouveau. Autour de lui, le local est vide. Aucun bruit. Comme il le prévoyait, Julien doit attendre les flics, calfeutré dans son bureau, à l'étage. Tant pis, il va falloir l'en déloger. Au pire, s'en approcher discrètement en rampant sur la carpette du couloir, se relever et faire feu à travers la vitre de la porte. Ce serait bien le diable si, à moins de deux mètres, les balles n'atteignaient pas leur cible!

Depuis qu'il y pense, l'idée du meurtre de Julien finit par sembler naturelle à Burt. Mais la perspective de vider le coffre empli de devises exacerbe soudain son désir de faire d'une pierre deux coups. Il en connaît l'emplacement, derrière la gravure encadrée représentant l'abbaye bénédictine de son village natal. Simon, en toute innocence, l'avait renseigné. Il sait que la clé cannelée en permettant l'ouverture est fixée à une chaînette d'or, avec d'autres clés, dans la poche de son propriétaire. Ce qu'il ignore, ce sont les quatre chiffres de la combinaison. Problème mineur. Julien, terrorisé par son apparition subite, craignant pour sa vie, la dévoilera avec la précipitation du pleutre qu'il est.

A condition, bien entendu, que Burt puisse pénétrer sans encombre dans son bureau.

– Il y a quelqu'un?

La voix surgie de l'obscurité au pied de l'escalier fait soudain sursauter Burt. Pierre Julien, un pistolet dans la main droite, une torche électrique dans la gauche s'est arrêté à proximité des toilettes. Le halo rond de la lampe permet de distinguer sa haute silhouette. Burt, tapi derrière un comptoir, retient son souffle, le Smith et Wesson bien en main.

La voix rendue méconnaissable par la peur, Pierre Julien répète :

– Il y a quelqu'un?

La quiétude des lieux finit par le rassurer. Sans se douter que son agresseur est là, collé aux tiroirs du meuble, il s'avance en direction du portail, s'immobilise dans l'allée centrale. Le faisceau de sa torche balaie le sol.

— Lâches, voyous! profère-t-il, fou de fureur à la vue du local saccagé.

Il tente, sans succès, de refermer les doubles vantaux, les gestes rendus maladroits par la présence de son arme et de la lampe dont il ne s'est pas séparé. Burt, impassible, assiste à la scène. Son plan est arrêté : dès que Julien passe à proximité, il se redresse comme un diable sorti de sa boîte, le menace, s'empare de l'arme, le force à rejoindre son bureau et à ouvrir le coffre.

La guigne!

La malchance dont il se croyait jusqu'alors préservé risque d'un coup de tout remettre en question. La glissière de sa combinaison a accroché un bouton de tiroir alors qu'il exécutait un mouvement tournant pour prendre Julien à revers. Dans le silence de la nuit, le bruit, imperceptible en d'autres circonstances, a pris des proportions de catastrophe. Julien l'a perçu puisqu'il stoppe net sa marche et lance à la cantonade :

— Sortez de là où je tire!

Bien à l'abri derrière le comptoir, Burt ne réagit pas. Il capte la respiration saccadée de l'industriel, preuve de la frayeur qui l'étreint. Il aimerait à cet instant voir la décomposition de son visage. Il le devine, figé dans l'expectative, de l'autre côté du meuble, n'osant ni avancer ni reculer. Se tient-il de face, de côté, de dos? Pour l'atteindre, il est indispensable de se découvrir, mais le danger vient du pistolet dont il faut l'empêcher de se servir. Julien a beau ne pas être familiarisé avec le maniement des armes, un coup malheureux est vite parti et arrivé. Le délestage du coffre passe désormais au second plan. Il faut surtout penser à la situation présente qui ne peut s'éterniser.

Burt prend une profonde inspiration silencieuse. C'est le moment d'agir.

– Sortez de là ou à trois, je tire! répète Julien.

Terrorisé, Larzac fait feu presque immédiatement. Burt perçoit le miaulement de la balle au-dessus de sa tête. L'odeur de poudre imprègne ses narines.

– Il y a quelqu'un? s'inquiète à nouveau Julien, surpris par le manque de réaction à son tir de semonce.

Il fait un pas de côté pour contourner le meuble, se dévoile. Erreur fatale. Au moment où il dirige le rayon de sa lampe sur Burt accroupi, celui-ci appuie sur la détente. La balle frappe Julien en plein front. Il s'effondre, lâchant la lampe et le revolver. Le sang gicle avec des fragments de cervelle, rougit le comptoir. Une balle a suffi. D'une main experte, Burt récupère la douille qui, venue percuter le muret de soutien, a roulé sur le sol, jusqu'à ses pieds. Il se relève. Sans un regard pour sa victime qui gît, le regard fixe, au milieu de la mare de sang qui s'élargit, il entreprend de masquer son crime. Les jerricanes sont là pour en faire porter la responsabilité aux Noirs qui ont abandonné les lieux il n'y a pas si longtemps après avoir tiré, eux aussi, des coups de feu d'avertissement. Burt les retourne, craque une allumette. Une langue écarlate rampe jusqu'à la mare, l'encercle, l'enflamme. En rien de temps, le brasier se propage aux boiseries et aux rouleaux de tissu entreposés sur des étagères. Burt songe à transporter le corps de Julien dans les flammes mais une sirène de police, toute proche, le fait bondir. Il se précipite vers une baie dont la vitre a volé en éclats. Un rétablissement et il est déjà en équilibre sur le châssis, l'œil fixé sur le passage, à quelques mètres de là. Des cars de police sillonnent Pico à toute allure, précédant des voitures de pompiers, sirènes hurlantes. Il faut faire vite.

Burt saute dans la ruelle secondaire, retrouve Highland Avenue, puis le passage qui ouvre sur Longwood. Sa Kawasaki l'attend.

3

Les agapes se terminent. Steven Hyde s'éponge le front. Ses joues vermiculées de couperose ont viré au cramoisi. Il a visiblement du mal à garder les yeux ouverts. Le bordeaux dans lequel il n'a cessé de puiser de nouvelles forces tout au long du dîner est un allié trompeur. Gladys Brighton, volubile comme à l'ordinaire, a préféré faire honneur au *best chocolate soufflé anywhere*, le soufflé au chocolat qu'on ne trouve nulle part ailleurs, la spécialité de Camille, le maître-queux. Les mains sur le ventre, un sourire béat aux lèvres, elle semble maintenant plongée dans une demi-extase sous l'œil désabusé du commandant Moss.

Il n'a pas l'air de s'amuser, le patron de la California Highway Patrol. A plusieurs reprises, son index a tapoté le verre de sa montre pour rappeler à Baker que l'heure tournait et qu'il serait temps d'écourter ces festivités intempérantes. Sa mine de professeur poliment accablé en dit long sur ses intentions de recommencer pareille ripaille! Je le comprends. D'autant qu'hostile plus que jamais à la communauté noire, le sergent Broziack n'a pas failli à lancer sa diatribe favorite contre les Crips et les Bloods lorsque Richard avait évoqué le pillage et les incendies des magasins. « Si on les avait flingués comme on seringuait les niakoués au Viêt-nam, ces sacs de charbon ne parleraient plus de 187 », avait-il chuchoté à l'oreille de sa voisine qui préférait laisser à l'alcool de poire le soin de la bercer. Edward Moss n'avait réagi que par un froncement de sourcils.

Moi, les paupières fermées, je revivais le chassé-croisé de nos démarches à tous pour parvenir à mettre la main au collet du meurtrier d'Ingrid Palding et de Pierre Julien. Tout défilait dans ma tête, depuis mon premier contact avec Steven Hyde jusqu'à l'arrestation de Field par les douaniers de Tumacacori.

Entre-temps, le salopard, comme dit Baker, avait fait du chemin!

Il est près de 11 heures du soir lorsque la Kawasaki Sumo traverse Brentwood endormi ou qui fait semblant. Non sans plaisir, Burt constate que les seuls témoins de son passage sont des bébés coyotes squelettiques, étonnés d'être dérangés dans leur festin nocturne, au milieu des poubelles renversées.

Il a relevé la visière de son casque et les rafales de l'air frais des collines fouettent son visage. Il évite Sunset, suit Bowdoin Street qui enjambe Temescal Canyon et mène à Pacific Palisades par un dédale de voies quasi désertes. Quelques miles après Marquett Street, le panonceau éclairé d'une station d'essence s'offre à sa vue. Burt s'arrête, fait le plein, glisse un *quarter* dans la fente de l'armoire téléphonique fixée près de la caisse. Il a un moment d'hésitation, finit par se décider. Son index frappe nerveusement les huit chiffres du numéro de Pacific Palisades. Le ronflement de l'appareil résonne dans le vide. Il laisse sonner une dizaine de fois, raccroche le combiné au support-étrier, pousse un soupir de soulagement. Simon absent, c'est autant de questions à éviter, d'explications à fournir. Il faut gagner la villa d'urgence, feindre de sommeiller lorsque Simon mettra la clé dans la serrure.

– Si je comprends bien, dit Steven Hyde d'une voix pâteuse, s'épongeant le front pour la énième fois, Krametz est resté bloqué dans sa Bentley plus longtemps qu'il l'aurait voulu. Tout ça à cause d'un officier de police vindicatif?

– Tout ça à cause des manifestations, monsieur Hyde, rétorque Leslie Brown d'un ton légèrement pincé. C'est la preuve qu'il ne pouvait être le meurtrier de Pierre Julien. L'officier vindicatif, comme vous dites, nous a permis de prouver son innocence. En tout cas en ce qui concerne le meurtre. Parce que après...

Simon Krametz fulmine. Non seulement il est demeuré cloué à son siège pendant trois heures, attendant que les hordes de manifestants se soient repliées, mais les voitures qui se sont amoncelées derrière la sienne ont perdu conducteurs et passagers, fuyant la tourmente qui a secoué de fond en comble l'édifice de la société hollywoodienne. Un ouragan sans précédent qui s'est abattu sur Pico.

Les petites jambes de Simon s'activent vers Longwood qu'il aborde, dévoré par une angoisse insurmontable. Qu'est devenu Burt? Ils avaient rendez-vous à vingt heures. Depuis, l'absence de nouvelles le torture.

La panne de courant qui a submergé le quartier a immobilisé l'ascenseur entre deux étages. Dans la demi-obscurité de l'escalier de service, Simon, avide de savoir si Burt l'a attendu ou s'il a laissé un message sur le répondeur, se hâte vers son logement. Il se heurte à des objets hétéroclites entassés sur les paliers par des locataires insoucieux en dépit du règlement sanitaire, jure, manque une marche, se rattrape in extremis à une colonne montante dont il était loin de soupçonner la présence. Dans le living, il bondit sur le téléphone, compose le numéro de la villa. Il tressaille de joie quand il perçoit le déclic, à l'autre bout du fil. Burt est à Pacific Palisades.

– Chéri?

La voix faussement ensommeillée de Burt s'étonne :

– Ce n'est pas trop tôt! Ça fait plus de quatre heures que je t'attends. Qu'est-ce que tu fabriques?

– Je suis à Longwood, chéri. Panne de voiture. Impossible de circuler tant que la rue ne sera pas dégagée. Tu vas bien?

Un grognement au bout du fil.

– Tu déconnes ou quoi? Tu me files rencart à 8 heures, tu n'es pas au rendez-vous et tu me demandes si je vais bien? Je suis rentré mais tu ne m'auras plus avec tes projections à la noix...

L'injuste reproche que Burt ose lui faire traumatise Simon au point qu'il en balbutie :

– Les événements, chéri... Tu n'es pas au courant des événements? Ça flambait de partout. Je voulais aller à l'entrepôt, on m'a coincé dans ma voiture. Regarde la télé, tu comprendras que je ne te raconte pas d'histoires... Les Noirs étaient devant *Larzac*. Les flics m'ont interdit de passer. Je ne sais pas s'ils y sont entrés à cause de la sécurité mais ça se pourrait... Faudra voir ça demain matin. Heureusement que la vidéo est là pour les filmer s'ils ont pillé les réserves.

314

– Simon?

– Oui, chéri?

– Couche à Longwood. Pour moi, c'est plus facile de te rejoindre en Kawa. On ira les voir ensemble, les dégâts, s'il y en a. Je serai là vers 6 heures. Bonne nuit.

– Tu ne veux pas que j'aille te retrouver dès que...

– Bonne nuit, je t'ai dit, merde!

Malgré les signes d'impatience du commandant Moss, le sourire que me prodigue Leslie Brown me donne l'énergie suffisante pour attaquer le morceau de bravoure, celui du truquage de la bande-vidéo. Après, les lampions s'éteindront. Nous quitterons Moustache Café, mission accomplie.

Le menton sur sa gorge rebondie, Gladys la rousse est passée de l'extase à la somnolence. Nous lui devons beaucoup, à la voisine de Krametz, dont l'esprit d'observation, pour ne pas dire la curiosité jamais assouvie, avait attiré mon attention lors de ma visite à Longwood. « Il doit s'ennuyer le grand Burt, à force de ne rien faire. Je l'entends jouer de la guitare, passer des films vidéo, démonter et remonter des postes de radio ou je ne sais quoi. Il se balade toujours avec une caméra, un poste ou un appareil de photo à bout de bras. »

L'idée d'une falsification éventuelle de la bande, nébuleuse à son début, n'en avait pas moins cheminé dans mon esprit avec la lenteur de la taupe. Leslie Brown, à qui, finalement, j'en avais fait part, avait objecté :

– Il aurait fallu pénétrer dans le local, retirer la cassette, la modifier, la remettre en place sans attirer l'attention. Si c'était le cas, je ne vois que la main de Krametz qui avait commandé l'installation pour faire ça.

Je suis très gadget. J'aime, à mes moments perdus, bricoler moi aussi, me livrer à des menus travaux de radioélectricité. En matière de radio, rien de plus facile que d'éliminer d'une bande sonore quelque passage défectueux. Une paire de ciseaux, un raccord discret à l'aide d'un ruban adhésif spécial et la bande redéfile dans sa fausse virginité. Pas étonnant que la justice refuse de prendre en compte des témoignages audio à l'authenticité douteuse. En matière de vidéo, le truquage est plus délicat du fait de l'inviolabilité relative des cassettes, de la concordance des images et des sons, surtout. Deux magnétoscopes ou deux appareils, l'un dérouleur de bande, l'autre de reproduction, connectés entre eux, sont nécessaires. Le résultat, parfois discutable, provient de la non-simultanéité du défilement des bandes émettrice et réceptrice. Des zébrures apparaissent, effaçant les images reçues. Mais le procédé le plus simple est d'enregistrer une émission de télévision par-dessus ou d'effectuer l'opération télévision fermée. Le blanc ou les stries inondent la bande réceptrice. Tout amateur connaît ça. C'est le procédé qu'avait employé Burt Field pour masquer sa présence dans l'entrepôt Larzac, le soir du crime.

Burt s'exhorte au calme. Il se répète qu'il n'a rien à craindre, que ses fâcheux pressentiments ne sont pas fondés. Les épaules tassées, il s'engouffre à la suite de Krametz dans le local inondé par les pompiers. Voués à des tâches plus critiques, les soldats du feu ont abandonné les lieux depuis la veille. Les comptoirs calcinés, les murs noirâtres, les flaques d'eau et d'huile sinistres et nauséabondes, tout ce spectacle noyé dans la grisaille matinale, ne lui parvient qu'au travers d'une sorte d'écran d'hébétude. Il ne voit rien, ne pense à rien. Si on l'interrogeait à ce moment précis, il dirait qu'il rêve, dans une salle de cinéma devant un mauvais film d'épouvante. Pourtant, une idée l'obsède : son irruption dans les lieux a-t-elle été enregistrée ? La réflexion de Simon, hier soir, au téléphone, l'angoisse : « Heureusement que la vidéo est là pour les filmer s'ils ont pillé les réserves. »

La frayeur assaille à nouveau son cerveau. Burt a l'impression que tant qu'il n'aura pas visionné la bande il se trouvera exposé, sans défense. Pour des tiers, le scaphandre de motard et le casque le préservent de l'identification. Pour Simon qui connaît son allure et son équipement, il en serait autrement ! Ses espoirs seraient-ils anéantis à cause d'une erreur de calcul ? Une tragédie à éviter.

– Simon ?

Adossé contre un pilier métallique, Krametz mesure l'étendue des dégâts. Il est catastrophé. Des lambeaux d'étoffe à demi carbonisés pendent aux innombrables portiques tordus par les flammes, des cloisons de parpaing ont été réduites en cendres. Le mur de clôture s'est fendu sur sa hauteur tant l'incendie a fait rage. Les vitres ont éclaté dans la partie droite de l'entrepôt. La gauche, par contre, semble avoir été épargnée.

– J'ai besoin de la clé pour le local de la vidéo, Simon.

Hébété, Krametz lui tend machinalement le trousseau qu'il extrait de sa poche.

– La dorée, dit-il d'une voix éteinte. Celle avec l'anneau PS, Patrol Security. Je monte voir là-haut ce qui s'est passé.

Burt sent, d'un seul coup, sa tête se libérer. Un sourire fugace étire ses lèvres. Il rejette sa peur derrière lui telle une dépouille, un cadavre en décompo-

sition. Son appréhension s'éloigne à une vitesse verti-
gineuse. Longwood est à deux pas. A Longwood, le
courant a été rétabli. Il va pouvoir visionner la
bande. S'assurer qu'il n'y figure pas.

Burt ouvre la porte du local jouxtant les toilettes
du personnel, constate par le voyant rouge que la
batterie de piles fonctionne toujours et que le voyant
vert clignote. La bande entièrement enregistrée est
donc revenue à son point de départ. Le feu, les morceaux de plâtre descendus du plafond l'ont épargnée.

Burt dégage la cassette de l'appareil, la glisse dans
l'ouverture de sa combinaison. Il pivote sur ses
talons, quitte sans bruit l'entrepôt. Moins de quatre
minutes plus tard, les images accompagnées de
bruits sourds, d'exclamations, de rires défilent sur le
poste de télévision dont il a réduit le son au maximum. Il assiste, sidéré , à l'entrée en force des Blacks
au comble de l'hystérie, au pillage de l'établissement
dans les lumières vacillantes des lampes électriques.
Deux adolescents, le visage découvert, brandissent
des armes qu'ils pointent tout à coup vers l'escalier
d'où se détache progressivement la silhouette de sa
future victime.

A la vue de Pierre Julien remontant vivement les
marches quand les coups de feu retentissent, un ric-
tus sardonique déforme le bas du visage de Burt.
Dans un désordre indescriptible, le local se vide. Son
sourire grimaçant se fige lorsque, dans le coin de
l'écran, son image se profile et s'amplifie à mesure
qu'il avance. La caméra a enregistré ses gestes avec
une telle précision qu'il en reste médusé. Impossible
de nier sa présence devant une telle profusion de
vues révélatrices quand il progresse, le revolver à la
main. La scène du drame n'a pas échappé à l'objec-

318

tif : le coup de feu mortel, sa fuite après qu'il a enflammé l'essence répandue sur le sol.

La gorge serrée, Burt stoppe le défilement. Simon doit se demander ce qu'il fabrique. Il faut faire vite. Il consulte sa montre puis le compteur d'images du magnétoscope et appuie sur la touche retour rapide. Lorsque la bande est revenue à la fuite des pillards sitôt perçus les coups de feu, Burt éteint le poste, enfonce simultanément les touches *play* et *recording* du magnétoscope. La bande reprend un déroulement normal, effaçant du coup les dernières images. D'un œil anxieux, Burt suit les chiffres du compte-tours, allume de nouveau le téléviseur. Lorsqu'il juge la scène du meurtre effacée, il réembobine la bande, remet le magnéto en marche avant. Il est soulagé. Sur la blancheur de l'écran, des stries remplacent les vues qu'il redoutait. La bande désormais vierge de ses agissements peut être remise en place.

Burt dégage la cassette de ses mâchoires, regagne à vive allure l'entrepôt. Les pas de Krametz retentissent dans le couloir du premier étage.

— Qu'est-ce que je fais de la cassette ? lui lance-t-il, hypocrite.

Simon apparaît en haut des marches, la figure décomposée.

— Tu la laisses en place pour la police, dit-il. Il est arrivé malheur à Pierre. J'ai vu des taches de sang, au pied du comptoir. Tu restes là, je vais au commissariat me renseigner.

La démonstration est terminée. Le commandant Moss se lève, tandis qu'une ravissante serveuse se précipite pour dégager sa chaise. Non, elle présente un plateau d'argent sur lequel se trouve une enveloppe. J'ouvre l'oreille :

– Un agent vient de l'apporter à l'instant, commandant. Pas de réponse a-t-il dit.

Edward Moss, surpris, décachette le pli, en parcourt le contenu après avoir changé de lunettes. Son œil s'égare sur l'auditoire qui n'attend plus que le signal du départ, avant de se poser finalement sur Broziack.

– Colson a encore fait des siennes, sergent. Cette fois, c'est la voiture du maire qui a écopé d'une caisse de pamplemousses pourris. Ça ne peut plus durer. Vous foncez sur Mulholland et vous me le ramenez par le collet. Il faut l'interner définitivement, cet oiseau-là!

Qu'il fait bon se retrouver à l'air libre, dans la douceur de la nuit étoilée. Moss a récupéré son chauffeur, Broziack, sa Toyota déglinguée et l'ami Baker, sa Porsche.

– Je vous dépose, *Rodger*?

– Merci, Richard. Je marche un peu sur Melrose pour me dégourdir les jambes. Leslie n'est pas motorisée et vous lui feriez plaisir si vous pouviez la déposer à son domicile. Moi, je m'occuperai de Gladys. Steven Hyde est trop dans les vapes pour la ramener sans encombre à Longwood.

Los Angeles, Juillet 1992
Juin 1993

*Achevé d'imprimer en novembre 1998
sur les presses de l'Imprimerie Bussière
à Saint-Amand (Cher)*

POCKET - 12, avenue d'Italie - 75627 Paris Cedex 13
Tél. : 01-44-16-05-00

— N° d'imp. 2577. —
Dépôt légal : décembre 1998.

Imprimé en France